Giulio Andreotti

Gli Usa
visti da vicino

Rizzoli

Proprietà letteraria riservata
© *1989 RCS Rizzoli Libri S.p.A., Milano*

ISBN 88-17-85087-X

Prima edizione: novembre 1989

Gli Usa visti da vicino

AL LETTORE

Quando l'anno scorso racchiusi in un libro le mie impressioni di quarant'anni di contatti — alcuni occasionali altri ricorrenti — con il mondo sovietico, ero certo che l'editore mi avrebbe sollecitato a fare altrettanto per l'altra grande superpotenza (l'abbinamento sembra ormai scontato), anche se l'intensità qualitativa e quantitativa del rapporto rende questa seconda sintesi molto meno facile e sono stato costretto a una selezione di avvenimenti e di persone che rende il tutto ancor più incerto per una cronistoria compiuta, obiettiva che, del resto, non mi propongo né, forse, è ancora matura.

Quando si dice «America», a parte le tre grandi suddivisioni di quel continente che qui non interessano, ci riferiamo a una realtà statunitense estremamente varia e dagli aspetti talvolta contraddittori. Rilevare con oggettività — in un quadro di grande amicizia e ammirazione — anche qualcosa che non vi sembra giusto, rappresenta, secondo me, un segno di reciproca libertà ed è manifestazione di una fraterna affinità — non solo con i venti milioni di oriundi italiani, ma con tutti — che non è nata con l'Alleanza atlantica, ma che ha radici lontanissime e profonde.

Ricostruisco questo mio diario americano, che non si limita ai rapporti politici, impostandolo su tre «momenti» pubblici dopo una «premessa» che concerne l'osservazione indiretta all'ombra di Alcide De Gasperi: 1. gli otto anni di responsabile della Difesa; 2. le relazioni come presidente del Consiglio; 3. la titolarità della politica estera italiana.

De Gasperi ci insegnò, innanzitutto, una grande dignità nel trattare con l'estero, pur essendo consapevole che l'Italia aveva allora un bisogno senza alternative dell'aiuto altrui e riconoscendo l'impossibilità che gli altri addebitassero solo al fascismo le colpe della guerra perduta dalla nazione. In un mondo che, una volta sconfitto Hitler, si lasciava alle spalle la coalizione anglo-russo-americana per bipartirsi in una guerra fredda tra democrazia e stalinismo, il posto dell'Italia era logicamente sul primo fronte, anche se ne doveva conseguire una lacerazione interna che solo il tempo e la fermezza avrebbero rimarginato.

Ripercorrere attraverso le discussioni del Consiglio dei ministri (di cui fui segretario dal 1947 al 1954) le tappe del nostro reinserimento internazionale è per me sempre utile sotto due aspetti. Il primo riguarda la documentazione che conferma come soltanto la pazienza e il coraggio di alcune menti illuminate crearono le premesse per la ricostruzione in senso globale dell'Italia. Il capolavoro di De Gasperi, di Sforza, di Saragat e di altri pochi fu proprio l'intuizione del punto esatto della convergenza di interessi tra l'Italia e le grandi democrazie. Ma si doveva altresì avviare un processo di decantazione per dare, oltretutto, credibilità al nostro ruolo di alleati. Con quasi metà degli italiani fideisticamente schierati dall'altra parte (Nenni onorato con il Premio Stalin ne fu espressione), che sicurezza *militare* avremmo noi avuto e offerto nel caso, tragico, di un terzo conflitto mondiale?

De Gasperi non arrivò a vedere il riavvicinamento delle due Italie, ma la sua chiarezza nel considerare l'Alleanza atlantica ben di più di un patto militare ha illuminato tutto il cammino successivo e ci è tuttora di guida.

I ministri occidentali della Difesa sono, assieme ai colleghi degli Esteri, i politici che hanno più occasioni di incontrarsi con gli americani. Durante il mio mandato, vigeva, tra l'altro, la consuetudine — a parte le riunioni collegiali dell'Alleanza atlantica — di essere invitati a turno a visitare le installazioni di oltreoceano con itinerari molto diversi da quelli turistici. Debbo a questi viaggi la conoscenza di zone degli Stati Uniti che la maggior parte degli stessi americani non ha, in tutta la vita, opportunità di percorrere. Da Louisville, nel Kentucky, a Phoenix, in Arizona; da San Antonio, nel Texas, alle basi sottomarine nel New England; da Colorado Springs a Omaha, nel Nebraska; dagli aeroporti del Pacifico a Cape Canaveral, in Florida, e ad altri centri e stati: mi considero davvero privilegiato per gli approfonditi sopralluoghi che potei farvi. Tornavo ogni volta con la riconferma della esattezza di quanto era stato scritto: che Mussolini, se fosse stato anche una sola volta in America, constatandone la potenza industriale e avvertendone la indissolubilità con l'Europa democratica, non si sarebbe avventurato in un conflitto suicida.

Durante i miei primi due turni di presidente del Consiglio (1972-73 e 1976-79: non parlo di quello iniziato ora) le relazioni con Washington si svolsero su due scenari diversi, in funzione delle differenti congiunture interne e internazionali. L'Amministrazione Nixon, nella generale rilettura critica su quel che era accaduto durante le gestioni Kennedy e Johnson, considerò improvvide le interferenze americane nella politica italiana volte a stimolare governi di centrosinistra (nelle biografie scritte dai più vicini collaboratori di Kennedy immediatamente dopo il suo assassinio vi erano — non so con quanta opportunità — minuziose descrizioni al riguardo), tanto più che i socialisti si erano nuovamente, *de facto*, confusi con i comunisti in una opposizione feroce al ministero da me presieduto insieme all'onorevole Malagodi. Nella mia visita ufficiale alla Casa Bianca, che in verità non avevo sollecitato, dovetti ridimensionare questi commenti, preoccupato che non si ritenesse l'Italia in preda a insicurezze democratiche (il che non era affatto). Il binomio Nixon-Kissinger conduceva una politica di larga apertura internazionale — realizzando il capolavoro di allacciare rapporti con la Cina popolare mantenendo eccellenti relazioni con Mosca — e non voleva che il fronte occidentale si sgretolasse, compromettendo la loro manovra. Né, in verità, era ed è molto agevole far comprendere all'estero le sottigliezze della nostra vita interna. Spero di esser riuscito a illustrare che la precarietà del mio governo (insidiato quotidianamente da certi apostoli del cecchinaggio parlamentare che sarebbero, quindici anni dopo, divenuti demonizzatori delle votazioni segrete) non voleva affatto dire precarietà delle grandi linee della politica italiana.

E mi fu facile, quando tornai a Palazzo Chigi nel 1976, dimostrare quanto fosse vero l'assunto allora sostenuto grazie alla compattezza del fronte italiano verso il terrorismo e all'accettazione pubblica del Patto Atlantico anche da parte comunista. Così, contrastai duramente l'infondato e ingeneroso bollettino di pericolo per la democrazia italiana che, nel vertice dei Sette paesi industrializzati a Portorico, era stato emesso dal quadrumvirato Ford, Schmidt, Callaghan, Giscard d'Estaing.

La pericolosità incombeva invece sul terreno finanziario (avevamo valuta estera per le esigenze di non più di una settimana) e ci serviva una parola di fiducia; per la quale andai da Ford, nonostante fosse stato battuto alle elezioni e si apprestasse a passare il timone a Jimmy Carter (che inviò a Washington per incontrarmi il preconizzato segretario di Stato Cyrus Vance con un gesto di grande importanza).

Nel corso del quadriennio di Carter, l'unica nota fastidiosa fu la petulante abitudine di far fare all'ambasciatore a Roma, credo senza suo personale entusiasmo, improvvidi e oltretutto non necessari comunicati di contrarietà all'entrata dei comunisti nel governo.

La personalità di Ronald Reagan è senza dubbio rilevante. Lo avevo incontrato a Roma durante il suo viaggio di presentazione «internazionale» quando governava ancora la California, e mi aveva colpito la franchezza con cui si dichiarava ignaro di temi nei quali non era provveduto di schede informative preparategli dal Dipartimento di Stato. Anche da Presidente, le schede erano lo strumento abituale dei suoi colloqui, nei quali risultava evidente la dipendenza dai collaboratori. Non ne faceva mistero; e sembrava anzi desideroso di terminare in fretta la lettura per potervi poi intrattenere piacevolmente, attingendo anche al suo repertorio di barzellette. Ma sarebbe del tutto ingiusto considerarlo un portaparola dell'apparato. Questo era vero nelle medie e nelle piccole cose, ma al momento delle grandi scelte non ha davvero agito su copioni altrui. Ricordo l'imbarazzo del suo apparato quando, in una ristretta riunione a New York alla vigilia dell'incontro del 1985 con i sovietici a Ginevra, tirò fuori di tasca un appunto che, disse, era il frutto di una sua solitaria meditazione di due giorni. «Non so» era il contenuto «se Gorbaciov vuole veramente proseguire nella sua coraggiosa, nuova strada, ma nessuno di noi deve avere dinanzi alla propria coscienza e alla storia il rimorso di non averlo assecondato.»

E quando a Reykjavik intuì che era venuto il momento della svolta, lasciò fuori tutti e si accordò con Gorbaciov. Nel farci la cronaca dell'incontro, poche ore dopo, Shultz ci disse che il Presidente era davvero eccezionale, perché si era avventurato da solo in argomenti che non conosceva. Per fortuna...

Certo, l'itinerario dalla scomunica dell'impero del male alla politica del sorriso costruttivo con Mosca è stato ardito. Ma, sullo sfondo, la dichiarata ambizione di affrancare il mondo dall'incubo dell'olocausto nucleare ha segnato una linea ispiratrice di altissimo contenuto.

A fianco di Reagan è progressivamente emersa (mentre altri collaboratori politici deludevano e pasticciavano) la figura di George Shultz. Di lui posso scrivere con cognizione di causa perché ci siamo incontrati molte volte e abbiamo anche scambiato un carteggio sui momenti critici degli ultimi anni che gioverà, negli archivi, a illuminare su punti determinanti della diplomazia contemporanea.

George Bush e James Baker sono ora alla difficile prova delle novità nella continuità. L'uno e l'altro non volevano né essere né apparire una coda della cometa Reagan-Shultz. E hanno per questo richiesto una pausa di riflessione di qualche mese. Ma, con gli ultimi incontri di Ševardnadze negli Stati Uniti con Baker e con lo stesso Bush, la politica della grande collaborazione ha ripreso ali operative, e tutto sembra procedere nel senso giusto.

Senza alcun dubbio la vita pubblica degli Stati Uniti ruota attorno al Presidente; ma da tempo mi sono convinto che il segreto per un rapporto politico di lunga durata sta nell'avere relazioni approfondite anche con il Congresso, nel quale — a dispetto di un sistema elettorale che vede rinnovare la prima Camera ogni due anni (il Senato ogni sei, con rinnovi parziali biennali) — personaggi chiave rimangono a lungo come autorevoli punti di riferimento. E in ambedue i rami del Campidoglio gli oriundi italiani sono ormai molti e prestigiosi, e costituiscono un anello prezioso di congiunzione con noi.

Non so perché questa mia convinzione sia poco condivisa in casa nostra, anche ai massimi livelli. Il fascino di un ricevimento alla Casa Bianca sembra concentrare tutte le aspirazioni, senza avvertire la ritualità protocollare di certe cerimonie. Tra l'altro, il preparatore dei discorsi di benvenuto non si sforza troppo nel variare le espressioni; probabilmente tira fuori dall'archivio i precedenti e si limita a cambiar qualche riga. Così, per uno come me, si sottolinea la *lunga esperienza*, mentre per i presidenti novizi si tesse l'*elogio della gioventù*.

Ricordo quando Henry Kissinger, peraltro con me sempre gentilissimo, si augurava di veder venire dall'Italia facce nuove (non traduco alla lettera il *fresh faces* per non creare equivoci). Probabilmente era un impulso inconscio di stizza verso un sistema politico — il nostro — che è più stabile del loro. Quando chiedo notizie di qualche ex collega di Consiglio ministeriale Nato, trovo di regola indeterminatezza o silenzio. In una delle ultime visite a Washington, parlavo ad alto livello di un segretario di Stato che, a suo tempo, apprezzai molto, Dean Rusk: fui io a dire al mio interlocutore che il professore novantenne che oggi presiede l'Università di Athens, in Georgia, era proprio l'anziano diplomatico.

Kissinger è tuttora ben noto, ma lo deve alla sua molteplice attività professionale, e anche televisiva, più che al perdurare della eco del suo pur così rimarchevole periodo governativo.

Ma l'America non è solo quella di Washington o dei governatori. Nelle mie note troverete squarci non marginali di conoscenze con il pluralistico mondo religioso; con i leader dei sindacati; con le università (quattro delle quali mi hanno onorato con una laurea); con l'universo cinematografico; con l'affascinante ambiente delle corse; e, più di tutto, con la popolazione di origine italiana così cresciuta e gratificante.

Non mi scandalizzo davvero se queste pagine interesseranno più delle altre il comune lettore. Mi dispiace, anzi, di non averle potute sviluppare di più. Anche per me sono vivi, nel cuore e nella mente, accanto alle conversazioni ad alto livello politico alla Casa Bianca o al Congresso, l'ospitalità del defunto cardinale Spellman a New York; l'invito a casa di Jimmy Stewart a Los Angeles per festeggiare il suo anniversario di matrimonio; le serate con monsignor Alberto Giovannetti presso famiglie di amici dai nomi non altisonanti; e anche le ore trascorse nelle Disneyland delle due coste, un pomeriggio nel frastuono di un campo di baseball e la fantasmagoria di Las Vegas.

Non di sola politica vive l'uomo.

27 settembre 1989

1

QUEL DIFFICILE PH

Il primo contatto con l'America lo ebbi da bambino, e in un modo singolare. La nostra portinaia — Laurina Volpi, una bonaria marchigiana che non era stata soggetta a suo tempo alla scuola dell'obbligo — saliva di tanto in tanto da mia madre per farsi leggere la corrispondenza che riceveva dai parenti emigrati in Pennsylvania. A compenso di questa prestazione materna, io ricevevo in dono le relative buste e mi rallegravo per il francobollo straniero, ma suscitavano in me una curiosità inappagata: perché mai Filadelfia dovesse scriversi con una doppia Ph. Ascoltavo anche con interesse il contenuto delle missive, con la cronaca semplice della vita di una famiglia di lavoratori, il cui tenore — certamente ben più elevato di quello d'origine — a me sembrava addirittura pieno di fascino. Lettrice e ascoltatrice si estasiavano, e mi comunicavano la loro ammirazione, ad esempio, nell'apprendere che laggiù la biancheria veniva lavata da macchine che liberavano da quegli spacchi alle mani che il «bucato» stile europeo produceva sia a mia madre che all'ancella del portone. Quando, cinquant'anni più tardi, ho sentito criticare in blocco il consumismo e gli elettrodomestici non mi sono mai associato, nel ricordo proprio di quelle impressioni infantili. L'America, per me, era la civiltà del rispetto fisico delle donne di casa.

Alle scuole elementari non direi che mi abbiano insegnato molto sull'America. Specie in quarta e in quinta, il maestro era talmente imbevuto di nazionalismo autarchico che tutto quello che non era italiano valeva per lui poco o nulla: ripeteva spesso che Cristoforo Colombo aveva scoperto per errore di rotta il nuovo continente e che laggiù gli europei erano riusciti a far abolire solo di recente, e a fatica, la schiavitù. L'unico che si salvava nelle sue analisi era il presidente Lincoln, di cui diceva un gran bene, ma forse con malizia, perché sottolineava come i suoi connazionali lo avessero fatto fuori violentemente.

A darmi qualche nozione più diretta valse, durante il ginnasio, il campo di gioco che i Cavalieri di Colombo avevano finanziato alla periferia di Roma e mantenevano in condizioni eccellenti a disposizione dei ragazzini dell'urbe. Qui conobbi per la prima volta un americano, il sacerdote Francis Spellman, tutto cortesie e sorrisi, trattato con molta deferenza dai guardiani del campo. Fu un incontro all'apparenza occasionale, che segnò, invece, una traccia molto consistente nella mia vita.

Un altro ricordo giovanile. Come già era accaduto nel 1931 per la crociera aeronautica nel Sudamerica, mi interessarono molto, due anni dopo, le cronache del volo di Italo Balbo e dei suoi ufficiali a Chicago e New York. In particolare mi colpirono le fotografie di gruppi festosi di emigrati italiani di cui si descriveva la soddisfazione patriottica per l'ardita impresa. Non mi fu chiaro, invece, quel che sentii in parrocchia. Era stato emesso dalle poste italiane un francobollo «Volo di ritorno» che non poteva essere utilizzato ed era quindi destinato a divenire — si diceva «poco correttamente» — una rarità prefabbricata.

Venuta la guerra, dichiarato fisicamente non idoneo per il corso allievi ufficiali, fui assegnato in servizio militare al Collegio medico legale, con un triplice beneficio: di non dover interrompere e poter terminare regolarmente il corso degli studi; di avere mezza giornata libera per continuare a lavorare con Aldo Moro al centro della Federazione universitaria cattolica; e di aver dimestichezza con sanitari di grande valore, quasi tutti richiamati dalle cliniche o dagli ospedali. Questi ufficiali, forse in ragione della loro professione, erano grandi ammiratori dei colleghi americani e delle loro scoperte e non ne facevano mistero, per nulla condizionati da quella che chiamavano una temporanea parentesi bellica. Conservo gratitudine per quel periodo, anche sotto questo profilo di orientamento.

Quando, il 22 gennaio 1944, avvenne lo sbarco di Anzio — un giorno intero senza alcuna reazione terrestre o aerea da parte tedesca —, pensammo che la liberazione fosse questione di ore; invece passarono quasi cinque mesi, durante i quali la nostra ammirazione per le truppe alleate ebbe momenti di disillusa stizza. Ci vollero anni perché potessimo comprendere come fosse strategicamente necessario evitare che le truppe tedesche si ritirassero dal territorio italiano indirizzandosi al nord prima che avvenisse il risolutivo sbarco in Normandia. E la conferma la ebbi da Eisenhower.

Nel corso della lunga attesa, i partiti del Comitato di liberazione nazionale avevano predisposto minuziosi piani per l'esercizio del potere, ma si erano fatti — come si dice a Roma — i conti senza l'oste, ignorando che ogni effettivo comando sarebbe appartenuto al Governo militare alleato. Nonostante la partecipazione dell'esercito italiano a fianco degli Alleati, iniziata subito dopo l'armistizio, il governo di Salerno era un po' come nella Chiesa i vescovi titolari, i quali hanno nomi altisonanti di antiche diocesi scomparse di cui non conoscono neppure l'esatta ubicazione. Quando Badoglio e i suoi ministri vennero a Roma per passare le consegne al governo dei partiti, in verità c'era ben poco da trasmettere; e, per sovraggiunta, la cerimonia si svolse in un angolo marginale del Grand Hotel, tutto occupato dagli ufficiali angloamericani, verso i quali si concentrava l'attenzione interessata dal personale alberghiero. Ivanoe Bonomi e i ministri non ebbero neppure il permesso di restare a Roma e dovettero intraprendere disagevolmente il viaggio al sud.

Nel Palazzo delle Corporazioni in via Veneto si erano insediati gli uffici alleati addetti ai rapporti con la stampa, a cominciare dall'autorizzazione della testata alla fornitura della carta, al controllo politico. Si assisteva talora a episodi bizzarri. Vidi un giorno muoversi da padrone, in divisa militare, un personaggio che il fascismo aveva inviato in campo di concentramento come spacciatore di stupefacenti (si diceva che avesse «imbottito» il ministro degli Esteri giapponese Matsuoka ritardando di quarantotto ore l'udienza da Mussolini). E seppi che, avendolo trovato in un luogo di punizione fascista, gli Alleati lo avevano liberato con tutti gli onori, affidandogli (dato che nella sua scheda si parlava di droghe) l'armadietto medico dei narcotici della V Armata, con la quale aveva fatto il solenne rientro nell'urbe. Si chiamava Max Mugnani e ufficialmente importava champagne dalla Francia.

A più basso livello, il rapporto con i liberatori era di vario tipo. C'era chi riusciva a ottenere omaggi di cioccolata e di *meat and vegetables*; e chi si trovava alle prese con qualche militare ubriaco che, specie nelle ore della notte, non era difficile incrociare per le strade. Quando alle due del mattino terminavamo l'impaginazione del «Popolo» nella tipografia di Palazzo Sciarra, era una avventura tornare a casa, naturalmente a piedi. L'euforia della liberazione faceva però premio su tutto e anche qualche stramberia del governatore Charles Poletti, che annunciò di voler far conoscere ai romani l'esistenza del sapone, era accolta bonariamente dalla popolazione.

Rientrato finalmente a Roma il governo... civile (con negoziati faticosi per ottenere qualche briciolo di competenze dal numero uno della gerarchia alleata, l'ammiraglio Ellery W. Stone), cominciarono i problemi del «dopo», che era alquanto diverso dai sogni della vigilia. Appartenesse a Bonomi o a Stone la responsabilità del rifornimento annonario, occorreva provvedervi, per di più in una Roma brulicante di immigrati. Ed è risaputo che De Gasperi in persona chiamò una sera al telefono il sindaco di New York, Fiorello La Guardia, ottenendo la deviazione verso l'Italia di alcuni bastimenti destinati altrove; senza di che i romani e i napoletani sarebbero rimasti anche senza quei pochi grammi di pane cui la tessera dava diritto. A rendere più acuto lo stimolo, allora diffusissimo, della fame, contribuì una iniziativa propagandistica alleata veramente riprovevole. Dopo la liberazione, fu distribuito per due giorni un pane bianchissimo, dando la sensazione che si fosse voltata pagina sulle orrende miscele cui eravamo abituati. Lo feci rilevare all'ufficiale addetto al dipartimento psicologico (P.W.B.), ma mi rispose che tutto era stato predisposto da centri di ricerca sui comportamenti umani che *da loro* erano molto più avanzati rispetto a noi fantasiosi latini.

Vivendo accanto a De Gasperi, condivisi le ansie quotidiane per i grandi problemi, e ben più incisivi della sussistenza alimentare, che si dovevano affrontare. E cominciai ad apprezzare la solidarietà occidentale, che evitò mali peggiori al confine orientale, dove le truppe del maresciallo Tito — allora in perfetta sintonia con i sovietici — avevano tentato colpi di mano anche contro Trieste. Il segretario di Stato Dean Acheson in una intervista successiva disse che De Gasperi non lo lasciava vivere per la *sua* Trieste.

Perché i giovani comprendano in quali condizioni si trovasse l'Italia democratica ai suoi inizi, ricorderò che fece il giro della stampa internazionale una fotografia nella quale, alla Conferenza della pace, il segretario di Stato James Byrnes stringeva la mano a De Gasperi (unico gesto amichevole in quella fredda giornata parigina, accanto a un mezzo sorriso del ministro degli Esteri brasiliano Jan Neves de Fontoura: tutti gli altri guardavano il rappresentante dell'Italia come il vinto che doveva essere punito).

Sconfitti e scomparsi Hitler e Mussolini, ci si avvide subito che era terminata anche l'intesa tra i sovietici e gli altri alleati. Ebbi modo di conoscerne un riscontro in Vaticano. In piena guerra, Roosevelt aveva rivolto un appello al Papa perché convalidasse la tesi secondo cui il nazismo era più pericoloso del comunismo, poiché affidava la sua espansione a occupazioni militari laddove i sovietici si limitavano (!) alla propaganda delle loro idee. La risposta, minutata da monsignor Domenico Tardini, era stata tagliente.

Il Pontefice era molto prudente nelle enunciazioni per non confondere i princìpi con l'attività bellica; ma l'avversione al comunismo ateo e persecutore non poteva davvero essere concettualmente attenuata, come del resto la condanna del paganesimo razzista dei germanici. Aggiungo che in segreteria di Stato si era commentato con molte riserve il gesto rooseveltiano di inviare in Vaticano un rappresentante personale del Presidente degli Stati Uniti, in quanto era visto anche come manovra elettorale interna per accattivarsi il voto dei cattolici, mentre si assicuravano i protestanti che si trattava di una iniziativa temporanea e, per di più, saltuaria. Perché non sorgessero equivoci, Tardini notava che «semmai è stato il Presidente americano ad avvicinarsi esplicitamente all'insegnamento costante del Pontefice; e non era il Papa ad allearsi ai banchieri di Wall Street».

Ripresa da ciascuno degli alleati la propria strada, la Casa Bianca — contrordine, compagni — chiese al Papa di accentuare la riprovazione del comunismo, ma a Truman fu risposto (sempre per la penna di Tardini) che «la Chiesa non pensa affatto a una *nuova* crociata ideologica, bensì a ribadire quei princìpi che sono fondamentali e immutabili in difesa della persona umana e della società civile così come il cristianesimo ha *sempre* concepito... Il Papa teneva a sottolineare che dovevano essere eliminate molte aberrazioni sociali, razziali e religiose *proprio fra quegli uomini* e quei gruppi che si vantano di essere cristiani». E poiché sull'«Osservatore Romano» il direttore, Dalla Torre, aveva esortato a maggior comprensione per alcuni aspetti ed esigenze, dalla segreteria di Stato Tardini precisava che non era condannata la Russia in quanto tale, bensì il comunismo «dovunque si trovi, sia che governi sia che tenti di andare al potere».

L'Assemblea costituente autorizzò con senso di responsabilità, e nonostante certi sussulti nazionalistici, riassunti da Vittorio Emanuele Orlando, la firma del diktat di pace elaborato a Parigi dai ventuno vincitori. Un governo, e anche un regime, non consentono in tal caso accettazioni con beneficio di inventario essendoci, nel bene e nel male, la continuità della nazione.

A confortarci giovarono le assicurazioni americane circa la rinuncia Usa alle riparazioni, mentre i sovietici pretendevano fino all'ultima nave la spogliazione della nostra flotta. La notizia, portatagli dall'ambasciatore Clement Dunn, non giunse a De Gasperi inaspettata, perché avevo potuto trasmettergli un'anticipazione riservata ricevuta dal cardinale Spellman che più volte si era recato espressamente a Washington per perorare la causa italiana. L'azione dell'arcivescovo di New York, che forse non figura in alcun archivio diplomatico, fu preziosa per noi, e non solo in questa occasione.

Ma incombeva allora l'incubo del futuro politico dell'Italia. La dura contrapposizione mondiale si ripercuoteva da noi con non minore crudezza. Si è detto che la nostra propensione per l'Ovest nascesse da uno stato di necessità economico-finanziaria che poteva trovare sollievo solo da una direzione; ma si tratta di una spiegazione molto parziale. Il dissenso centrale era la libertà oggettiva, con l'aggravante che una vittoria comunista avrebbe sacrificato la libertà senza risolvere i disagi materiali. Quel che poteva essere in quel momento opinabile, è apparso invece vero man mano che si evolvevano o andavano allo sfacelo i modelli collettivisti. Oggi a difendere Stalin e i suoi sistemi non restano neppure più i suoi familiari; e anche se non è escluso che i dirigenti italiani — in caso di vittoria del Fronte rosso — avrebbero cercato di opporre resistenze alla stalinizzazione, non è detto che avrebbero potuto conservare una identità che altri paesi soltanto oggi, e a Russia molto cambiata, cercano di realizzare.

De Gasperi si era recato negli Stati Uniti nel febbraio del 1947 e, con una esposizione dignitosa e realistica delle prospettive italiane, impressionò favorevolmente non solo i dirigenti politici. Ottenne il primo prestito per la ricostruzione e incoraggiamenti a non lasciarsi spaventare dalle enormi difficoltà di un paese distrutto e diviso. Con una inopportunità, che può spiegarsi solo con doveri di obbedienza, Togliatti scriveva negli stessi giorni un editoriale antiamericano dal titolo: «Ma come sono cretini!».

Era la famosa goccia che fa traboccare il vaso. Il governo del Comitato di liberazione nazionale entrò in crisi. Si sarebbe però potuta avere una dissociazione tra socialisti e comunisti, tanto più che tre anni prima, rompendo il patto d'unità d'azione, il partito di Togliatti era entrato nel secondo Governo Bonomi, dal quale Nenni e i suoi amici erano rimasti polemicamente fuori. Ma Nenni e la stragrande parte del suo partito in quel 1947-48 erano orientati verso il Fronte popolare, ritenendo di poter sconfiggere nelle prime elezioni dopo la Costituente la Democrazia cristiana e i suoi alleati: *in primis* i socialdemocratici, che proprio sulle linee dello schieramento internazionale avevano motivato la loro scissione in campo socialista.

La battaglia elettorale del 18 aprile 1948 appare giustamente decisiva. Dall'America venne un aiuto capillare con centinaia di migliaia di lettere di antichi emigrati ai loro parenti e amici italiani perché salvaguardassero le istituzioni. Sul terreno più squisitamente politico, Stati Uniti, Inghilterra e Francia pubblicarono il 20 marzo una dichiarazione solenne che restituiva Trieste all'Italia. In contrasto con questi sostegni, i sovietici smentirono la voce messa in giro dal Pci circa una loro rinuncia alle riparazioni italiane di guerra. Del resto, sia Mosca che le altre capitali «socialiste» guardavano in cagnesco i comunisti italiani, contro i quali avevano messo in piedi un vero processo con l'accusa di essersi lasciati estromettere dal governo.

È nota la grande vittoria democratica del 18 aprile 1948. La stampa americana la registrò con interesse e simpatia, esaltando la figura di De Gasperi anche se, tra le righe, non mancava una certa freddezza per il partito della Democrazia cristiana; forse perché laggiù il cristianesimo, più che enunciarlo, lo si suppone; o anche per una ricorrente venatura di antipapismo. Non escludo che giocassero pure influenze italiane di rimbalzo, da parte di chi non negava l'importanza determinante della Dc, ma la riteneva, sospirando, un male necessario.

La sconfitta dei comunisti e apparentati giovò anche a rimuovere certe curiose diffidenze verso il conte Carlo Sforza, il quale, già esule politico negli Stati Uniti, per avere il diritto di rimpatriare, a fascismo scomparso, aveva dovuto rilasciare un impegno di neutralità sulla questione istituzionale; impegno illegittimamente richiesto, e quindi legittimamente disatteso, con dispetto di certi circoli americani per i quali la Repubblica voleva dire — in Italia — una rischiosa avventura sinistroide. Gli stessi circoli avevano altresì molte riserve verso un punto sul quale Sforza e De Gasperi erano invece molto fermi: non bisognava umiliare la Germania se non si voleva ricreare — magari con tinta diversa di camicia — un revanscismo teutonico. Gli americani sentivano ancora vivissima la reazione antinazista, alimentata per anni da una propaganda che doveva sostenere lo sforzo umano e finanziario per impedire la conquista hitleriana dell'Europa. E per fortuna non immaginavano allora che i due grandi sconfitti — Germania e Giappone — sarebbero presto divenuti le locomotive economico-industriali del mondo.

Alla fine prevalse il coinvolgimento della Germania federale in qualunque pianificazione per il nostro vecchio continente e mi spiace che Adenauer, che pur conosceva bene la realtà, non abbia dato nelle sue memorie il dovuto riconoscimento al governo italiano.

Furono gli anni d'oro del Piano Marshall e del Patto Atlantico. Ma De Gasperi, con non minore vigore, avviò una politica interna autenticamente riformatrice, dando luogo alla distribuzione delle terre poco coltivate e dei latifondi e a un piano di sviluppo per il Mezzogiorno. Vedremo successivamente come questa ispirazione innovatrice provocasse la reazione dei *beati possidentes* che avevano appoggiato la coalizione democratica nelle elezioni per paura del frontismo, ma non erano disponibili a sacrifici nel segno della giustizia. E poiché questi ceti avevano più occasioni degli altri di avere rapporti con circoli americani, una atmosfera di sfiducia attraversava l'Atlantico sulla tenuta della Democrazia cristiana. Naturalmente gli scontenti non estrinsecavano la loro ostilità parlando direttamente dei loro interessi colpiti (anche perché riforme e giustizia sociale erano incoraggiate negli Stati Uniti): insinuavano che non si facesse abbastanza — da noi — per combattere il comunismo.

Avvenne così che mentre le nostre azioni erano quotatissime per la chiarezza in politica internazionale, il prestigio di De Gasperi andasse ridimensionandosi a seguito di questa ritenuta tiepidezza anticomunista. Non era solo McCarthy con la sua caccia alle streghe ad avvilupparsi in questa spirale reazionaria; molti democratici convinti vi furono, senza volerlo, in vario modo trascinati.

2

EISENHOWER

Non ho avuto alcun rapporto personale con i presidenti Roosevelt e Truman. Di quest'ultimo ho solo la memoria dei favorevoli giudizi di De Gasperi al ritorno dalla Casa Bianca. Osservava che il personaggio, normalmente definito di ordinaria amministrazione per contrapporlo alle spiccate qualità — anche di politica sociale — del suo predecessore, dimostrava di fatto un carattere molto fermo e una volontà che, del resto, i suoi collaboratori conoscevano bene. E se il *New deal* assicurò a Franklin Delano Roosevelt un posto nella storia dell'umanità, la coraggiosa decisione di Truman di far sganciare le bombe atomiche per piegare il Giappone e far finire la guerra non è di quelle che non lasciano traccia.

Il campo è diviso tra coloro che approvano questa scelta e quanti invece la demonizzano. Certo è che l'opinione pubblica americana condivise la decisione del Presidente, può darsi anche per il non sopito rancore dovuto all'attacco piratesco di Pearl Harbor. E, conti alla mano, altri due anni di guerra (tanto si stima sarebbe durata) avrebbero ucciso un numero ancora maggiore di creature. Senza dire del non peregrino rischio che gli scienziati tedeschi in qualche parte del mondo arrivassero anch'essi alla bomba; e considerando inoltre che il possesso americano dell'arma nucleare servì a dissuadere il blocco sovietico, negli anni dello stalinismo postbellico, dall'approfittare della sua forte superiorità «convenzionale» in Europa.

Il primo presidente degli Stati Uniti che conobbi di persona fu Eisenhower, ospite ufficiale del nostro governo. Lo avevo incontrato fugacemente in precedenza durante la sua visita in Italia come comandante Nato, e ne avevo riportato una grande impressione. Fu in quella circostanza che De Gasperi lo aveva definito «un generale umanista».

L'arrivo di un Presidente Usa in Italia era un evento di grande portata. E non lo sminuirono le condizioni atmosferiche in cui avvenne. La visita del Presidente Eisenhower ricordo, peraltro come un incubo, fu accompagnata da una quantità di pioggia quale raramente cade sulla nostra città. Sto perorando da allora la costruzione all'aeroporto di Ciampino di tendaggi mobili che impediscano le fastidiose docce cui sono sottoposti i visitatori e i militari «pronti per la rassegna»: sembra che nel terzo millennio della cristianità ci arriveremo. Quella mattina apprezzai la robustezza della carta americana, perché il generale riuscì a leggere il saluto protocollare nonostante lo stato quasi liquido dei suoi fogliettini; senza difficoltà invece l'interprete Vernon Walters che, come sempre a memoria, traduceva imperterrito, con l'acqua che batteva e scivolava sul copioso medagliere che ricordava la sua attività di guerra.

Ancora più idrica fu la cerimonia al Milite Ignoto del mattino successivo. E poiché ai militari non si addice l'ombrello, anch'io, che lo accompagnavo, dovetti fingere indifferenza mentre acqua e vento sembravano preannunciare il diluvio universale. Così, salvo le poche parole di conversazione all'andata e al ritorno, non ebbi con lui quel colloquio che, rientrando al Quirinale, i ministri della Difesa hanno in queste circostanze. Tuttavia potei rivolgergli il quesito che da tempo mi stava a cuore: «Perché mai gli Alleati avevano lasciato l'Italia all'avventura dell'8 settembre 1943 e perché l'anno successivo, per percorrere i pochi chilometri dallo sbarco di Anzio alla capitale, impiegarono un tempo incredibile?».

Eisenhower mi rispose che era dipeso dallo Stato Maggiore italiano se, all'annuncio dell'armistizio, non era seguito immediatamente, come concordato, l'aviosbarco di una divisione americana nei pressi di Roma.

Qualche accertamento mi confermò che dal ministero della Guerra in effetti era partito quella sera un teledispaccio, minutato dal colonnello De Francesco (che sarebbe poi diventato generale a tre stelle e comandante dell'Arma), ma certamente ispirato e approvato a ben più alto livello, con cui si informavano gli Alleati che l'aeroporto convenuto non era «sicuro» in quanto occupato dai tedeschi. Atto di grande lealtà, ma poiché si trattava di una operazione bellica, mi sembrò assurdo che si rinunciasse al prestabilito sostegno militare senza neppure avere individuato e indicato una soluzione alternativa.

In quanto alla lentezza della liberazione di Roma nel 1944, dopo l'indisturbato sbarco ad Anzio, ebbi una spiegazione altrettanto persuasiva: era necessario continuare a tenere impegnate in Italia le truppe tedesche che altrimenti — ripiegando verso il nord Europa — avrebbero reso più contrastata l'operazione risolutiva dello sbarco in Normandia.

Mi sembrò che Eisenhower fosse lieto dell'occasione che gli consentiva di parlare del momento della sua vita che egli considerava ancora più importante di quello, pur prestigiosissimo, della vittoria nelle elezioni presidenziali.

Durante la colazione ufficiale, Eisenhower ricordò calorosamente De Gasperi, dicendo che era una delle figure di statista che più lo avevano colpito e citò, in particolare, alcuni suoi interventi nel Consiglio ministeriale atlantico.

3

AGOSTO 1954: IL PRIMO VIAGGIO

Fernando Tambroni, ministro della Marina mercantile, diramò un certo numero di inviti per il viaggio inaugurale della grande nave transatlantica *Cristoforo Colombo*. Anch'io venni gentilmente compreso nella lista ministeriale, nonostante da qualche mese (dopo sette anni di sottosegretario alla Presidenza e pochi giorni di ministro degli Interni nel Governo Fanfani non convalidato dalle Camere) non fossi più al governo. Non aderii perché stavo organizzando la mia vita di parlamentare e volevo anche realizzare un piccolo gruppo all'interno della Democrazia cristiana in vista di un congresso che mi sembrava troppo... massificante. De Gasperi mi incoraggiò pubblicamente, dando il suo nome — allora era possibile — anche alla nostra listarella «Primavera», oltre a quella dominante Fanfani-Scelba. Non nascondo che non ero troppo attratto dalla mondanità che sembra debba accompagnare i viaggi inaugurali; tanto più che mia moglie, alle prese con quattro ragazzini, non poteva certo accompagnarmi.

Svoltosi però il congresso democristiano, con il discorso-testamento di un Presidente De Gasperi eroico, date le sue condizioni fisiche già oltre i limiti della sopravvivenza, non mi dispiacque una seconda proposta fattami da Tambroni per un passaggio Napoli-New York sull'*Andrea Doria* e ritorno sulla *Colombo*. Miei compagni di viaggio furono Italo Gemini e Vincio Delleani. Il primo, presidente dell'Associazione dello spettacolo, mi era stato di grande aiuto per predisporre la legislazione del settore e ne avevo apprezzato la fine delicatezza: aveva ritirato tutte le sue domande per l'apertura di nuove sale, proprio perché non vi fosse incompatibilità con la sua (gratuita) funzione di consulenza ministeriale.

Delleani, già mio compagno di scuola, dirigeva Cinecittà: due amici al di fuori della politica.

La partenza era fissata per il 24 agosto. Non potevo certo sapere che avrebbe coinciso con i funerali di De Gasperi, morto cinque giorni prima annullando le nostre speranze che l'aria della sua montagna potesse prevalere su tutte le catastrofiche analisi che da qualche mese inflessibilmente indicavano il peggio.

Avevo ricevuto poco prima un suo biglietto per congratularsi del mio volumetto *Pranzo di magro per il Cardinale* (sulle carte di Pio X che rimproverava l'arcivescovo di Bologna per la parte presa nel 1904 al ricevimento di Vittorio Emanuele III). Conteneva anche una frase proprio sul mio viaggio a New York, nella quale notava con amarezza l'incomprensione che riteneva gli americani avessero nei suoi confronti.

Per comprendere questo malinconico riferimento, bisogna rifarsi all'anno precedente, quando il Governo De Gasperi era stato impietosamente battuto in Parlamento per la defezione degli alleati di governo e per la fermezza del Presidente nel non accettare compromessi con l'opposizione (Nenni era venuto a dirgli di non preoccuparsi del Patto Atlantico: «Un pezzo di carta come tanti altri»). A parte un certo disinteresse — purtroppo abituale — per chi è sconfitto, non mancavano in qualche circolo americano diffidenze per l'europeismo di De Gasperi ritenuto eccessivo. Se ne erano già avuti sintomi al momento della Comunità del carbone e dell'acciaio (Ceca); ma verso la Comunità di difesa (Ced), mentre il governo di Washington era favorevole, una parte almeno del Pentagono (persistenti diffidenze verso i tedeschi?) non nascondeva perplessità. Si aggiunga che la signora Luce, ambasciatrice a Roma, nelle sue personali valutazioni — non sempre condivise dai diplomatici — tesseva l'elogio di Pella uomo forte, contrapponendolo all'accomodantismo degasperiano. Agli inizi del Governo Pella, la gentildonna non la pensava così; e criticò un passo del discorso di insediamento nel quale si respingeva ogni discriminazione parlamentare. Ma quando dal Campidoglio Pella minacciò di far guerra alla Iugoslavia, il fascino del decisionismo conquistò l'ambasciatrice, la quale si diceva sicura che il comunismo sarebbe stato disperso da questo democratico dal pugno di ferro in guanti di velluto. L'entusiasmo della signora non consentì tuttavia al Governo Pella di restare in carica più di sei mesi. Terminata la non collaborazione di Saragat, si era ricomposto il quadripartito sotto la presidenza di Mario Scelba.

Apprezzai però che, trovandosi in vacanza negli Stati Uniti il giorno della morte di De Gasperi, la signora Luce rientrasse subito a Roma per partecipare ai funerali.

Andai in treno a Napoli per imbarcarmi, ancora sotto l'emozione del grande affetto dimostrato alla salma di De Gasperi da una folla immensa nel tragitto dalla chiesa del Gesù a San Lorenzo al Verano. Viaggiai vicino all'ex Capo dello Stato Enrico De Nicola. Pur addebitando a De Gasperi, e non a se stesso, la sua mancata rielezione, rievocò momenti particolari degli anni degasperiani; e volle sottolineare che si era recato di persona all'aeroporto per salutare il Presidente che rientrava (febbraio 1947) dagli Stati Uniti.

All'imbarco venne a salutarci, con un tratto di grande cortesia, Fernando Tambroni. Distaccarmi per qualche giorno dall'Italia mi era gradito, perché senza De Gasperi mi sembrava che la politica italiana non avesse più un punto di riferimento. E sentivo il rammarico per non aver preso qualche iniziativa alla Camera per ottenere la ratifica della Ced che De Gasperi aveva invano sollecitato a Pella e a Scelba. È vero: la previsione che non la ratificasse la Francia era più che fondata, ma secondo De Gasperi l'approvazione italiana avrebbe potuto dare una rilevante spinta psicologica a quanti nell'Assemblea di Parigi erano favorevoli.

La conferma che la Francia aveva respinto la ratifica la appresi dalla radio di bordo. Il nostro governo rimuoveva con mani altrui una pietra d'inciampo, ma l'Europa segnava paurosamente il passo.

Ora che in America si va abitualmente con poche ore di volo, può apparire una inutile perdita di tempo il percorso via mare, tanto è vero che non vi sono più corse regolari. Viceversa era un mezzo ottimo per riflettere, leggere, fare anche un po' di sport. In quel momento di personale depressione lo apprezzai moltissimo. Senza dire che avvicinarsi lentamente alla newyorkese Statua della Libertà nel semichiarore dell'alba costituisce una impressione che certamente i viaggiatori del Concorde — tutti fieri di arrivare con l'orologio locale che segna tre ore prima della partenza da Londra o da Parigi — non immaginano neppure.

Avevo tenuto, per non interferire minimamente nelle competenze governative, che il mio soggiorno fosse del tutto privato ed extrapolitico, lasciandone l'organizzazione al cardinale Spellman (che inviò a salutarmi a bordo un suo vescovo ausiliare, il siciliano monsignor Joseph Pernicone) e agli amici «cinematografari» di Gemini e Delleani. Ricevetti accoglienze particolari dalla signorina Della Grattan che avevo conosciuto a Roma in occasione della visita del precedente sindaco di New York, Vincent Impellitteri. Della volle condurmi a salutare il nuovo sindaco Wagner (che avrei ritrovato anni dopo come «rappresentante personale» del Presidente statunitense in Vaticano), mentre declinai un appuntamento al Dipartimento di Stato cortesemente offertomi dal nostro ambasciatore Alberto Tarchiani con l'*assistant secretary* per gli Affari europei Livingstone Merchant. Non sapevo quale atteggiamento il Governo Scelba avrebbe preso dopo la caduta della Ced e non avevo, del resto, alcun argomento di lavoro da discutere con il governo americano.

Non mi sarebbe più capitato, nelle successive cento volte che ho attraversato l'Atlantico, di avere giorni interi a disposizione per visitare New York: i suoi musei, i campi sportivi (di una partita di baseball mi interessò più il pubblico elettrizzato che non il gioco, per me nuovo), il giro della baia su uno yacht del presidente della Paramount, Balaban, che mi incuriosì spiegandomi il singolare meccanismo delle detrazioni fiscali applicabili anche per questo tipo di mezzi di rappresentanza.

Lo stesso Balaban ci offrì in anteprima il film *White Christmas* realizzato con l'allora nuovo sistema Vista-Vision. Al Natale si ispirava anche un grandioso spettacolo musicale a New York City dove, con mia grande sorpresa, scoprii una lunghissima fila che pazientava ore per acquistare i biglietti per le settimane successive.

Un altro dirigente di una grande casa produttrice americana ci invitò in una sua casa di campagna nel Connecticut — in una zona di un verde incantevole a meno di un'ora di macchina da Manhattan — cucinando lui stesso bistecche in un barbecue molto divertente. A parte la presenza di Italo Gemini, dovevo questa ospitalità alle conoscenze maturate con questo settore dell'industria americana durante i sette anni di sottosegretario alla Presidenza (non c'era ancora il ministero dello Spettacolo). Questi magnati, che all'inizio avevano cercato di contrastare, anche in Parlamento, la legislazione promozionale per la cinematografia italiana, con la riserva di una quota di giorni di proiezione per i film nazionali e altre misure, avevano poi realisticamente compreso che bisognava scendere a patti. Accettarono così di pagare due milioni e mezzo (di lire 1950) per ogni loro film doppiato in italiano, mentre non ci fu modo di spuntarla con il diritto di reciprocità nel doppiaggio. Nonostante destinassimo il ricavato dei buoni di doppiaggio al lancio di film italiani in America, l'impossibilità del doppiaggio in inglese (impedito per ragioni, si dice, culturali...) limitò di fatto a poche sale di specializzati il circuito cinematografico per i nostri film.

Mi ero conquistato una certa stima mettendo ordine nel mercato nero della valuta. Sull'introito globale delle sale italiane in quegli anni — prima della legge promozionale — gli incassi andavano per quasi l'80 per cento ai film americani. Un accordo monetario li obbligava a investire la metà dei proventi in Italia in attività economiche ovvero in beneficenza. Si era così creata una rete di pseudoassistenza: venivano date piccole cifre ad asili od orfanotrofi, tutti bisognosissimi, e si facevano rilasciare ricevute per dieci o talvolta anche cento volte tanto. Comprendevo lo stato di estrema indigenza dei destinatari, ma restava il fatto grave anche ai fini dell'immagine dell'Italia.

A legalità ristabilita, venne finanziato alla luce del sole, tra altre iniziative, il nuovo grande Collegio nordamericano sul Gianicolo, con soddisfazione di quell'Episcopato («Ci avete fatto risparambiare», mi disse il cardinal Strick che aveva imparato l'italiano in Trastevere) e anche nostra, perché l'avere nel mondo vescovi che abbiano studiato a Roma non è davvero irrilevante. Per esempio, fu di grande conforto ai nostri prigionieri di guerra, sballottati in continenti lontani, l'essere assistiti da vescovi e sacerdoti che parlavano italiano.

Ma torniamo al viaggio del 1954. Negli ambienti cinematografici stava crescendo la febbre per le videocassette. Colpite le sale tradizionali dalla concorrenza televisiva, si pensava che ormai lo spettacolo si fosse trasferito nelle case e bisognava fornirlo anche senza l'intermediazione della televisione. Le proiezioni statistiche che si presentavano non si sono poi avverate del tutto esatte; e, almeno da noi, molte videocassette si muovono in mercato nero, senza utilità né per le case cinematografiche né per la tutela degli autori.

Prima di ripartire, dopo aver evitato, come ho detto, di andare a Washington, facemmo due bellissime gite nel New Jersey e alle cascate del Niagara, che raggiungemmo in aereo da New York. Ci siamo poi spinti anche oltre confine, con alcune ore canadesi trascorse a Toronto. Le cascate erano allora come le avevamo viste nel film *Niagara*; si passeggiava con impermeabili gialli lungo una serpentina di logge pensili e poi, in impermeabile nero, si andava in battello fino al grande salto con un effetto emozionale di molta scena.

Al rientro a New York mi fecero visitare uno dei grandi magazzini (il Macy's): al quinto piano vi era una esposizione di mucche lattiere, che evidentemente non disdegnavano di condividere lo stesso tetto con gli elettrodomestici, gli articoli sportivi, gli abiti pronti. Tutto laggiù è fabbricato in serie e sembra che le signore non provino alcun disagio se in occasione di un ricevimento si trovano in quattro o cinque con il vestito identico: anzi, si complimentano tra di loro per il buon gusto.

Andai a congedarmi dal cardinal Spellman del quale ero stato più volte ospite in quella settimana newyorkese. Parlava di De Gasperi in termini che mi commossero e mi illustrava il funzionamento della sua curia, dove si amministrava un bilancio di poco inferiore a quello dello Stato italiano (e senza deficit). Scuole, ospedali, iniziative sociali, biblioteche, assistenza ai militari — Spellman era anche vescovo castrense —: tutto era organizzato alla perfezione con criteri rigidamente professionali. Quasi con civetteria mi parlò di un « problema » che lo impegnava in quei giorni: avevano fatto la colletta tra i fedeli per costruire un nuovo seminario con un preventivo di spesa, tradotto in lire, di diciotto miliardi e ne avevano raccolti quasi ventiquattro.

Spellman mi invitò a tornare in ottobre per un pranzo annuale di beneficenza in memoria di un grande benefattore, Al Smith. Come ospite d'onore pensava di avere anche Umberto di Savoia, ma non era per questo che non potevo aderire: mi sembrava sproporzionato un viaggio *ad hoc*. Da quell'anno invio sempre al *dinner Al Smith* la mia quota, ma non sono ancora riuscito ad andarci.

« Comunque, ricordati, che l'America non è solo New York e devi conoscerla in profondità, perché bene o male siamo importanti. » Questo fu il congedo dall'appartamento di Madison Avenue, con l'intesa di ritrovarci presto a Roma.

Una delle suore al servizio del cardinale mi fece calorosi auguri per la salute, che mi parvero esagerati. Ma Spellman, divertito, mi spiegò che vedendomi prendere alla prima colazione solo un caffelatte e un biscotto, sister Mary era convinta che io fossi malatissimo.

Al ritorno facemmo due scali — a Las Palmas nelle Canarie e a Lisbona — e sentii che si erano aperte alla mia conoscenza nuovi cieli e nuove terre. Una esperienza comunque indimenticabile, su uno sfondo di grande mestizia per la morte di De Gasperi. Mi sentivo due volte orfano, ma forse con maggiore tristezza perché mio padre non l'avevo conosciuto.

4

LO SCIVOLONE DELL'AMBASCIATRICE

Già nell'ultimo anno di vita di De Gasperi si era sviluppata entro la Democrazia cristiana una forte tensione per una tendenza monopolizzante che lasciava pochissimo spazio al pluralismo, indispensabile in un partito come il nostro. In una riunione notturna del gruppo parlamentare agli inizi di febbraio del 1954, l'elettricità era a così alta tensione che, tutto preso dal serrato dibattito tra Fanfani e Gronchi culminato con uno svenimento di Giuseppe Cappi, che presiedeva, dimenticai che mia moglie era stata portata in clinica ostetrica; così appresi con parecchie ore di ritardo che ero padre per la quarta volta. Mi piacque il nome di Serena, proposto da mia moglie, perché mi parve quasi contrapposto alla agitatissima notte in cui era arrivata.

La morte di De Gasperi accentuò inevitabilmente il disagio all'interno del partito perché non vi era *un* successore. Anzi, il fatto di non rendersi conto che l'eredità di un uomo del genere può essere solo collettiva, costituiva un motivo di confusione e di passi falsi. Per di più scadevano nel maggio 1955 i sette anni della presidenza di Einaudi, ed era facile immaginare che attorno a questo avvenimento avrebbe ruotato tutta la vita politica nazionale.

Ricevetti allora dalla signora Luce, che si diceva fosse allarmata per un possibile slittamento italiano a sinistra, un inaspettato invito a colazione «per conoscere il mio punto di vista sulla situazione». Terzo, e unico altro commensale, era un giovane diplomatico, il dottor Wells Stabler, che avrei in seguito ritrovato come ambasciatore nella penisola iberica e più tardi come addetto a una importante agenzia americana.

Avevo conosciuto la signora Luce prima che fosse nominata ambasciatrice, quando partecipai all'organizzazione di un meeting all'Università di San Tommaso in Roma imperniato su due relatori: suo marito Henry Luce — il grande editore di « Time », « Life » e « Fortune » — e De Gasperi. Apprezzai nella circostanza il fascino estetico e intellettuale della elegantissima quarantenne signora (già condirettrice di « Vogue » e di « Vanity Fair »), unito a un fervore cattolico tipico di una convertita dal protestantesimo episcopale. Ma non avevo più avuto occasione di incontrarla se non in eventi protocollari, a eccezione di un colloquio, promosso dal cardinale Spellman, in appoggio alle tesi italiane su Trieste.

Durante la colazione riservata, la signora mi disse con grande chiarezza che in America si guardava con preoccupazione alla confusa situazione italiana, tormentata da disarmonie tra i partiti e dalle lotte interne democristiane. Se il Governo Scelba fosse caduto, si rischiava di rimettere tutto in discussione e questo le sembrava molto inquietante. Non spettava a lei di intromettersi nelle cose interne dell'Italia (si dice sempre così quando ci si intromette), ma alcune posizioni del Presidente della Camera, Gronchi, le sembravano *fuori linea*.

Fu facile rispondere — il garbo nelle forme non deve essere mai a scapito della chiarezza — che la ricerca in atto di nuovi equilibri dentro e fuori la Democrazia cristiana non andava vista come un trauma o una inversione di rotta.

Un paese così complesso come il nostro può sembrare fragile nella ricerca quotidiana di punti di incontro tra aspirazioni e interessi tanto diversi. Le ricordai che De Gasperi ripeteva spesso che nella politica italiana c'era bisogno di cure mediche e non di interventi chirurgici. Lo stesso sistema proporzionale — che era noto fosse oggetto nei salotti romani di critiche radicali da parte della ambasciatrice — costituiva quanto di meglio si potesse avere per un lento rasserenamento degli animi e avvicinamento delle posizioni. Sarebbe stata utile la piccola correzione maggioritaria non approvata dagli elettori nel 1953, ma la reazione scatenatasi allora dimostrava quanto fossero psicologicamente delicati questi congegni. La vigilanza verso i comunisti era più che doverosa, ma non si poteva dimenticare che in Italia gli adempimenti dell'alleanza atlantica si svolgevano con regolarità e senza sabotaggi. Quando il suo predecessore era venuto al Viminale, allarmatissimo dopo che la Cgil aveva dichiarato che mai armi americane sarebbero state fatte sbarcare in Italia, De Gasperi gli aveva risposto di non agitarsi perché il senso civico degli italiani prevaleva su tutto (il segretario confederale Giuseppe Di Vittorio mi aveva detto la sera prima di rassicurare De Gasperi che i portuali di Livorno non avevano mai rifiutato alcuna operazione di scarico).

Non mancai di aggiungere, con una punta di malizia, che i governi forti non sono quelli che mostrano i muscoli o alzano la voce minacciosa.

Pur attenta al mio ragionare, Clare Boothe Luce non sembrava molto convinta. E a titolo esemplificativo disse che in una riunione recente del Parlamento si erano avute critiche per il diniego di ingresso all'Onu della Cina continentale. Doveva essere ben chiaro a tutti, scandì le parole, che il Senato americano non avrebbe mai riconosciuto la Cina comunista.

A mia volta, chiarito che il nostro voto a New York era stato allineato sul no per solidarietà occidentale, e dopo aver ironizzato un poco sull'accenno al Senato e non alla Camera dei rappresentanti — di cui la signora Luce era stata membro per due legislature —, mi permisi di dire che il «mai» era piuttosto azzardato. Lasciare comunque fuori delle Nazioni Unite un quarto dell'umanità poteva essere rimedio temporaneo, ma non certo un dogma invalicabile.

Soltanto pochi mesi fa, avendo parlato di questo episodio in un pranzo dato in mio onore dall'ambasciatore Max Rabb (tra gli invitati erano gli ambasciatori di Cina e dell'Urss!), ho appreso dall'ex ambasciatore in Usa, Egidio Ortona, che qualche tempo dopo il mio colloquio con la Luce questa gli disse che l'Italia doveva essere il ponte di avvicinamento tra cinesi e americani. Era una riconsiderazione legata al nostro scambio di vedute? Non lo credo, ma è un inciso che merita di essere annotato.

Prima di accompagnarmi al portale di Villa Taverna, la signora Luce mi chiese, in modo molto sfumato, se fosse vero che a suo tempo De Gasperi avesse cercato di ostacolare la sua nomina a Roma, su cui peraltro Eisenhower sarebbe stato intransigente. Per quel che ricordavo — ma non lo dissi —, era stato il segretario di Stato John Foster Dulles a sollecitare, o poco meno, dal nostro governo un «non gradimento». E credo che non fosse stato per antifemminismo, quanto per l'influenza dei circoli protestanti più intransigenti.

Non so se di quel colloquio privato la signora avesse riferito al Dipartimento. Sono sicuro però che per qualche mese mi considerò una specie di sinistroide illuso, irritata anche per la raccomandazione che le feci in riferimento alla successione di Einaudi. Credevo saggio — e lo dissi — che non scontasse risultati, tuttora incerti, quali che fossero i pronostici di certi ambienti cari alla sua frequentazione. E fu proprio questo inciso a creare un diverso rapporto con lei. Nella convulsa vicenda della scelta presidenziale, aggravata dall'errore di non ripresentare Einaudi, che lo desiderava, e dalla, per molti di noi, inaccettabile dichiarazione del governo che non doveva essere un democratico-cristiano, la signora Luce informò Washington che l'unico punto certo era che non sarebbe stato scelto il Presidente della Camera. Ventiquattro ore dopo era eletto Giovanni Gronchi, facendo fare all'ambasciata romana una ben meschina figura.

Si ricordò allora, ma troppo tardi, della mia raccomandazione e me lo mandò lealmente a dire, anche se per onore di firma doveva continuare a dipingere a tinte fosche l'inizio del settennato di Gronchi. Più tardi ebbi da lei gesti di cortesia (anche con l'offerta di andare a passare una vacanza con la mia famiglia nella sua villa di Honolulu) che ricambiai inviandole sempre per primo gli auguri di Natale e rallegrandomi anche per il successo di una sua *pièce* teatrale a Broadway.

In un recente scritto dell'ambasciatore Mario Luciolli, si illustra a fondo una tesi che ritengo almeno un poco forzata. Luciolli sarebbe stato a quel tempo chiamato a reggere l'ufficio diplomatico del Quirinale quasi per sorvegliare il novello presidente, di cui si paventava tiepidezza nei rapporti con gli americani e benevolente propensione per i socialisti e anche oltre. Sta di fatto che l'autorevole giornalista Joe Alsop profetizzò che entro sei mesi l'Italia sarebbe stata comunista.

Lo stesso Gronchi si rendeva conto di queste prevenzioni, e alla pubblicazione in fascicolo dei discorsi fatti durante la visita negli Stati Uniti (febbraio 1956) premise queste parole: « Il consenso che mi accompagnò durante il viaggio si è rivelato non occasionale né effimero: e le ripercussioni di quelle mie impostazioni generali dei problemi politici ed economici hanno avuto e continuano ad avere, nell'opinione pubblica e nella stampa non soltanto italiane, un rilievo che non può essere negato da alcun osservatore attento e obiettivo».

Di questo fatto io non trovo, riflettendovi oggi, altra più vera ragione che di aver interpretato ed espresso, in una specie di maturità dei tempi, uno stato d'animo latente, ma ormai consapevole e diffuso, nei più diversi paesi. Dico: in una specie di maturità dei tempi, perché lo stato d'animo a cui mi riferisco già si poteva talora avvertire, anche in un passato non recentissimo, nei commenti e discorsi di uomini politici e di giornalisti, con accenti di perplessa e profonda inquietudine; ma esso appariva circoscritto a minoranze piuttosto ristrette. Si trattava, nell'opinione corrente, di rispettabili quanto teorici anticipatori di solidarietà internazionali o soprannazionali; e di ambienti intellettuali sempre in vena di non-conformismo e sempre respinti perciò dai benpensanti come affetti da mania critica deleteria per ogni ordinata partitocrazia. In realtà, vi si aggiungevano, ad accentuare malessere e disagio, anche altri gruppi politici; ma questi si autoescludevano da ogni possibilità di influenza per la loro posizione pregiudiziale di integrale e dogmatica negazione di quanto si esprima dall'Occidente.

A rendere un po' confusa la percezione della politica estera italiana contribuirono, almeno nel primo periodo della presidenza Gronchi, le diffidenze non dissimulate sul Quirinale del ministro degli Esteri Gaetano Martino e anche di alcuni illustri democristiani.

La signora Luce restò in Italia per oltre un anno dopo l'elezione di Gronchi, pur con qualche difficoltà di rapporti.

Accadevano anche episodi comici. Una sera arrivò al Quirinale senza preavviso e introdotta dal Presidente confessò di aver sbagliato palazzo poiché doveva recarsi dal Presidente del Consiglio Segni. Era mancanza di collaborazione dell'apparato dell'ambasciata? Più grave il dubbio su una prolungata azione di avvelenamento da arsenico, per via respiratoria o (e) alimentare. Sentendosi progressivamente debilitare, la signora si era sottoposta a visita nell'Ospedale militare americano di Napoli e aveva appunto ricevuto questa diagnosi, convalidata qualche giorno dopo — si disse — dall'esame di campioni spediti nel Maryland all'Ospedale della Marina in Bethesda. L'intossicazione veniva collegata alla vernice utilizzata in dosi eccessive in un restauro della camera da letto principale di Villa Taverna. Per tenere riservata la notizia, il reperto era stato spedito sotto il fittizio nome di Simon Jones, ma allorché venne il responso che il marinaio Jones era vittima di avvelenamento da arsenico, la Cia entrò in fibrillazione lasciando filtrare indiscrezioni proprio dalla rivista «Time». Tutto però fu archiviato quando un esperto estrasse da un vecchio studio di certi professori Gosio e Spica la documentazione di numerosi casi di intossicazione da *arsine*, «sostanza derivata dall'arseniato di piombo contenuto nelle carte da parati allora di moda, con accentuazioni di danneggiamento in presenza di combinazioni di colore tra il bianco argentato e il verde».

Così il personale, italiano e straniero, dell'ambasciata fu liberato dallo stato di sospetto che per alcuni mesi aveva turbato la piccola comunità, impietosamente passata al setaccio.

Qualche anno dopo la signora Luce fu destinata a rappresentare gli Stati Uniti in Brasile, ma non ebbe il beneplacito del Senato. Mi scrisse in quel periodo ricordando con nostalgia gli anni italiani, con un riferimento alla rigida difesa del vocabolario fatta da Einaudi che si era rifiutato di firmare il decreto del suo cavalierato di gran croce nel quale era chiamata *ambasciatore*. «A un presidente si possono chiedere molti sacrifici, ma non quello dell'italiano» aveva decretato. Ma anche il *cavaliere* riferito a una donna non è un esempio di lingua.

Né allora né in seguito, in occasionali incontri qui o negli Stati Uniti, toccò l'argomento delle forti critiche che le avevano rivolto i comunisti provocando persino le proteste nel Campidoglio americano dell'autorevole senatore Homer Ferguson, cui replicò il nostro ministro Attilio Piccioni, dichiarando che Mrs. Luce era non solo persona grata, ma gratissima al governo italiano. Piuttosto fantasiosa era stata invece l'attribuzione al partito di Togliatti di un episodio increscioso, quando l'«Europeo» aveva pubblicato il riassunto di un discorso molto invadente della ambasciatrice in un pranzo al Mayflower di Washington.

Henry Luce in persona si era risentito con Gianni Granzotto corrispondente a New York; e l'organizzatore del banchetto, Roscoe Drummond, tagliò corto con una smentita globale («Maligne deformazioni miranti a danneggiare l'ambasciatrice e travisare la verità»).

In verità la stampa di sinistra era polemica con la signora Luce per il suo pieno appoggio al Governo Scelba, dopo aver invano caldeggiato quello di Pella. Ricordo una vignetta di Camerini su «Il Paese», con Scelba sulle ginocchia della Luce e la scritta: «La nuova dattilografa dell'ambasciatore».

I colpi più bassi alla Luce tuttavia non le erano venuti da politici o giornalisti italiani, ma da suoi connazionali. Il più pungente forse fu il notissimo Cyrus Sulzberger; la pubblicazione del suo diario fece conoscere una tremenda intervista della signora (5 marzo 1954). Non si salvava nessuno. In Vaticano vi era il caos con un Papa che voleva fare anche il segretario di Stato e due collaboratori fissi: Montini, sinistroide e filoamericano, e Tardini, destrorso e filospagnolo. L'Italia aveva bisogno di un Nasser o di un Mobutu essendo incapace di democrazia e tendente alla dittatura di destra. Nessuno pagava le tasse tanto da indurre la Luce a reazioni tali da farla apparire una comunista (!). E giù ad altre piacevolezze.

Non dispiaccia alla memoria della signora se scrivo che un ambasciatore di carriera (salvo qualche eccezione) anche se la pensasse così, non lo direbbe o scriverebbe mai. Saggia invece fu la conclusione di un suo scritto su «Foreign Affairs» in occasione del centenario dell'unità dell'Italia.

Le tre condizioni che minaccerebbero sicuramente l'esistenza dello Stato italiano nella sua forma attuale e del suo governo di raggruppamento centrista sono le seguenti: una guerra universale; una crisi economica mondiale e l'incapacità delle forze europee a mantenersi nel campo occidentale. I semi che potrebbero generare queste condizioni non si trovano certamente in Italia — anche ammesso che esistano altrove —, ma la loro emergenza imprimerebbe rapidamente al caleidoscopio italiano una fisionomia difficile a predirsi, a prescindere dalla comparsa più che probabile di un dittatore di destra o di sinistra tra le rovine della libera Repubblica.

Nonostante persistenti se non addirittura croniche ambivalenze della ribalta politica italiana, una cosa è chiara: il progresso che il popolo italiano sta attualmente realizzando dopo cento anni di cimenti e di sacrifici è, in gran parte, conseguenza del suo sforzo eroico e straordinario.

5

QUATTRO INCONTRI ALLE FINANZE

Nel luglio del 1955 tornai al governo (dopo i sette anni di sottosegretario alla Presidenza e le due settimane di ministro dell'Interno nel 1953) come ministro delle Finanze, sotto la presidenza di Antonio Segni, l'uomo della riforma agraria e di una grande sensibilità verso il mondo contadino.

Venne presto a trovarmi l'ambasciatrice Luce, sollecitando la definizione di una questione che si trascinava da oltre tre anni. Gli americani avevano chiesto al nostro governo di non dovere pagare dogane o altre imposte per le forniture e le commesse che davano a loro carico per la comune difesa; e il mio predecessore Ezio Vanoni aveva firmato il 5 marzo 1952 con l'ambasciatore Clement Dunn un accordo, che sembrava potesse risolvere amministrativamente la questione. Quando però gli Stati Uniti vollero registrare all'Onu l'accordo Dunn-Vanoni (forse per ottenere da altri stati analogo trattamento) era sorto il dubbio sulla necessità della ratifica parlamentare; e tra un parere e l'altro si era continuato nella prassi instaurata. Benché la misura adottata fosse ineccepibile, si temeva che un dibattito alle Camere potesse riaprire polemiche contro il Patto Atlantico. E per questo si continuava a... studiare; ma perché proprio sotto la mia gestione si doveva fare quanto Vanoni e Tremelloni avevano evitato?

In realtà la pratica si trascinò ancora a lungo. Un disegno di legge Preti del 1966 decadde un biennio dopo per fine legislatura e la sua riproduzione, in quanto escludeva le imposte locali, suscitò le proteste americane, tanto più che due ditte li avevano vittoriosamente citati in giudizio.

Nel 1972-73 in occasione della riforma tributaria e dell'istituzione dell'imposta sul valore aggiunto (Iva), si votò un articolo che sanava gli effetti dell'accordo Dunn-Vanoni, lasciando uno strascico (per quel che so ancora irrisolto) riguardante la sola imposta di registro.

Più piacevole fu la richiesta della Luce nel 1956 per qualche gesto di considerazione alla rappresentativa statunitense alle Olimpiadi invernali di Cortina. Organizzai per loro un piccolo ricevimento ed ebbi in dono un bellissimo copricapo di lana e pelliccia; ma il colore rosso della stoffa mi impedì di utilizzarlo.

Alla Luce successe l'industriale californiano James D. Zellerbach, che aveva già lavorato per l'amministrazione in Italia guidando la delegazione dell'Erp. Era un personaggio considerevole, ma aveva il difetto di ripetere spesso che, facendo l'ambasciatore, trascurava le sue ditte cartarie e rinunciava non so a quanti milioni ogni mese. La terza volta che me lo disse, gli risposi con garbata fermezza che non era poi così indispensabile la sua presenza e che anche diplomatici della carriera sarebbero stati da noi molto graditi. Non doveva essere abituato a tanta franchezza e da quel momento mi trattò con più deferenza e quasi con simpatia. E mi dette una mano amica in due circostanze.

Stava crescendo la convinzione che le cosiddette sette sorelle delle multinazionali petrolifere fossero irritatissime per l'intraprendenza di Enrico Mattei e delle strutture dell'Ente nazionale idrocarburi (Eni) che sotto il suo impulso aveva assunto una indubbia importanza, ma a mio avviso non tale da turbare i sonni dei giganti mondiali del settore. Forse, dipingendo a tinte fosche questa presunta avversione cosmica, i creatori di immagine si ripromettevano di dare a Mattei una aureola di superuomo. Non esistendo ancora un dicastero delle Partecipazioni statali, l'Eni, da un punto di vista ministeriale, faceva capo al Demanio e quindi alle Finanze. Va detto che burocraticamente tale incombenza era considerata dalla direzione generale, fino all'avvento di Mattei, una noiosa partita di liquidazione. Era la mentalità secondo la quale prima della guerra il funzionario dell'Agip (Renzo Piga) che consigliava di affidare a ditte estere specializzate le ricerche petrolifere in Libia, era stato redarguito per «stomachevole sfiducia verso l'industria meccanica nazionale». Sostenuto con forza da Ezio Vanoni e «compreso» da De Gasperi — del quale ricordo la commozione quando andò a Cortemaggiore per la cerimonia di valorizzazione del metano nazionale —, Mattei impostò per la prima volta una politica energetica italiana forse con qualche sfumatura un po' velleitaria, ma certamente innovativa e lungimirante.

In qualche momento andò a calpestare l'erba esclusiva di grandi interessi, come accadde con il sostegno a Mossadeq in Iran; e questo — unito a un suo ottimo piazzamento nelle relazioni con l'Urss — dette incremento a dissapori e insinuazioni con le grandi compagnie. Convinto che nella vita bisogna sempre sforzarsi di trovare motivi di concordia, ne parlai con Zellerbach e intravidi su un tema specifico la possibilità di avvicinamento tra l'Eni e le compagnie estere. Eravamo sotto scacco fiscale per una diffusione avvilente del contrabbando petrolifero, di cui si avvertiva l'enormità, e senza mezzi per porvi rimedio. Si pensi che il prezzo della benzina si aggirava allora sulle 135 lire al litro, di cui 110 o giù di lì erano di imposta: di qui le tentazioni gigantesche di evasione.

Zellerbach mi suggerì di associare le compagnie americane all'Eni in questa offensiva tributaria, dato che gli evasori erano anche concorrenti sleali dei grandi gruppi. Chiamai insieme a consulto Mattei e il presidente della Esso italiana, Vincenzo Cazzaniga, uno degli «americani» che si sforzava di metter pace con l'Eni; e affidammo a un piccolo gruppo di lavoro l'indagine sul fenomeno criminoso. Ne fu guida e animatore il giovane capitano della Guardia di finanza Giuliano Oliva; e in pochi mesi si arrivò al bandolo della matassa. A parte la facile decolorazione del petrolio agricolo agevolato, il controllo all'uscita dalle raffinerie era inefficace. Molte imprese del settore utilizzavano le tubature esterne dell'acqua disposte per fronteggiare incendi per fare uscire surrettiziamente fiumi di benzina, di nafta e di cherosene.

Vi erano inoltre paesi esteri che rilasciavano certificati di importazioni petrolifere, ricevendo invece navi o autocisterne cariche di acqua.

Con decreto legge fissammo l'obbligo della bolletta di accompagno irrogando l'unica sanzione valida per le violazioni: la prigione. E già nel primo anno entrarono nelle casse dello

Stato alcune decine di miliardi in più di imposte di fabbricazione.

Il successo comune — sia l'Eni che le reti distributive degli stranieri non frodavano — fu salutato da ambo le parti con soddisfazione, ma per il resto i rapporti non si modificarono. I suggerimenti di Cazzaniga di dare all'Eni una adeguata presenza internazionale non vennero raccolti.

Certo, il carattere di Mattei non era facile. Quando, ad esempio, in occasione di un viaggio di Fanfani in Marocco, seppe che il protocollo non prevedeva la sua presenza fin dall'inizio, dette ordine al suo pilota di simulare un sabotaggio a terra al velivolo per sospendere, all'indomani, la partenza e rinunciarvi (l'equipaggio prendeva i suoi pasti in un ristorante al Tritone insieme al mio segretario e non fece mistero della piccola commedia imbastita).

Non condivido però — ed è ingiurioso il pensarlo — l'attribuzione di influenze americane alla dura opposizione a Mattei da parte di don Luigi Sturzo. Questi, ignaro, e forse anche volutamente trascurante, dei problemi tecnici, rimproverava a Mattei il finanziamento della corrente democristiana cosiddetta de «La Base» ed era per questa infiltrazione nella politica che Sturzo, dal banco di senatore o dalle colonne del «Giornale d'Italia», tuonava contro l'Eni, criticando persino l'installazione di stazioni di servizio lungo le strade nazionali, concepite con larghezza e con intelligente previsione di quello che sarebbe stato lo sviluppo della motorizzazione.

La morte tragica di Mattei, al ritorno in volo dalla Sicilia in una fosca sera di tempesta, dette ali alle più gialle supposizioni. Sta di fatto che l'inchiesta aeronautica escluse decisamente ogni ipotesi delittuosa; ma ciò non toglie che, anche con un film, si accreditasse la voce leggendaria della responsabilità degli interessi ostili, ansiosi di togliere di mezzo questo «cavaliere solo» che combatteva senza riguardi per il riscatto dai grandi monopoli.

La quarta occasione di rapporto con gli Usa in quel triennio alle Finanze ebbe toni tragicomici. Gli americani, asserendo motivi igienico-sanitari, avevano bloccato le importazioni di alcuni prodotti agricoli, tra cui — dall'Italia — il pecorino sardo. Non è infrequente il ricorso a motivi extra-doganali per rallentare o addirittura bloccare l'arrivo di alcuni prodotti esteri. Avremmo avuto in seguito una assurda vicenda del genere per il prosciutto di Parma, risolta con grande fatica e forti spese peritali dopo molti anni di ping-pong diplomatico e tecnico al riguardo (mi divertivo, nel frattempo, a offrire sempre agli ospiti americani antipasti con il prosciutto contestato, avvertendoli del... rischio che stavano correndo). In materia fu girato anche un film con Sophia Loren, avente come soggetto una grande mortadella fermata dall'Immigrazione americana.

L'oltraggio al pecorino sardo offese personalmente il Presidente Segni che non se ne dava pace. E attingendo alla sua saggezza giuridica aveva fatto studiare ritorsioni, che toccavano appunto la direzione delle dogane del mio ministero. Dovetti chiamare più di una volta Zellerbach per invocare la revoca del provvedimento. Che il pecorino sardo potesse nuocere alla salute era assurdo; mi ero dovuto perfino indottrinare sulle statistiche relative alla brucellosi (il nome scientifico della febbre maltese, dallo scienziato Bruce che la studiò per primo) apprendendo che non vi era affatto correlazione tra questo mercato e le zone di maggior consumo del nostro pecorino, mentre l'embargo poteva riuscire a far divenire antiamericano uno dei politici italiani maggiormente atlantici.

La vicenda ebbe un accomodamento parziale, ma Segni se la ritrovò, se non ricordo male, anche da Presidente della Repubblica.

6

MCNAMARA E RUSK

Quando ero stato la prima volta in America, da turista nell'agosto 1954, una agenzia di New York aveva diffuso un mio succinto profilo biografico con le indicazioni consuete della famiglia, degli studi, dei risultati elettorali, degli incarichi governativi. E sin qui nulla da rilevare. Ma vi era una aggiunta che mi fece sorridere: si diceva, chi sa perché, che ero candidato al ministero della Difesa.

Mi tornò a mente cinque anni dopo quando l'onorevole Segni, passando dalla Difesa alla Presidenza del Consiglio, mi offrì questo posto di responsabilità, sorridendo alla mia obiezione che non avevo prestato a suo tempo servizio come soldato, essendo stato scartato per insufficienza toracica dal Corso allievi ufficiali.

Il sistema difensivo italiano è integrato da tempo nella Nato, della cui alleanza gli americani costituiscono la componente maggiore. Si aprì quindi per me un periodo di intensa collaborazione con gli americani stessi, che non sapevo sarebbe durato sette anni e che ebbe a lungo come anello di congiunzione l'allora colonnello Vernon Walters, addetto militare statunitense a Roma.

Autentico poliglotta, Walters era già universalmente noto come interprete nei viaggi e nei ricevimenti ufficiali dei presidenti statunitensi. Ma la sua conoscenza dell'Italia era particolare, perché qui aveva combattuto durante la guerra di liberazione quale ufficiale di collegamento fra il comando statunitense e il corpo di spedizione brasiliano. Walters mi guidava nelle visite al Pentagono e nei *tours* riservati ciclicamente ai ministri della Difesa Nato attraverso tutte le basi americane. Era inoltre di prezioso aiuto nella preparazione dei consigli ministeriali che avevano luogo ogni dicembre a Parigi (non vi era ancora stato lo sfratto dell'Alleanza da Porte Dauphine e il trasferimento a Bruxelles).

Per una di queste riunioni interministeriali (erano congiunte, di ogni paese, di Esteri, Difesa e Tesoro-Finanze) vivemmo un momento difficile. Secondo le regole della Nato, per accedere ai lavori e conoscere i documenti dell'Alleanza occorre avere un nulla osta del quale esistono molti gradi, fino al massimo che si chiama Cosmic o giù di lì. Anche i ministri non sfuggono a questa certificazione, data dal responsabile nazionale della sicurezza che è il Presidente del Consiglio o, per sua delega, il capo dei servizi informativi. Orbene, come avversari dichiarati dell'Alleanza non erano solo i comunisti, ma anche i socialisti, i quali non potevano pertanto ottenere tali credenziali.

Per molto tempo tutto questo non creò problemi. E quando io sostenevo la gradualità dell'avvento del centrosinistra, facendolo maturare dal basso e non viceversa, avevo di mira — ora posso dirlo — anche la necessità di una rettifica «dolce» di certe divisioni. Accadde invece il contrario, e alla vigilia di un meeting decembrino fu fatto constatare che il nuovo ministro finanziario, il socialista Antonio Giolitti (per di più ex comunista militante nelle manifestazioni antiatlantiche), non era in possesso del «cartellino» e non avrebbe quindi potuto accedere alla sala di riunioni.

Quid agendum? Suggerii al Presidente Fanfani di far andare a Parigi per quella tornata il solo ministro degli Esteri, dato che il governo si era formato da poco. La non partecipazione mia come ministro della Difesa toglieva ogni sospetto di discriminazione. E nel frattempo avremmo operato subito gli aggiornamenti nelle normative di sicurezza. Non seppi se Giolitti fosse stato messo al corrente, ma evitammo brillantemente un incidente che sarebbe stato clamoroso.

Con analogo espediente feci uscire anni dopo un Governo Moro da un serio imbarazzo. Dovevamo presentare al Parlamento il disegno di legge di programmazione economica chiamato, dal ministro del Bilancio che ne era autore, Piano Pieraccini. Era una specie di atto dovuto per la collaborazione dei socialisti che ne facevano un «banco di prova»: e Moro volle che lo firmassero solennemente tutti i ministri. Fanfani reagì, con osservazioni in verità molto puntuali, chiamando libro dei sogni il fantasioso documento e si rifiutò di condividerne la paternità. Suggerii a Moro di spiegare che, data la natura economica dell'atto, non si addiceva la firma dei ministri degli Esteri e *della Difesa*: così fui io stesso esonerato dal sottoscriverlo.

La settimana parigina dei ministri si svolgeva con un rituale fisso: relazioni dei capi militari sugli schieramenti di forze; valutazione politica del momento fatta in modo brillantissimo dal segretario generale, Paul-Henri Spaak, lo zio di Catherine; giri di tavola per i commenti divisi per materia: Esteri, Difesa, Politiche finanziarie; un grande pranzo al ministero della Difesa (con gli stupendi servizi di Sèvres in dotazione) e una variante suscitata dagli eventi congiunturali. I ministri americani erano spesso al centro dei dibattiti, in una sorta di confronto di posizioni tra le due sponde dell'Atlantico. Con Robert McNamara, che fu alla guida del Pentagono dal 1961 al 1968, intrattenemmo subito rapporti intensi e leali. Mi piaceva il suo modo realistico e informato di affrontare i problemi, senza mai far pesare la superiorità dei loro conferimenti all'Alleanza. Diventammo amici. E un giorno rilasciò a Ruggero Orlando una dichiarazione talmente elogiativa nei miei confronti che la Rai-Tv pensò bene di censurare, non appartenendo io ai protetti della Tv.

McNamara, baccelliere dell'Università di California, aveva uno splendido curriculum, sia accademico — aveva tra l'altro insegnato a Harvard — che pratico. Rientrato dalla guerra, decorato e con il grado di colonnello, aveva pubblicato un annuncio economico offrendosi con un *team* di altri tre colleghi come risanatori del bilancio di qualche grande società. Non chiedevano stipendi, ma solo una partecipazione agli utili ricostruiti. Da noi sarebbe stato considerato uno scherzo, ma Ford lo prese sul serio e assunse i quattro ex combattenti mettendoli alla prova. Robert aveva allora, nel 1946, trent'anni. Quattordici anni dopo era presidente della Ford Motor Company e fu da qui che, nel 1961, fu prelevato per assumere il ministero della Difesa (riducendo il suo stipendio, come scrisse con ammirazione Indro Montanelli, da cinquecentomila a venticinquemila dollari).

Quando lasciò il ministero dopo sette anni, passò con la stessa energia a un prestigioso incarico civile: la presidenza della Banca mondiale, dove dimostrò una crescente sensibilità sociale. Un suo collaboratore, William Clark, ha scritto: «Quando McNamara assunse la presidenza era preoccupato solo della redditività degli investimenti; oggi è ossessionato solo dalla povertà di certe popolazioni». E in una sua visita a Roma per spiegare un programma globale di razionalizzazione dell'agricoltura, mi parlò a lungo della convinzione che si era fatto visitando oltre cento paesi poveri: la crescita non è sinonimo di sviluppo, anzi in molti casi favorisce soltanto i ricchi. Così, a una discreta crescita del Terzo Mondo, si accompagnava una miseria non intaccata e in qualche nazione addirittura più intensa. E mi disse ridendo che aveva convertito i duemila e più esperti della banca in «sacerdoti dello sviluppo», ma di uno sviluppo vero.

Durante gli anni che sono stato alla Difesa, fui ospite qualche volta in casa sua a Washington, dove ammirai la semplicità familiare, allietata dalla moglie Margaret, una donna straordinaria con la quale si era felicemente sposato a ventiquattro anni. Dopo certe giornate particolarmente faticose e turbolente, Robert e Margaret alla sera ritrovavano la loro pace giocando a scacchi. Feci fare per loro in Val Gardena una scacchiera e i pezzi relativi e ne furono lieti, anche perché discendono da una famiglia di *whittlers* (intagliatori).

I suoi immediati collaboratori erano aperti, simpatici, essenziali. Ricordo tra questi Paul Nitze che si occupava dell'Esercito e interpretava bene la direttiva di non far perdere all'armata di terra la coscienza della sua centralità, nonostante il peso decisivo che si dava all'arma atomica. Curava in particolare il morale delle truppe dislocate all'estero, preoccupandosi che — in un giusto equilibrio — comprendessero la psicologia delle popolazioni, ma non perdessero mai la propria identità. Un uomo del valore di Nitze non era limitato a un partito, e molto saggiamente l'Amministrazione repubblicana di Reagan gli chiese di collaborare, in un posto chiave di *ambassador at large*, per le trattative di disarmo con l'Urss. Abbiamo quindi avuto modo, tutti noi, nell'Alleanza, di riallacciare rapporti con lui negli ultimi anni (è stato più volte nostro ospite a Roma), apprezzandone gli apporti essenziali ai successi di Reagan.

Ora ha lasciato l'Amministrazione, ma i suoi «ottanta anni e rotti» non gli pesano. Il 7 aprile di quest'anno mi ha scritto: «Sono stato vittima di un cavallo irrequieto che si è seduto su di me causandomi un danno considerevole... Ma sono tornato dall'ospedale a casa e aspetto con ansia il giorno *not too distant future* quando potrò riprendere interamente la mia attività». Questa attività si svolge ora presso la Scuola di studi internazionali avanzati e in tale veste si ripromette di continuare il dialogo con i molti suoi amici italiani. Si dice «orgoglioso del ruolo svolto nel cementare la forte amicizia tra l'Italia e gli Stati Uniti. Questa amicizia è stata *e lo è sempre di più* una pietra miliare dell'Alleanza atlantica».

Un tipo umano molto diverso è invece il segretario alla Marina, John Connally, il cui studio nel Pentagono non aveva alcun segno marinaro, ma solo selle e altri simboli texani (era stato però capitano di corvetta durante la guerra). Il suo curriculum è denso: tra l'altro fu governatore del Texas e durante questo incarico ebbe la tragica ventura di essere a Dallas accanto a John Kennedy il giorno del suo assassinio e di riportare serie ferite; in seguito si avvicinò ai repubblicani e fu ministro del Tesoro con Nixon, ottenendo ottimi risultati nella lotta all'inflazione.

Nel giugno del 1976 una intera pagina (a pagamento) del «New York Times» annunciava la costituzione di una «Alleanza dei cittadini per la libertà del Mediterraneo». Fondatore era John Connally, che si dichiarava fortemente preoccupato per la crescente presenza del comunismo in Italia. Connally amava l'Italia, e da Algeri durante la guerra aveva partecipato ai piani alleati per la nostra liberazione. Tuttavia questo comitato di soccorso era più che strano.

Va ricordato, però, che in quella estate al vertice dei Sette industrializzati era partita da Portorico, all'insaputa di Moro e di Rumor, una dura diffida all'Italia per scongiurare l'entrata dei comunisti nella maggioranza. Questo clima spiega come mai l'iniziativa di Connally fosse sottoscritta anche da persone, di norma più prudenti nel dare le loro valutazioni, quali i senatori John Pastore e Pete Domenici, il vecchio comandante Nato generale Andrew Goodpaster, l'importante industriale del cinema Jack Valenti. Negli stessi giorni il « Wall Street Journal » rivolgeva duri attacchi alla politica economica del governo italiano, attribuendo al clientelismo della Democrazia cristiana un gonfiamento della burocrazia e una disastrosa conduzione del bilancio. A sua volta il direttore degli uffici di Washington dell'Alleanza dei cittadini, Bill Gile, che aveva lasciato per questo incarico un accreditato posto di giornalista televisivo, proclamava che i russi volevano conquistare l'Italia servendosi del Partito comunista.

L'anno precedente Connally aveva dovuto affrontare nel suo Stato un processo. Ne era uscito scagionato e assolto da una giuria, ineccepibile per lui, a maggioranza di colore e solo con due cittadini bianchi. L'accusa era di aver intascato diecimila dollari per convincere Nixon a farne avere cento volte tanto a una associazione di lattai.

Una voce ricorrente nel Texas — dove Connally aveva uno studio professionale con oltre duecento avvocati — attribuì la trappola tesa all'ex governatore al suo dichiarato proposito di presentarsi candidato alle presidenziali. I giurati — otto donne e quattro uomini — non si prestarono al gioco e Connally ne uscì a testa alta, potendo occuparsi della salvezza del Mediterraneo e della democrazia italiana. Il settimanale l'« Espresso » gli dedicò un articolo nel cui titolo si domandava perché Connally volesse « salvare Andreotti ». E il salvataggio sarebbe dovuto avvenire attraverso l'acquisto di alcune partecipazioni statali, tra cui la Società condotte d'acqua che l'Iri aveva acquistato non molto tempo prima dal Gruppo Sindona.

In verità fui proprio io a bloccare questa operazione, mentre l'Iri e il ministro delle Partecipazioni statali la caldeggiarono per iscritto rimettendo, però, l'ultima parola al Presidente del Consiglio. E la mia decisione fu negativa: mi sembrava assurdo cedere per dieci milioni di dollari la maggioranza di una società di costruzioni che ne fatturava — se non ricordo male — oltre due miliardi. Tanto più che il gruppo americano non nascondeva di voler acquistare le Condotte per poter partecipare a gare in paesi terzi che non gradivano troppo le sigle statunitensi: avrebbero quindi dovuto offrire e pagare ben di più.

Naturalmente l'«Espresso» parlò di un «voltafaccia di Andreotti», ma non so chi potesse ritenere che io fossi disposto ad accedere a una tale vendita. Mi preoccupai solo di far sapere a Connally i motivi obiettivi della risposta negativa, perché qualcuno non li spacciasse per antiamericanismo, magari suscitato dall'appoggio parlamentare che al governo davano in quel momento i comunisti.

Di un terzo personaggio del *team* di McNamara conservo un ricordo divertente: il viceministro Roswell Gilpatric. Mi accompagnò in un viaggio a San Francisco e fu il suo ultimo atto governativo perché era costretto a tornare alla professione; lo stipendio ministeriale per pagare ogni mese gli alimenti alle tre mogli dalle quali era divorziato non gli bastava. O il suo fascino di cinquantenne era insuperabile o, per sfortuna sua, nessuna delle tre ex compagne si era risposata e il loro mantenimento gravava tutto su di lui. Mi sembrò molto desideroso che io visitassi la fabbrica di carri armati Food Machinery (nome ingannatore), facendomi saltare un piacevole weekend che mi ero organizzato a Disneyland. Qualche anno più tardi i giornali pubblicarono un carteggio molto amichevole tra Gilpatric e Jacqueline Kennedy.

In tanti anni di presenza nei vertici politici della Nato ho potuto constatare la sua natura esclusivamente difensiva, in quanto non ci è mai stato sottoposto — nelle varie esercitazioni e simulazioni — un piano di attacco al potenziale nemico. E quando maturò la convinzione che occorresse disporre di una pluralità di mezzi per rispondere in modo proporzionato alla eventuale sconsiderata iniziativa avversaria, si passò dalla teoria della risposta *globale* a quella della risposta *flessibile*. Fu un momento delicato per i tedeschi che avevano la sensazione che uno sconfinamento di truppe del Patto di Varsavia potesse consolidare minacciosamente una occupazione. Del resto, anche in precedenza c'era stato chi cercava di indebolire psicologicamente l'Alleanza insinuando che gli americani non avrebbero mai messo a repentaglio —

ricorrendo all'arma atomica — la sopravvivenza di Chicago e di Detroit per salvare Berlino o altra area germanica. Un poco di confusione la creò in proposito anche il Presidente Kennedy quando rimproverò McNamara per aver detto ad Adenauer che a un attacco convenzionale sarebbe stato risposto con l'atomica.

L'Alleanza ha sempre resistito ai dubbi e alle provocazioni articolandosi diversamente man mano che si modificava il quadro politico. Così il parziale distacco francese non soppresse di fatto l'integrazione di quell'apparato militare; le ricorrenti tensioni tra Grecia e Turchia non arrivarono mai a mettere in causa per entrambi l'appartenenza alla Nato (in un caso fui incaricato io di andare ad Atene, utilizzando la buona amicizia con il ministro Evangelos Averoff). Per McNamara, che aveva risolto la crisi della Ford, sembrava impossibile che di tanto in tanto tornasse sul nostro tavolo la questione irrisolta di Cipro. Anche le Nazioni Unite vi si provano tuttora senza successo, pur avendoci dedicato i propri buoni uffici personalità come l'ecuadoriano Galo Plaza (che venne a farci un rapporto eccellente) e da ultimo lo stesso segretario generale Pérez de Cuellar.

In materia di missili dovemmo fronteggiare negli anni Sessanta una interessante vicenda. L'Alleanza aveva schierato in Turchia e in Italia alcune batterie di Jupiter, le cui imponenti caratteristiche di lunghezza erano tali da annullare qualsiasi segreto militare. Da noi furono poste a Gioia del Colle, ma erano ben visibili anche dall'aeroporto civile di Bari-Palese. Per uno di quegli intelligenti e lodevoli compromessi, i comunisti interrogavano il governo per sapere se la notizia della dislocazione era vera; e la risposta arrivava sempre in termini interlocutori. Vi fu sul posto anche l'avventura di un pilota-fotografo bulgaro, che fu risolta senza un chiasso che sarebbe stato fastidioso.

Nell'autunno del 1962 circolò la voce che, tra gli arrangiamenti concordati con Mosca per risolvere la crisi di Cuba, vi fosse anche la rimozione degli Jupiter. Devo dire che allora l'Alleanza funzionava molto meno collegialmente di oggi; e nella sessione ministeriale del dicembre a Parigi non se ne fece parola. In privato ne parlai a McNamara che me lo escluse, pur facendo un cenno alla modernizzazione dei sistemi che andava realizzata, ma non a scadenze vicine. Ventiquattro giorni dopo — lo ricordo bene perché era la festa dell'Epifania e stavo con i miei ragazzi — una telefonata dell'ambasciatore Reinhardt mi informò dell'arrivo di una lettera segreta e urgentissima del Pentagono che mi fu subito recapitata. Sotto la data del giorno precedente McNamara scriveva: «Tu ricorderai che in Parigi il 13 dicembre ti ho espresso l'avviso che i missili Jupiter dovranno essere rimpiazzati con missili ora effettivamente più validi». E mi dava dettagliate delucidazioni operative, su cui sorvolo, anche se oggi non più *secret*, concludendo che se il nostro governo era d'accordo un gruppo di lavoro a tre (Italia-Usa e Comando Nato) si sarebbe attivato per i necessari adempimenti.

Quando incontrai McNamara, gli chiesi cosa fosse accaduto in quelle tre settimane a cavallo dell'anno: capii che era imbarazzato perché portò il discorso sul piano tecnico. Appresi però che un autorevole membro del governo italiano aveva inviato a Washington un suo fiduciario per avvertire che la presenza dei missili a Gioia del Colle non era più sostenibile. Mi pregò di dimenticarlo e io... dimenticai soltanto il nome di questo libero battitore.

Oltre l'incontro di Parigi nel 1962, avevo fatto in settembre una visita negli Stati Uniti con scambi di idee molto approfonditi al Pentagono su tutta la tematica difensiva, e al Dipartimento di Stato sulla situazione mondiale. Dean Rusk era preoccupato per Berlino (già l'anno precedente me ne aveva parlato), per la Somalia, per le teorie di un sistema autonomo nucleare di difesa europea, mentre tardavano le adesioni a una forza multilaterale della Nato, per la scarsa comprensione di molti paesi sulla preoccupazione americana per Cuba.

Sullo sfondo dei colloqui con McNamara, con Rusk e con Rostow si percepiva la psicosi americana di quel momento, tutta tesa a scrutare le perdite di valuta e l'indebitamento federale. Temevano che il Congresso decidesse forti tagli nei bilanci militari, indebolendo la comune difesa. Già a Roma, qualche giorno prima, il vicepresidente Johnson aveva espresso negli stessi termini una identica preoccupazione.

Rusk, che avevo invitato a Roma nel giugno, fu molto esplicito. Non era possibile meravigliarsi se gli americani pensavano di alleggerire — per motivi finanziari — i loro 300 mila uomini di stanza in Europa, mentre gli europei reputavano finanziariamente insostenibile un aumento dei loro effettivi. Appuntai nel mio diario questa sua frase: «È molto importante evitare che il popolo americano abbia l'impressione che le sue truppe sono *mercenari per la difesa dell'Europa*».

A causa di questo clima, la mia visita fu seguita con attenzione dalla stampa. Il noto giornalista Drew Pearson mi rilasciò un certificato di buona condotta scrivendo: «Il segretario alla Difesa McNamara e altri funzionari federali hanno avuto un'ottima impressione del ministro italiano della Difesa Giulio Andreotti, durante i colloqui di questi giorni. Andreotti è stato amichevole e non si è perso in chiacchiere inutili».

Pearson, con il quale nel 1947 avevo organizzato la spettacolare iniziativa assistenziale del Treno dell'amicizia, mi domandò se i socialisti erano leali verso il Patto Atlantico e in particolare se lo era il senatore Tolloy, di cui aveva letto polemiche per il periodo bellico. Lo rassicurai ed egli lo scrisse, aggiungendo anche lodi per i parlamentari comunisti che erano venuti per la prima volta a rendere omaggio in Africa ai morti di El Alamein.

Nei colloqui al Dipartimento di Stato — a parte alcuni accenni alla politica interna italiana di cui scrivo in altro capitolo — emergeva ogni anno il delicato problema dei rapporti Est-Ovest. Per un curioso paradosso, quando gli americani si mostravano aperti verso Mosca molti europei si scandalizzavano sentendosi aggirati; quando invece prevalevano a Washington i toni duri, giungevano dall'Europa appelli alla prudenza e al dialogo. È una specie di slalom che è durato a lungo e non può dirsi del tutto superato.

Più o meno la stessa cosa è accaduta per le quotazioni del dollaro. Per quinquenni ministri ed esperti partivano in pellegrinaggio dal vecchio continente con lo scopo di indurre gli americani ad alleggerire il peso della loro moneta; quando lo sgonfiamento si è realizzato, gli stessi pellegrini sono andati e vanno a lamentarsi. Ora è ripresa la marcia per l'alleggerimento. Un giorno il ministro del Tesoro Regan, annoiato per queste prediche, mi chiese perché mai i suoi colleghi europei, se son così bravi nel dar consigli agli americani, non applicano in casa loro le terapie che suggeriscono (si riferiva in particolare al deficit di bilancio).

Rusk, un georgiano pragmatico e autentico uomo di pace, soffrì molto per le vicende del Vietnam e apprezzò sull'argomento ogni espressione di solidarietà. Ebbi occasione nel maggio del 1966 di ricordare in un discorso ai comunisti italiani che certamente gli americani avrebbero potuto anche lasciare gli alleati vietnamiti al loro destino; ma cosa avremmo detto noi se negli anni Quaranta avessero ceduto alle tentazioni isolazioniste e non fossero venuti a combattere e a morire nel nostro continente?

Dean Rusk, che parlò poco dopo all'Università di Boston, citò questa frase e mi manifestò la sua gratitudine.

7

GLI ANNI DELLA DIFESA

Nel 1960, essendo ministro della Difesa, fui presidente del Comitato organizzatore delle Olimpiadi di Roma. Fino a quel momento per i Giochi olimpici si allestivano due distinti villaggi, tenendo ben separati gli atleti dell'Est da quelli dell'Ovest. A me e a Giulio Onesti, presidente del Coni, sembrava assurdo, a quindici anni dalla guerra, protrarre questa separazione così poco sportiva. E lo dicemmo chiaramente, ottenendo la collaborazione degli ambasciatori e l'adesione — all'inizio un po' titubante — del presidente del Comitato olimpico internazionale, Averell Brundage (un miliardario americano che acquistava in tutto il mondo antichi vasi preziosissimi). Così la gioventù americana e quella sovietica vissero insieme per qualche settimana senza il minimo incidente e noi ricevemmo le lodi sia dagli uni che dagli altri. Fu anche l'unica volta nella quale le due Germanie vennero con una unica rappresentativa, un solo inno, una sola bandiera.

Le riprese televisive dei Giochi mi dettero in America una tale notorietà che neppure due secoli di vita pubblica potrebbero conferire. Nel successivo viaggio negli Stati Uniti, qualche mese dopo, in parecchie città americane ragazzi e ragazze mi venivano a chiedere l'autografo, alcuni canticchiando la sigla musicale dei Giochi di Roma. E negli incontri con le collettività italiane era l'argomento d'obbligo, con molti complimenti per la felice riuscita.

Ho scritto nelle pagine iniziali «Al lettore» che i ministri della Difesa della Nato (ma più tardi anche quelli del fronte opposto) erano invitati a Washington per incontri politici e successivamente si faceva loro visitare qualche significativa base militare. Ne ricavai un duplice vantaggio. Ho potuto conoscere quasi tutta l'America, nella sua grande diversità di paesaggi, di contesti sociali, di tipi umani. E ho avuto modo di apprezzare, persino nei centri più remoti, quale enorme apporto i nostri emigrati — con inizi durissimi e, successivamente, quasi sempre senza ostentazione — abbiano dato alla grandezza degli Stati Uniti.

In queste visite vi erano anche momenti un po' faticosi. Alcuni generali e ammiragli, ad esempio, non pensavano che i ministri sono più politici che tecnici e indugiavano per mezze ore a illustrare la differenza tra gli ultimi carri cingolati e la produzione precedente o altre simili «tecnicalità», come si dice oggi scimmiottando il vocabolario americano. E se voi all'invito a porre domande declinavate, rimanevano malissimo. Io mi facevo erudire prima dall'ufficiale addetto e davo ampia soddisfazione. Personalmente mi interessava di più il modo di vita nelle basi, il rapporto tra ufficiali e truppa, la sistemazione delle famiglie. Certi particolari mi sono rimasti favorevolmente impressi. Vidi, ad esempio, un generale uscire dallo spaccio con un carico di pacchi che richiamava i disegni umoristici dei mariti soggiogati: il suo autista non fece il minimo cenno di volerlo aiutare; sarebbe stato, da loro, inconcepibile.

Non di rado ufficiali e sottufficiali, in mancanza di villette, alloggiavano con mogli e figli in grandi camper ben sistemati per fruire di tutti i servizi collettivi necessari. E, quando dovevano cambiar destinazione, la «casa» li seguiva — di regola su carrelli ferroviari — senza complicazioni di imballaggi e altri disagi da trasloco. All'interno, questi veri e propri vagoni erano piuttosto confortevoli e gli abitanti non mi sembravano affatto contrariati.

L'accoglienza nelle basi era molto accurata, e dove si trovavano oriundi italiani o mogli italiane di militari già in servizio Nato in Italia (venete o napoletane) veniva riservato un momento della visita per un incontro particolare. Con alcune di queste famiglie continuiamo a scambiarci gli auguri di Natale e talvolta, arrivando a Roma come turisti, vengono a trovarmi.

Sorvolo su due inconvenienti. Il pranzo in mio onore era in smoking e spesso iniziava pochi minuti dopo l'arrivo. Ho auspicato, in questi casi, che si arrivi un giorno ad avere stoffe veramente ingualcibili, come in un divertente film di Alec Guinness. Nel loro precisismo le forze armate statunitensi nulla lasciano all'improvvisazione. Per i ministri della Difesa ospiti è previsto anche il menu: cocktail di scampi, bistecca ai ferri, insalata con salsa Roquefort e sorbetti di pistacchio. Per una settimana intera si ripete questo rituale di tavola, portandovi subcoscientemente a invidiare i vegetariani e a desiderare i buoni gelati degli italiani (vorrei citare i bellunesi) sparsi nel mondo che non si affidano certamente a sia pur raffinate confezioni in polvere.

Ma sono particolari insignificanti. Per il resto tutto era perfetto, con largo margine anche per conoscere — se non erano troppo lontani — città e luoghi turistici. Ricordo il giro nei canali di San Antonio, nel Texas; il ricevimento nei vigneti bellissimi di Louis Rossi in California; l'allevamento di cavalli nel Kentucky e l'omaggio a Louisville al primo imbottigliamento di Bourbon; la piacevole parentesi di Las Vegas (dove le battaglie si combattono contro le macchine mangiadollari e i croupier); la piccola crociera a Newport con il presidente del Collegio della Marina; una gita nelle campagne dell'Alabama dopo aver ammirato il centro dell'aviazione leggera dell'Esercito; la salita sulle montagne del Colorado, ai margini della visita all'Accademia aeronautica e all'affascinante comando interrato Usa-Canada.

Di due momenti conservo memoria ancor più spiccata. A Cape Canaveral, dopo il giro in quelle rampe da sogno, avemmo il pranzo di tabella, ma al termine il comandante ci invitò ad andare a prendere il caffè sul terrazzo. Sembrava un particolare irrilevante, però, con una sincronia perfetta, in quel momento esatto partì il lancio di un missile e non è davvero senza emozione che vi si assiste.

L'altro episodio memorabile lo vissi nel Connecticut alla base dei sottomarini atomici di New London, assistendo al rientro del *Nautilus* da una lunga crociera. Gli uomini dell'equipaggio sembrava uscissero dal cinema, tutti allegri, ben rasati, per nulla affaticati. E quando visitai l'interno, il comandante Jeffrey Metzel jr. mi fece capire cosa vuol dire poter destinare al conforto degli uomini l'enorme spazio riservato al carburante nei sommergibili convenzionali. Tuttavia non mi dispiacque che il tempo ristretto non ci consentisse di immergerci. Ho partecipato una volta a una esercitazione del genere e non è proprio la mezza giornata della mia vita che trascorsi con maggior piacere. Anche se sul *Nautilus* — dove lasciai una buona edizione italiana del profetico libro di Jules Verne — non si sarebbe avuto il supplemento fastidioso di un piccante odorino di nafta.

In parte dagli stessi comandi militari, in parte dai nostri consoli, dovunque era possibile veniva organizzato un incontro con le «colonie» di antichi o recenti immigrati dall'Italia. E se a New York o a San Francisco erano abituati a questi contatti, in centri minori, dove non si davano mai o quasi occasioni del genere, diventava un piccolo avvenimento, in qualche momento anche con punte di reciproca commozione.

Quando due anni or sono, nella solenne cerimonia per il centenario della Statua della Libertà, il Presidente Reagan ha premiato solennemente dieci cittadini illustri di provenienza migratoria, ho notato con sorpresa l'ingiusta assenza di un originario italiano. Mi hanno spiegato che, essendo stato il nostro Lee Iacocca brillantemente a capo della raccolta dei fondi, non poteva essere onorato lui e non era equo scavalcarlo. Non mi hanno convinto. Probabilmente nella imminenza delle candidature presidenziali si temeva di mettere in luce Iacocca, che non pochi avrebbero voluto concorrente alla successione di Reagan. Anche dove non ci sono i partiti del tipo nostro, la partitocrazia esiste, e come. Anche per questo il 2 giugno 1989 l'Italia ha onorato Lee Iacocca conferendogli (per la seconda volta, dopo Charles Forte, a un non cittadino italiano) il cavalierato del lavoro.

La prima volta che mi invitarono a una «Loggia» dei «Figli d'Italia» («Sons of Italy») rimasi perplesso dalla denominazione massonica; e il mio disagio si accentuò per la nomenclatura e il linguaggio propri dei riti del triangolo e del grembiule che negli Stati Uniti sono peraltro pubblici (un grande tempio massonico è a un passo dalla cancelleria della nostra ambasciata di Washington). È però una identità solo formale. Un sacerdote cattolico apre con la preghiera il banchetto che vi offre la Loggia dei «Sons of Italy» e tutto si svolge come in un qualunque circolo.

Toccanti anche gli inviti ai club regionali (fortissimi quelli dei friulani) e ai nuclei di ex combattenti ed ex militari di leva, tra cui emergono gli alpini, una delegazione dei quali partecipa ogni anno al raduno nazionale in Italia.

In California non è solo il grande Giannini con la Bank of America a tener alte le nostre quotazioni. Un suo omonimo, che venne qui con Enrico Fermi, ha oggi una fiorente industria di componentistica legata alla Nasa. Nelle università incontrai alcuni professori — tra cui il premio Nobel Segrè — e molti borsisti. Un *team* di tecnici stava sistemando un singolare archivio fotografico con i microfilm dell'intera dotazione della Biblioteca Vaticana: frutto di un bizzarro lascito di un ricco signore del posto. Altri aspetti della California li avrei conosciuti nei successivi periodi. Allora mi colpì la durezza di toni nella campagna elettorale in corso per il mandato di governatore. Il Presidente Kennedy, per sostenere il candidato democratico Edmund Brown contro il repubblicano Nixon, inviò un messaggio agli elettori perché «seppellissero Nixon che lui aveva già ucciso» (nelle presidenziali). E Brown vinse.

In uno di questi *tours* ministeriali avemmo un piccolo incidente aereo che il generale Vernon Walters, mio accompagnatore, ha narrato nel libro delle sue memorie. Eravamo appena partiti da una base, quando all'interno dell'executive Jetstar cominciò a levarsi un fil di fumo. Walters si precipitò in cabina e tornò rassicurante, mentre io continuavo a leggere la relazione sulla base successiva. Ma il fumo cresceva e così il nervosismo di Vernon: gli chiesi, con uno spirito un po' forzato, se stavamo cadendo o no. Al pilota, che rispettoso della gerarchia chiedeva a me istruzioni, risposi di agire come se io non ci fossi. Si liberò allora in mare di quasi tutto il carburante e rientrammo alla base di partenza atterrando con il carrello in avaria (era questa la causa dell'inconveniente). Il generale comandante ci accolse dicendo che era vero che ci aveva salutato con un arrivederci, ma non intendeva così presto.

8

LA STELLA KENNEDY

John Kennedy era arrivato alla Casa Bianca di stretta misura, tanto che per qualche ora si era addirittura ipotizzata la richiesta repubblicana della «riconta», cioè della revisione generale del voto. Ma appena insediato, nonostante la vicepresidenza tradizionalista di Johnson (che aveva invitato per attrarre voti, sicuro che non accettasse), dette subito l'immagine di una presidenza volitiva e innovatrice, scegliendo collaboratori giovani e professionalmente capaci, tra cui il fratello Bob, nominato *attorney general*. C'era qualcosa di profetico nelle sue impostazioni. La *nuova frontiera* richiamava i nuovi cieli e le nuove terre della Bibbia, tanto da suscitare enormi speranze nella popolazione nera e, più o meno in tutto il mondo, tra la povera gente. Per l'America latina creò l'«Alleanza per il progresso»; che tuttavia non ebbe un seguito particolarmente efficace. All'Africa offrì come simbolo di parità la valorizzazione di uno dei discepoli di Martin Luther King, Andy Young, affidandogli la prestigiosa rappresentanza degli Stati Uniti all'Onu.

L'attivismo del suo *entourage* era illimitato e a me sembrò eccessivamente interferente nelle cose interne italiane. A breve distanza dalla tragica morte del Presidente, il suo fidatissimo Arthur Schlesinger junior scrisse un libro (*I mille giorni di John F. Kennedy*) nel quale raccontò diffusamente il ruolo della Casa Bianca per accelerare il centrosinistra in Italia. Si descrive, tra l'altro, una riunione dello stesso Schlesinger (che già dal giugno precedente aveva fatto siglare da Kennedy un documento-guida in tal senso) in casa di Tullia Zevi, nel febbraio 1962, con Nenni, Ugo La Malfa, Ignazio Silone e altri; riunione «ripetutamente interrotta dalle telefonate dell'incaricato Fanfani, che voleva discutere con Nenni e La Malfa la composizione del governo».

Schlesinger riferisce che Nenni gli parlò a lungo del suo *disaccordo* con i comunisti e della sua accettazione *de facto* della Nato. E precisa che se l'ambasciata di Roma e il Dipartimento di Stato fossero stati meno conservatori, gli Stati Uniti avrebbero avuto diretti meriti per il cambiamento di rotta in Italia. Le sette fitte pagine a stampa di questo diario mi fecero comprendere meglio la ragione di alcune domande postemi in quel periodo durante i miei viaggi in America. Sia Rusk che McNamara mi chiesero perché io non fossi — nel congresso della Democrazia cristiana e altrove — favorevole alla accelerazione del centrosinistra, mentre il dimezzamento delle forze politiche italiane ostili alla Nato era considerato molto positivamente dai loro esperti.

Anche se non mi piaceva parlar di queste cose all'estero, spiegai il mio punto di vista. Non avevo mai ritenuto che la sinistra fosse un blocco inscindibile; tanto è vero che nella mia rivista «Concretezza» non si usò mai l'aggettivo — allora corrente — di socialcomunisti. Né ignoravo che negli anni Venti la mancata intesa tra cattolici democratici e socialisti aveva spianato la strada ai fascisti. Non ritenevo però che una alleanza di questo tipo potesse sorgere dall'alto e per accordi di vertice. Né in un clima di più marcato anticomunismo, quale questi «esperti» divisavano, ritenevo che il fronte italiano fosse più affidabile nei confronti delle obbligazioni militari dell'Alleanza. Sviluppando per gradi una politica democratica, si sarebbero portati anche i comunisti a sostegno della piattaforma di difesa comune, con una sicurezza altrimenti molto improbabile.

Naturalmente, mi guardai bene di opporre alla soddisfazione di Rusk per il finito antiamericanismo del neoatlantico Nenni il ricordo di quando nel 1953 Nenni aveva detto a De Gasperi che il Patto non costituiva un ostacolo, perché tutti i patti sono pezzi di carta. Espresso il mio punto di vista, ripresi a parlare sempre il linguaggio governativo italiano. Avevo infatti accettato di rimanere alla Difesa proprio perché si voleva accentuare la continuità della politica atlantica dell'Italia. Rimanevo peraltro nella convinzione che chi voleva veramente operare per il definitivo consolidamento della democrazia in Italia doveva pazientemente lavorare per superare la scissione comunista del 1921 mirando alla riunificazione effettiva di tutte le forze socialiste.

Conobbi Kennedy di persona quando venne in Italia il 1° luglio 1963. E potei comprendere meglio il notevole ruolo che avevano — a parte Dean Rusk — alcuni suoi collaboratori: l'assistente *speciale* Theodore Sorensen e l'assistente «europeo» del segretario di Stato William Tyler.

Lo accompagnai nell'omaggio al Milite Ignoto e il giorno successivo a Napoli in visita al comando Nato del Sud-Europa; ma più che altro ebbi modo di approfondire qualche argomento nella colazione ristrettissima che offrì a Villa Taverna il 2 luglio (un'ora e tre quarti veramente significativi).

Apprezzai la sua personale delicatezza nel non toccare temi di politica interna italiana. Mi accennò solo a una certa sorpresa per la caduta del Governo Fanfani, di cui i suoi esperti avevano invece pronosticato vita lunghissima. Fanfani lo aveva incontrato più volte e aveva anche letto uno dei suoi libri di storia economica. Si affrettò però a dire che per un politico americano, abituato ai ritmi quadriennali di governo e al sistema elettorale maggioritario, non era facile comprendere la nostra politica (McGeorge Bundy interruppe a questo punto con una battuta riferendosi alla mia «eternità»). Interessante fu un suo cenno alla necessità di inviare studenti europei in America e americani in Europa per «contribuire a lungo termine a comprenderci meglio e ad aiutare la rispettiva crescita con modelli meno distanti». Elogiò in particolare l'Istituto Tecnologico del Massachusetts, anche se le sue elaborazioni non erano sempre *comode* per l'Amministrazione. E auspicò che i suoi concittadini non considerassero superfluo apprendere una seconda lingua; sua moglie, ad esempio, conoscendo il francese aveva molte più opportunità di lui per allacciare rapporti diretti. Jacqueline era stata a Roma per un fine settimana nel marzo del 1962, suscitando in effetti ottima impressione. Conservo di lei una lettera molto gentile scrittami in quella occasione.

Gli chiesi, durante la colazione all'ambasciata, se, indipendentemente dall'essere lui cattolico, non ritenesse strano che, mentre tanti stati dalle più varie connotazioni politiche, religiose e culturali avevano un ambasciatore in Vaticano, in quel corpo diplomatico fossero assenti i governi di Washington e di Mosca (l'abbinamento era per stimolarlo). Mi rispose che dopo la sua elezione aveva fatto fatica a non far esplodere la «questione cattolica» data la lunga tradizione in senso opposto dei titolari della Casa Bianca. Lo criticavano anche per il semplice fatto di ricevere più spesso il vecchio amico di famiglia cardinale Cushing che non dignitari evangelici o rabbini illustri. Per lo stesso Roosevelt non era stato facile inviare in Vaticano Myron Tylor come suo rappresentante *personale*. Per lui anche questo era proibito. Ma conveniva con me sulla anomalia e si riprometteva di superarla durante il suo secondo mandato, quando non avrebbe più avuto da temere contraccolpi elettorali. Era già una buona prospettiva, anche se un poco utilitaristica. Tuttavia, come è noto, un secondo mandato non lo ebbe, né poté terminare il primo. Notai, ma non era il caso di raccoglierla, l'interruzione di una delle giovani teste d'uovo: quando Kennedy accennò alle udienze del cardinale, disse sorridendo che non erano tanto queste le visite alla Casa Bianca che creavano problemi. Il Presidente sorrise e continuò a parlare di Santa Sede in termini di grande ammirazione per il suo prestigio internazionale e anche di stima per Papa Montini. Ci disse che la morte di Giovanni XXIII non solo lo aveva costernato, ma aveva creato problemi per il suo programma di visite in Europa. Se il Conclave fosse durato più a lungo, gli sarebbe stato impossibile venire a Roma *sede vacante* ed esprimeva il timore che circoli intransigenti avrebbero insinuato che veniva a ingerirsi sulla scelta del nuovo pontefice. Il che mi sembrò esagerato, essendo più valida la ragione esposta dal suo *team*, e cioè che se i mass media del mondo erano concentrati sul Vaticano, avrebbero dato meno rilievo al *tour* presidenziale.

Al caffè uno dei «giovani» riprese con me l'argomento ambasciata in Vaticano raccontandomi un particolare. Durante la Convenzione democratica, nel coro quasi generale di lodi per Kennedy, le sole riserve erano state espresse proprio per la sua appartenenza alla Chiesa di Roma; mentre il Presidente Truman, che parlò per ultimo, agghiacciò la platea affermando di non temere l'influenza su Kennedy del *Santo Padre* ma del *padre*. Il personaggio, potentissimo, era infatti piuttosto... complesso. Proprio Kennedy padre — continuava il mio interlocutore — aveva un buon canale con Roma cattolica nella persona del conte Enrico Galeazzi, che tramite i Cavalieri di Colombo era conosciutissimo negli Stati Uniti. Sorvolai sul fatto che Galeazzi era in molta dimestichezza con Pio XII, ma non con Giovanni XXIII; e non credevo che nel periodo milanese di Montini il conte gli avesse usato particolari riguardi.

Tornando alla conversazione con Kennedy, questi si informò con interesse sulla politica per il Mezzogiorno e ci parlò dell'ascesa sociale negli Stati Uniti delle famiglie di vecchi emigrati, i cui figli e nipoti erano ormai in gran numero tra i magistrati, i docenti universitari e i dirigenti di aziende molto importanti. Anche in politica gli italiani si erano fatti onore, con presenze notevoli nel Congresso federale e nei parlamenti statali. Citò John Pastore, del Rhode Island, autorità suprema nel controllo nucleare, e ricordò Fiorello La Guardia e Vincent Impellitteri, sindaci di New York; poi, quasi in rivincita per avere io toccato la questione dell'ambasciatore in Vaticano, osservò che solo nella gerarchia cattolica i figli di italiani erano assenti (lo corressi citando l'ausiliare di New York Pernicone, ma aveva ragione).

Agli italiani d'America era grato per l'appoggio elettorale quasi unanime che gli avevano dato, clero compreso. Il che mi offrì occasione per spezzare una lancia a favore di un oriundo italiano (non facendo nomi) nella Corte suprema. Ma gli italo-americani dovettero attendere fino al Reagan bis per raggiungere questo salto di qualità, cui tenevano molto, con Antonin Scalia che sta assolvendo bene al suo alto compito.

Sul piano della grande politica internazionale Kennedy era moderatamente ottimista, ma si vedeva che la questione cubana non lo aveva segnato solo in superficie.

Sull'argomento di attualità di una Forza nucleare multinazionale, che il Consiglio Nato aveva caldeggiato nella riunione del 24 gennaio, non mi parve troppo interessato pur sostenendone le tesi. Forse l'opposizione di De Gaulle e la scarsa propensione di MacMillan gli indicavano realisticamente le scarse possibilità. So tuttavia che nei colloqui al Quirinale ne parlò, invitando a proseguire nello studio del dossier e mise a disposizione l'ammiraglio Ricketts per utili consultazioni tecniche.

Nel marzo erano già venute a Roma due missioni per discutere sul tema della Fnm, da istituirsi in seno alla Nato: erano guidate dagli ambasciatori Livingstone Merchant e Thomas Finletter. Secondo lo schema americano di questa «innovazione rivoluzionaria», la Forza doveva consistere in venticinque navi di superficie, armate ciascuna con otto missili Polaris e sempre in navigazione almeno all'80 per cento; equipaggi misti, con non più del 40 per cento di una stessa nazione. Le nazioni partecipanti avrebbero dovuto decidere a maggioranza sulla gestione delle navi, ma all'unanimità sull'impiego.

La spesa prevista (un terzo a carico degli Usa) era di 5-600 milioni di dollari in 8-10 anni, più un rimborso agli Usa di 600 milioni di dollari per le spese vive di ricerca già effettuata.

Fanfani si riservò di dare una risposta, anche solo preliminare, pur apprezzando l'iniziativa e ricordando che il ministro degli Esteri Piccioni ne aveva parlato in Senato.

A mia volta avevo chiesto se le navi avrebbero potuto essere a propulsione nucleare, ma l'ammiraglio Lee lo escluse in modo sbrigativo per ragioni di costi e di complicatezza di sistema. Chiesi anche — e non fu escluso — se si poteva comunque rivedere la legge MacMahon che, praticamente, ci tagliava fuori dal settore della propulsione.

Kennedy — ce lo disse senza riserve — considerava però definitiva la stretta solidarietà difensiva euroamericana; e, nell'indirizzo di risposta che dette a Napoli all'ammiraglio James Russell, ripeté che l'impegno di reagire con tutta la forza necessaria nel caso di un attacco contro gli alleati («che era un attacco verso tutti») «è altrettanto saldo e incrollabile oggi quanto lo era il giorno in cui venne assunto».

Nello stesso discorso parlò della Comunità economica europea dicendo: «Il Mercato comune europeo non fu ideato dai suoi fondatori e incoraggiato dagli Stati Uniti per elevare dei muri contro gli altri paesi occidentali o per elevarne contro il fermento e le speranze dei paesi in via di sviluppo». E aggiunse: «Le nazioni che sono unite nella libertà sono in grado di potenziare le loro economie a differenza di quelle che sono oppresse dalla tirannide. Noi facciamo meglio delle *dittature di partito* dell'Est».

Sia a Roma che a Napoli Kennedy fu accolto con molta simpatia. Qualche corrispondente mise in luce la diversità tra le due città, ma — a parte il carattere diverso delle popolazioni — per Roma ricevere presidenti e imperatori è pane quasi quotidiano. Certamente i napoletani furono travolgenti, facendo fittissima ala lungo tutto il percorso di un'ora tra il Comando Nato e l'aeroporto di Capodichino.

Per Roma, poi, gli organizzatori americani del viaggio, con minuziose e quasi petulanti riunioni durante i mesi precedenti, avevano preteso tali salvaguardie da richiedere persino che fosse vuota piazza Venezia quando Kennedy saliva sull'Altare della Patria. E qui avvenne un episodio divertente. Una piccola folla si era egualmente infiltrata dalla parte della basilica di San Marco e applaudiva con vigore. Kennedy ne fu lieto e, con buona pace del protocollo, si diresse a stringer mani e a ringraziare gli acclamanti. La guardia del corpo sembrava terrorizzata e, senza tanti riguardi, cercò, a spinte, di circondare il Presidente. Uno dei nostri agenti, con scherzo discutibile, ma efficace, sfilò a uno di quegli affannati vigilanti americani il revolver senza che se ne avvedesse; gli fu restituito in serata con i complimenti dei colleghi italiani.

Forse a causa di questo fuori programma, ci fu chi inventò che la nostra polizia avesse trattato male qualcuno del seguito di Kennedy. Certo è che in settembre, quando appresi la notizia dell'assassinio, mi vennero alla mente le vicende di quel giorno romano, l'inutilità di tanta pignoleria operativa della sicurezza e anche la confusione che una piccola variante crea sui piani prestabiliti.

Rientrato in patria, Kennedy aveva scritto a Segni non solo per i ringraziamenti d'uso, ma per dirgli che stava esaminando con interesse l'importante discorso tenuto da Kruscev a Berlino per un accordo sugli esperimenti nucleari. Si poneva agli alleati una scelta per non continuare a scartare l'ipotesi di un patto di non aggressione tra la Nato e il Patto di Varsavia; e Kennedy, ricordando che le posizioni italiane erano state sempre vicine a quelle americane e favorevoli al bando degli esperimenti, ci chiedeva un rapido commento prima che l'ambasciatore Averell Harriman andasse a discuterne a Mosca.

La notizia del tragico attentato a John Kennedy mi fu trasmessa al ministero della Difesa, con un breve margine di speranza sulla sopravvivenza, rapidamente seguito dall'annuncio della morte. Così passa la gloria del mondo. Avvertii subito i cardinali americani che erano in Concilio. Cushing partì immediatamente, mentre gli altri accolsero l'invito a un solenne rito di preghiere in San Giovanni in Laterano, officiato dall'arcivescovo di New York, cardinale Spellman.

I particolari della cattura del presunto assassino e della sua esecuzione «privata» dinanzi alle televisioni non erano certo fatti per sollevare gli spiriti. Molte ombre restano tuttora in proposito. Può essere stato davvero l'odio delle famiglie della strage di Cuba (Baia dei porci) ad avere armato la mano omicida? In un viaggio a Santo Domingo, conversando con un gruppo di esuli cubani, l'ipotesi non mi parve irreale.

In un articolo su «Concretezza» potei scrivere: «Dell'efficace servizio di John Fitzgerald Kennedy alla causa della pace è così poco lecito dubitare che lo hanno dovuto riconoscere perfino Kruscev e Togliatti».

9

JOHNSON CHE DANZA

La morte di Kennedy fu fortemente sentita dall'ambasciatore Reinhardt anche perché, da buon americano, avvertiva il turbamento provocato dalla fine per assassinio per la quinta volta di un Presidente degli Stati Uniti. L'arrivo di Reinhardt a Roma non era avvenuto *de plano*. Agli inizi del 1961 circolavano come sempre voci, più o meno ufficiose, sulla successione di Zellerbach. La candidatura più accreditata sembrava quella di un ex membro del Congresso, dal nome altisonante di Franklin Delano Roosevelt, che avrebbe certamente trovato buona accoglienza nei democratici italiani e anche in qualche ambiente economico, dato che era il concessionario delle vendite Fiat in dieci Stati degli Usa. Brosio, da Washington, esprimeva soddisfazione, ma il personaggio declinò l'offerta di Kennedy, preferendo riservarsi per una carriera politica interna (che in verità non conseguì). Si parlò allora di un ricco uomo d'affari texano, Stanley Marcus, amico del vicepresidente Johnson e benemerito per le importazioni di prodotti italiani laggiù. La scelta cadde invece sull'ambasciatore al Cairo, Frederick Reinhardt, nonostante fosse in Egitto da appena un anno. Il ministero degli Esteri fu particolarmente contento che ci inviassero un diplomatico di carriera, memore dell'ottimo lavoro svolto da Clement Dunn, così attento e costruttivo, in momenti difficilissimi dal 1947 al 1952. Non che anche negli inviati non provenienti dai ruoli del Dipartimento non vi siano persone degnissime, ma fanno talvolta pesare le loro carature particolari e non sempre legano con il personale dell'ambasciata.

Reinhardt, nato cinquanta anni prima a Berkeley in California, venne preceduto da fama di uomo colto e prudente, conoscitore di molte lingue, con una parte di preparazione scolastica in scuole estere, fra cui l'Istituto Cesare Alfieri di Firenze. Prima del Cairo aveva guidato l'ambasciata nel Vietnam.

Fin dalle mosse iniziali in Roma, dimostrò grande capacità di contatti, coadiuvato molto bene dalla signora Reinhardt. E, salvo quando da Washington lo incaricarono di ruoli un po' troppo attivi nella politica italiana (in questo gli ambasciatori di carriera sono forse più soggetti a obbedienza), per sette anni non creò che simpatie attorno a Villa Taverna e a Palazzo Margherita. E sette anni non sono pochi per... sopravvivere bene nella capitale d'Italia: solo Max Rabb sarebbe riuscito a superare un periodo così lungo di permanenza.

Già cinque anni prima, quando non aveva ancora maturato un biennio, si era detto che Reinhardt se ne andava, desideroso di approfittare di una normativa americana sull'esodo anticipato dall'Amministrazione. In verità Kennedy era sotto la pressione di un suo grande elettore, l'ex governatore dell'Ohio Mike Disalle, di famiglia abruzzese emigrato da Vasto agli inizi del secolo. Le sollecitazioni non andarono a buon fine e il cambio della guardia non avvenne.

Ispirandosi, come già aveva fatto Dunn, alla convinzione che l'Italia non si esaurisse con Roma, il dottor Reinhardt visitò molte città, con un effettivo interesse anche all'arte e alla cultura degli antichi ducati. Una crescente simpatia circondò l'ambasciata romana e, se si prescinde dall'attivismo obbligato per il « recupero » dei socialisti, anche sacrificando i liberali, tutti parlavano bene del titolare di Palazzo Margherita. I due immediati successori, Gardner Ackley e Graham Martin (specie il secondo), lo avrebbero fatto rimpiangere.

Reinhardt era molto ben collegato con il Pentagono e fu un ottimo tramite con McNamara. La sua missione romana terminò più o meno quando io lasciai il ministero della Difesa.

La notizia della mia sostituzione come ministro della Difesa mi giunse mentre nel 1966 ero a Washington in riunione da McNamara per la pianificazione nucleare: un telegramma di Aldo Moro mi informava che aveva dovuto cedere il portafogli di via XX Settembre a un socialdemocratico. Dopo sette anni non era certo una decisione clamorosa; inoltre, esperto di crisi, mi rendevo perfettamente conto che certi passaggi vanno risolti *ad horas*. Per di più il successore, Roberto Tremelloni, dava ogni garanzia di continuità (così come io avevo fatto subentrando a lui alle Finanze nel 1955: curiosità cronistoriche).

L'unico timore era per la tenuta dei rapporti fra gli alti gradi dell'Esercito da poco rinnovati. Se avessi saputo di andar via, avrei lasciato ancora in carica il capo di Stato Maggiore della Difesa, l'anziano generale Aldo Rossi, un ufficiale di grande stile e ricco di un prezioso buon senso. A sostituirlo era andato il generale Giuseppe Aloia, già capo di Stato Maggiore dell'Esercito. Ma la scelta del suo successore era stata travagliata. Vi aspirava il generale Giovanni De Lorenzo, validissimo comandante dei Carabinieri e, prima, dei servizi informativi. Il Presidente Saragat, cui ero andato a proporre la nomina del generale Vedovato, non la sottoscrisse dicendo che era inopportuno mettere alla testa dell'Esercito il fratello di un parlamentare. La motivazione era fragile, tanto che più tardi ebbe l'incarico, ma non essendo il solo candidato possibile, proposi un secondo nome: il generale Carlo Ciglieri, che era divenuto celebre per la prontezza con cui il suo corpo d'armata aveva affrontato le conseguenze della sciagura del Vajont. Anche Ciglieri non andò bene a Saragat che aveva evidenti suggerimenti in senso opposto dai suoi collaboratori. Ma a vantaggio di chi? In ambedue i casi mi aveva quasi diffidato dal presentargli il nome di De Lorenzo. Con mia grande sorpresa qualche giorno dopo mi chiamò e mi disse che il capo di Stato Maggiore ideale era proprio De Lorenzo, sottolineandone la qualifica di ingegnere (in verità era ingegnere navale). E poiché De Lorenzo era molto ben visto da Moro e io avevo solo obiezioni oggettive — pensando fosse meglio continuare a utilizzarlo nell'Arma —, non mi opposi. Purtroppo fu un errore, perché i rapporti tra Aloia e De Lorenzo si dimostrarono pessimi e ne vennero fuori inchieste, polemiche e diatribe che dettero al povero Tremelloni molto filo da torcere e, quel che è peggio, alle Forze Armate disorientamento e confusione.

Rientrai a Roma e Moro mi pregò di restare al governo, offrendomi l'Industria o la Pubblica Istruzione. Scelsi il ministero economico, non sentendo vocazione per la complessità del mondo della scuola. E mi ritrovai un problema che avevo già caldeggiato alla Difesa: il progetto per una nave a propulsione nucleare. In origine si era pensato a un sottomarino, ma poi si vide che l'utilizzo civile dell'atomo era molto più gradito e percorribile; e avevamo appunto firmato un accordo tra i due ministeri che mi trovavo ora a gestire dall'altra parte.

Due sassi, anzi un sasso e un macigno, fecero inciampare l'iniziativa. Da un lato il defatigante negoziato con gli americani per avere il quantitativo necessario di uranio. Sul piano della cortesia la loro disponibilità era piena; e a ogni incontro di alto livello venivano ripetuti affidamenti *quasi* definitivi. Un poco disturbato dalle oggettive tergiversazioni, ruppi gli indugi e andai a parlare con l'importante senatore del Rhode Island John Pastore, che da tempo e con assoluta autorevolezza sovrintendeva alle questioni nucleari degli Stati Uniti. Mi rispose, finalmente, con franchezza. Se volevo avere non una circonlocuzione diplomatica ma la effettiva risposta, questa era: «Ve l'avite a scurdà». A questo punto fu facile andare sulla soluzione alternativa offertaci dal governo francese (l'amicizia con Pierre Messmer era solida, ma, a parte questo, Parigi non aveva le gelosie nucleari d'oltreoceano). Il lungo intervallo intercorso però fu fatale, perché nel frattempo era esploso l'avvilente e ingiusto caso Ippolito e quasi tutti i programmi del Comitato nazionale andarono in letargo. Sommato questo intoppo a un desiderio — legittimo — di non aggravare la spesa pubblica, e alla convinzione — meno lodevole — di alcuni che, se fosse stata tanto utile questa trazione per la marina mercantile, gli americani stessi l'avrebbero sviluppata, mentre invece erano tiepidissimi anche sulle applicazioni già realizzate, ne derivò un funerale di seconda classe per cui vi furono, in verità, poche condoglianze. Quando sopravvenne la psicosi per la scarsità e il prezzo alto del petrolio sarebbe stato facile puntare il dito sui gentili sabotatori del progretto. Ma che giovava il farlo? Si dovette purtroppo correre a costosi ripari per oneri derivanti dal blocco del canale di Suez, un avvenimento che trovò l'Italia schierata dalla parte degli Stati Uniti contro un certo avventurismo antiegiziano di taluni paesi europei.

A Kennedy era subentrato Lyndon Johnson che, secondo la cronaca del testimone Arthur Schlesinger, a suo tempo era stato officiato da Kennedy come suo vicepresidente per mera mossa propagandistica e diplomatica e aveva invece accettato. Al giovanilistico clan kennedyano non andava giù la sua «vecchiaia», ma la vera età di ogni uomo è sconosciuta perché dovrebbe riferirsi a quanto resta da vivere. E purtroppo non si muore solo di malattia o di consunzione.

Nella visita che come «vice» aveva fatto nel settembre 1962 in Italia, mi aveva stupito la sua esuberanza texana. Ascoltò distrattamente il brindisi nel banchetto di Stato a Villa Madama e lesse senza la minima partecipazione le cartelline di risposta che gli avevano preparato. Cercò di infrangere la noia del protocollo proponendo di ballare invece di star lì a fingere di interessarsi alle presentazioni di persone che nella vita non avrebbe più rivisto; e per dar inizio simbolico alle danze sollevò da terra la giovane moglie del sindaco di Roma, Linda Della Porta. Inutilmente. Il cerimoniale ha regole di ferro. E per più di un'ora Johnson dovette sottoporsi — tra il caffè e un liquore — alla passerella degli ospiti.

Il generale Vernon Walters lo aveva informato che stavo per andare negli Stati Uniti in una visita alle basi militari e sembrò interessato al fatto che nella scheda del viaggio fosse compreso San Antonio. Mi raccomandò, se avessi voluto bere alcolici, di farmi socio di un circolo: battuta che sul momento mi rimase oscura, ma che compresi quando arrivai nella piacevole cittadina del Texas dai cento canali alla veneziana. Laggiù era vietata nei locali pubblici la vendita di liquori, salvo che nei club; così in ogni bar si era costituito un circolo, al quale ci si associava pagando qualche dollaro e senza alcuna altra formalità. Mi dissero che in città ve n'erano più di mille.

Ma quel che mi accreditò presso Johnson fu un mio accenno al Centro di ricerche spaziali di Houston, di cui andava fierissimo. Mi scrisse anche una lettera di ringraziamento per questo mio fugace giudizio positivo rinnovandomi gli auguri per il viaggio nel suo paese.

Del quadriennio di presidenza di Johnson, dopo quella interinale, del resto non contrassegnate ambedue da straordinarietà politiche, non ho ricordi miei particolari essendomi in quegli anni dedicato prevalentemente alla attività parlamentare e avendo quindi avuto meno occasioni di rapporti ufficiali con l'estero.

Potei però andare ad ammirare gli Stati Uniti sotto un angolo visuale diverso.

La visita di Johnson sul finire del 1967 non fu, sembra, di grande soddisfazione per il Presidente, forse anche per comparazioni, peraltro mal poste, con l'accoglienza ricevuta da Kennedy quattro anni prima. Sta di fatto che venne la richiesta del gradimento, da darsi possibilmente entro la giornata, per un nuovo ambasciatore, il dottor Gardner Ackley, che era il coordinatore dei consiglieri economici della Casa Bianca. Perché tanta fretta? Si disse che, in verità, Johnson fosse costretto ad adottare provvedimenti non condivisi da Ackley, che per questo si era dimesso. Il nuovo incarico a Roma avrebbe evitato interpretazioni polemiche e anche possibili commenti sfavorevoli dello stesso personaggio.

Nei venti mesi in cui Ackley restò a Roma io lavorai alla Camera dei deputati e non ebbi occasioni particolari di incontrarmi con lui.

10

VACANZE IN USA

Nel mio intervallo governativo (1968-72) le relazioni con l'America non furono legate a impegni ufficiali, ma ebbero momenti di non minore interesse.

Debbo all'invito dello statista francese Antoine Pinay la partecipazione ai lavori di un gruppo ristretto di studio euro-americano, del tutto informale, di approfondimento dell'attualità mondiale. Ci riunivamo una o due volte l'anno, di norma a Washington, in casa di Nelson Rockefeller, ma talvolta anche in Europa (ricordo un incontro in Baviera ospiti di Franz Josef Strauss). Alcuni partecipanti variavano in relazione ai temi del momento (molto apprezzato Henry Kissinger), altri eravamo, compatibilmente con i nostri impegni, fissi.

Un dotto domenicano, padre Dubois — addetto alla rappresentanza della Santa Sede all'Onu —, dava all'insieme uno sfondo religioso con la Messa, per chi voleva assistervi, e con piccole meditazioni per tutti. Dall'Italia veniva anche l'ingegner Carlo Pesenti, grande amico di Pinay. Degli americani, assiduo era David Rockefeller, che con i suoi viaggi e le sue relazioni personali al massimo livello in quasi in tutti i paesi conferiva sempre elementi di valutazione aggiornati e inediti.

Anche Pinay viaggiava molto ed era informatissimo. Apprezzavo in lui gli orientamenti pragmatici e il rifiuto al pessimismo che in qualche periodo era diffuso, e non senza elementi probanti. La sua autorevolezza, in patria e fuori, non era tanto legata alla durata degli incarichi governativi ricoperti (ministro delle Finanze e per un buon periodo primo ministro) quanto a una riuscita operazione di rafforzamento del franco e alla constatazione che egli veniva consultato nelle congiunture difficili e se ne apprezzavano molto i consigli. I tanti impegni non gli hanno impedito di conservare fino a non molto tempo fa la responsabilità di sindaco del suo piccolo comune di Saint-Chamond: è conforme alla tradizione francese per tutti gli uomini politici di un certo rilievo.

Negli ultimi anni Pinay si è dovuto arrendere — pur restando vivacissimo — alle precauzioni dell'età; altri amici del gruppo si sono trasferiti dal mondo e così gli appuntamenti annuali non hanno più luogo. Occasionalmente ci si incontra a due, quando qualcuno passa per l'Italia o io visito la rispettiva nazione.

In qualche modo erede della formula è il Club degli ex primi ministri, fondato dal giapponese Takeo Fukuda e da Helmut Schmidt, che, oltre ad altri approfondimenti, redige un rapporto annuale alla vigilia della riunione dei Sette paesi industrializzati. Vi ho aderito, ma ho potuto prender parte ai lavori soltanto in un meeting sulla libertà religiosa svoltosi a Roma.

Ogniqualvolta lo incontravo, il cardinale Spellman mi ripeteva che dovevo far conoscere l'America ai miei figli e mi offriva la sua ospitalità. Io ritenevo che fosse meglio attendere che avessero una età da inquadrare bene questa esperienza; e lui mi rispondeva puntualmente che non era eterno, anche se si augurava che il Signore gli desse molto tempo ancora per acquisire il minimo di meriti per entrare in Paradiso.

Ma un giorno nel quale, durante un incontro romano, io e altri amici gli offrimmo un altarino da campo per sottolineare l'opera di ordinario militare che svolgeva con tanto sacrificio, ma, con una intensità esemplare, mi disse che forse non avrebbe fatto in tempo a ricevere lui la mia famiglia, ma che il viaggio dovevamo farlo egualmente. Non compresi che più tardi il significato di questa frase, unita al ringraziamento per non avergli mai chiesto niente, a differenza di tanti altri. Gli risposi scherzando che non era vero perché una volta l'avevo pregato di aiutare un'opera fondata alla memoria di un comune amico scomparso, don Giuseppe Canovai.

Spellman morì poco tempo dopo e io fui rammaricato di non poter andare ai funerali, che furono solenni e con la partecipazione del Presidente degli Stati Uniti. Nello stesso giorno, però, avevo a Bruxelles una importante riunione ministeriale ed era mio dovere non mancare. Ma fui addolorato per il fatto che nessuno da Roma fosse presente al rito. Eppure in luttuose circostanze del genere, Spellman non faceva mancare mai l'omaggio personale: a costo di peripezie, come per le esequie del cardinale Borgongini Duca, quando arrivò a Roma alle otto del mattino e ripartì a mezzogiorno.

Per compensare l'assenza al congedo di New York, presi più tardi l'iniziativa di una pubblicazione in sua memoria con il testo della prima lettera di san Paolo ai Romani e brevi commenti di dieci personalità internazionali. Le due edizioni, in italiano e in inglese, furono curate mirabilmente a Verona da Giovanni Mardesteig e arricchite da un disegno originale di Renato Guttuso.

Nel frattempo l'ingegner Galeazzi era venuto a consegnarmi una busta datagli per me, quasi *in extremis*, dal cardinale: conteneva 30 mila dollari «per il ritardato viaggio».

Lo organizzai, con Livia e i quattro figli, nell'estate del 1971, rispettando i consigli dell'amico arcivescovo: New York, ma non solo la città, e con una puntata anche nel New Jersey; Washington e la costa del Pacifico. Vi premisi, per la mancata vacanza marina dei ragazzi, qualche giorno nelle Bahama. Fu anche per me un'occasione non comune per fare un viaggio turistico e visitare un poco di America con agio, e non solo nei frettolosi ritagli dei soggiorni di lavoro. Di grande aiuto ci furono l'attivissima Della Grattan e le sue sorelle.

Arrivati il 2 agosto a New York, pranzammo al ristorante greco e proseguimmo per la settimana a Nassau, puntando da lì sulla California.

A Los Angeles scendemmo al Century Plaza, restando subito un po' sconcertati dalle tante alternative che ci venivano offerte per utilizzare nel modo migliore il soggiorno. E optammo per un programma intensivo cominciando dagli stabilimenti della Universal, dove si è conquistati alle tecniche e ai trucchi di Hollywood. Incontrai Anthony Quinn, vecchio conoscente di Cinecittà, ed ebbi la gioia di passare qualche ora con il grande scenografo Novarese, vincitore di molti Oscar e in quel momento dedito a un importante studio sulla storia dell'America per la nuova Disneyland della Florida. Iniziò con lui una amicizia che mi fece conoscere progressivamente la grandezza della sua fibra, fino a quando mi scrisse di avere un aneurisma inoperabile («È come se avessi nel petto una bomba che può esplodere da un momento all'altro e non so quando»). E purtroppo esplose. Con Novarese andai a vedere il teatro dei celebri Premi dell'Accademia e visitai poi il bizzarro e allegro cimitero di Forest Lawn. Lì ci parlò con affetto dei suoi amici scomparsi negli ultimi anni: Spencer Tracy, Vivien Leigh, Judy Holliday, Ed Begley, Paul Muni. Solo quest'ultimo aveva raggiunto i settant'anni, osservava con una punta di mestizia; e Judy ne aveva soltanto quarantatré.

La filosofia di questo cimitero è singolare. Si ispira alla gioia, offerta sia agli «inquilini» sia ai familiari e ai visitatori. Un teatro, tante riproduzioni delle opere d'arte più famose nel mondo, fiori in quantità gigantesche, persino tombe che, a intervalli fissi, si scoprono automaticamente portando il sarcofago a prendere aria. Non a caso in una delle chiese della collina si celebrano quasi ogni giorno festosi riti nuziali.

La guida ci informò premurosamente che vi era ancora qualche lotto disponibile e per di più esposto al sole; non avremmo dovuto perdere l'occasione. La perdemmo volentieri e andammo a ricrearci a Disneyland, un vero paradiso non solo per i bambini.

I ricchi californiani, stimolati anche dalla detassazione, sono molto prodighi nell'acquistare opere d'arte e donarle ai musei. Alcuni offrono alla collettività addirittura un intero museo; e fummo lieti di ammirare nella città di San Marino il complesso creato dal signor Henry E. Huntington (1850-1927) con giardini curatissimi — il Cactus Garden e la collezione di camelie —, una imponente biblioteca con importanti manoscritti medievali e la dotatissima galleria d'arte.

Da lì passammo a Pasadena, dove trascorremmo alla Nasa alcune ore che attrassero molto i ragazzi. Stava per partire un satellite che in cinque anni, se mal non ricordo, doveva fare il giro degli astri e tornare dopo aver memorizzato preziosissime informazioni. I tecnici ne parlavano come se si trattasse — e forse per loro lo era — di ordinarissima amministrazione. Al rientro, sosta a Long Beach dove il glorioso transatlantico *Queen Mary*, dopo aver fatto quattro anni prima la centesima traversata dell'oceano, era al definitivo attracco in funzione di museo e di parco di divertimenti. Se vi capitasse di vedere una mia fotografia vestito da soldato sudista, è uno scherzo di quel divertente pomeriggio.

Ma la giornata non era finita. Nel grande Auditorium all'aperto di Los Angeles si pranza e si ascolta un concerto sinfonico di notevole pregio. L'arena è divisa in tanti box, che ognuno arreda come vuole. Il professor Vittorio Sanguineti dell'Ice, che ci ospitò, non mancò di indicarci alcuni vicini dai nomi altisonanti. E per loro il picnic era servito da camerieri in guanti bianchi su tavole imbandite con porcellane finissime e massicci candelieri d'argento.

All'indomani, attratto dal grande tempio dei mormoni che sovrasta una delle colline di Los Angeles con la statua dorata di un angelo che riluce in modo suggestivo, vi salii tutto solo per conoscere qualcosa di questa Chiesa dei Santi dell'ultimo giorno. E trovai un gentilissimo pastore, il dottor Valentine, che mi spiegò per un'ora la vita di Joseph Smith, il primo presidente della loro Chiesa nel 1835, e l'aspetto umano della loro concezione dell'esistenza: dalla nascita all'educazione, all'amore e matrimonio, al lavoro e servizio, all'unità della famiglia, alle avversità, alla crescita dei figli, alla morte, alla quale succede la speranza di una felicità eterna con la ricomposizione finale del corpo e dell'anima.

Dissi al dottor Valentine che se fosse venuto a Roma lo avrei salutato volentieri; prese la mia frase alla lettera venendomi a trovare il mese successivo insieme a sua moglie. È tornato anche l'anno scorso; ormai è in pensione e, come tanti americani, si diletta con qualche viaggio per fare il quale ha versato piccole rate mensili durante tutti i decenni della sua vita lavorativa.

Non ho parlato sinora del porto di Los Angeles, il più importante di tutta la costa del Pacifico, scoperto nel secolo decimosesto da Juan Rodríguez Cabrillo e totalmente ristrutturato nel 1899 con una spesa di duecento milioni di dollari. Alle ottantacinque navi della capienza del porto, se ne aggiungevano in quel momento molte centinaia, immobili, al largo. Era infatti in corso uno sciopero dei portuali e da quaranta giorni (!) non una sola operazione di sbarco era stata consentita. Durata enorme; trattative massacranti, ma fino al giorno prima nessun incidente. Gli scioperi sono talvolta molto duri — mi spiegava l'autorità del porto —, ma quando l'accordo è raggiunto per alcuni anni si può fare affidamento su un lavoro mai interrotto.

Purtroppo era accaduto un fatto nuovo, sconvolgente. Il giorno innanzi il Presidente Nixon aveva annunciato una soprattassa del 10 per cento su tutte le importazioni con effetto immediato. E le compagnie ora si agitavano sostenendo che chi era già in porto o alla fonda non dovesse subire il forte balzello federale a loro avviso, in questo caso, retroattivo. Washington aveva immediatamente risposto negativamente al quesito e stavano cercando il modo di comunicarlo senza fare esplodere la situazione. Abbreviai la mia visita per non trovarmi coinvolto in qualche cosa di spiacevole.

L'annuncio di Nixon lo aveva ascoltato alla televisione: « Intendo proteggere il dollaro, migliorare la nostra bilancia dei pagamenti e alimentare i posti di lavoro negli Usa... La misura è temporanea e serve a riequilibrare le sperequazioni create da ingiusti tassi di cambio. Quando questo trattamento ingiusto verrà a cessare, cesserà anche l'imposta aggiuntiva sulle importazioni ».

Ero in casa di un professore di economia della Stanford University e i suoi commenti non furono positivi, contrario in tesi al protezionismo. Circa gli effetti per l'Europa, pensava che forse un terzo delle importazioni relative potesse risultarne impedite. Sta di fatto che nacque in quel Ferragosto qualcosa di nuovo nella storia del commercio mondiale e cominciarono trattative convulse con tutti i paesi e i relativi raggruppamenti.

Interrogato dal « New York Times », caldeggiai un alleggerimento della sovraimposta e non nascosi la mia contrarietà per le quote sulle importazioni di tessili e scarpe. Circa il livello di cambio della lira evitai di esprimermi, sia per la delicatezza del tema, sia per la speranza di una misura europea concertata. A evitare però che il silenzio fosse interpretato male, dissi che non prevedevo comunque oscillazioni superiori a quelle dello yen.

In Italia i comunisti attaccarono fortemente il «ricatto Usa», mentre nell'ambito del Gatt le critiche furono non meno aspre e, per di più, si declamavano le decisioni presidenziali come inefficaci per l'economia americana.

Ma tornando alle mie vacanze californiane, ricorderò la foresta delle immense sequoie e la visita alla città di Bakersfield, dove conobbi un lucano immigrato nell'ultimo dopoguerra, Ben Sacco, che ha raggiunto una rilevante posizione economica e sociale. A San Francisco i ragazzi andarono in visibilio per una partita di pesca, per le scorribande nella celebre Lombard Street, per la visita al porto dove domina il ristorante Joe Di Maggio, per il folclore del quartiere cinese.

Per me furono molto utili gli incontri all'università, anche perché in Italia eravamo in pieno dibattito sulla riforma degli studi superiori. Senza mezzi termini quei professori criticavano lo stato giuridico dei nostri docenti, contrario, a loro avviso, a ogni stimolo di progresso intellettuale e a ogni possibilità di controllo sulla dedizione professorale dei maestri. D'altra parte ironizzavano sul «tempo pieno», dicendo che, assolti scrupolosamente i doveri dello studio, delle lezioni e della assistenza agli studenti, era necessario lasciare che i professori integrassero i loro non lauti stipendi. «Chi pagherebbe altrimenti i conti delle nostre mogli» ci dicevano sorridendo. Il più accanito in materia era un economista candidato al Premio Nobel. Aveva utilizzato l'anno sabbatico per andare in Europa a vendere impianti di bowling, ed era molto contento per i guadagni ottenuti.

La durata del percorso tra San Francisco e New York serve a ricordarvi che l'America è un grande continente. Arrivammo a tarda sera e potemmo salire subito sull'osservatorio nella torre dell'Empire State che offre una suggestiva visione di insieme, anche per chi non è alla prima esperienza.

Al mattino seguente, dopo una preghiera sulla tomba di Spellman nella cattedrale di Saint Patrick, visitammo le Nazioni Unite e qui, tramite l'ambasciatore Vinci, ricevetti l'ambito invito del suo collega americano George Bush ad assistere nel pomeriggio a fianco del segretario generale U Thant all'omaggio agli astronauti reduci dalla spedizione sulla luna. Fu davvero una coincidenza fortunata e un gesto gentile da parte di Bush.

Quando si è in giro con la famiglia e si vuol fare un itinerario unico, bisogna modellare il programma per soddisfare proporzionalmente ciascuno dei membri. Così la visita ai magazzini Saks, Bonwitt and Teller, Bloomingdale e Macy's fu gradita a Livia e alle figlie. Gli show musicali piacquero ai giovani. Le corse al galoppo a Belmont Park e quelle al trotto al Roosevelt Raceway assecondavano una mia passione.

Al Roosevelt trovammo nel programma stampato, in cima alla quarta corsa, un « Saluto all'Italia »: attenzione dovuta a uno dei dirigenti dell'ippica newyorkese, antico alunno e laureato dell'Università cattolica di Milano (padre Gemelli non lo avrebbe mai immaginato).

I luoghi classici di New York e dintorni, compreso il traghetto verso il ponte di Verrazzano, il Washington Bridge e la Statua della Libertà (ospiti degli amici Forbes), interessavano invece tutti, e così una visita accurata al Metropolitan Museum, al Guggenheim e a quello di Arte moderna. Senza dire della parte *logistica*, accuratamente predisposta dalle Grattan, dallo Steak Joint del Greenwich Village al Quo Vadis e a un ristorante cinese gestito da un generale di Formosa, già addetto militare in Roma; dalle Grotte di Bacco e l'Iperbole, due locali contigui e proprietà di un recente immigrato già appartenente ai gruppi giovanili della Democrazia cristiana romana, al prestigioso Il 21, dove vi mostrano le cantine nascoste degli anni del proibizionismo. Non meno divertente e piacevolmente rapido era prendere i pasti nei self-service.

Facemmo anche una gita alle cascate del Niagara. Preavvertiti dal senatore dello Stato di New York, l'amico John Marchi (tuttora autorevolmente in carica), vennero ad accoglierci e guidarci il sindaco di Buffalo e il *temporary president* del Senato, Earl W. Brydges.

Al ritorno a New York incrociammo sulla Quinta strada un affollato corteo di protesta, perché due giorni prima ad

Hauppage nel Long Island la polizia aveva attaccato, a loro dire brutalmente, una manifestazione di gay. Al corteo si erano aggiunte delegazioni di femministe, non so se per solidarietà o per dividersi le spese organizzative. Invocavano pace e parità. Richiesto di un pensiero domandai perché non vi era alcuna ragazza di colore e mi risposero con uno sberleffo. Nell'insieme lo spettacolo, che si svolgeva tra tanta indifferenza e qualche sghignazzo dei passanti, era piuttosto sconcertante.

Di ben altra natura il chiasso alle grida dello Stock Exchange, la potente Borsa newyorkese. Non ho mai visitato le borse italiane e non posso fare paragoni, ma laggiù il movimento quotidiano di titoli è imponente. Hanno anche un accurato cerimoniale per gli ospiti, compresi un saluto che compare all'improvviso tra le strisce elettroniche delle quotazioni e il lancio festoso di fissati (in loco non *bollati*) verso la tribunetta da cui osservate le frenetiche contrattazioni. Mi spiegarono che poche società italiane erano quotate, in quanto da noi non sarebbe gradita la trasparenza che è *conditio sine qua non* di cui lo Stock Exchange si rende garante.

A Washington andarono invece, per qualche ora, i miei familiari. Io desideravo godermi l'apoliticità totale di questo viaggio e volevo anche dedicare qualche ora al successore e agli amici di Spellman. La visita del Campidoglio, della Casa Bianca, dello Smithsonian Institute e della National Art Gallery fu commentata come il cliché di una capitale diversa dal resto della federazione. Ma le capitali sono sempre, almeno un poco, diverse.

Riprendemmo l'aereo per Roma pieni di affettuosa riconoscenza per la memoria dell'amico cardinale e lietissimi di questo eccezionale mese di vacanza.

11

DA NIXON

L'anno 1972 era stato per me importante. Agli inizi, essendo andati in crisi irreversibile, almeno al momento, i governi di centrosinistra (Moro - Rumor - Colombo), il Capo dello Stato aveva incaricato me — che ero allora presidente del Gruppo democristiano della Camera — di formare un ministero in vista delle elezioni anticipate che erano, più o meno pacificamente da tutti, ritenute indispensabili. Due anni prima avevo ricevuto dal predecessore di Leone, Giuseppe Saragat, il mandato di risolvere la crisi, ma ero stato bloccato proprio dal segretario socialdemocratico Mario Tanassi, il quale interpretava il felice rapporto di lavoro con il capogruppo socialista a Montecitorio, Luigi Bertoldi, come un mio pencolare verso i socialisti. Ero rientrato nei ranghi parlamentari continuando in un ufficio pieno di attrazione politica.

Le elezioni non portarono, come sempre, grandi cambiamenti ed era doveroso da parte mia cercare di allargare ai liberali la piattaforma quadripartita che era andata in avaria. Ma i socialisti (altro che rapporto privilegiato!) si rifiutarono persino di sedere accanto ai liberali per un esame preliminare delle rispettive posizioni. E fu giocoforza mettere insieme i partiti disponibili aspettando tempi meno allergici. Il governo fu chiamato Andreotti-Malagodi e, avendo maggioranza di poche unità, fu soggetto quotidianamente alle insidie, attivissime, dei franchi tiratori. Purtroppo i democristiani di sinistra non vollero parteciparvi, e lo stesso Moro si disse spiacente di doversi adeguare, pur lasciando con dispiacere il ministero degli Esteri, che affidai al senatore Giuseppe Medici, un ex liberale convertito da Dossetti alla Democrazia cristiana.

Pur essendo alle prese tutti i giorni con le opposizioni e con gli «infedeli», dedicai, d'accordo con Moro, attenzione e tempo all'idea sovietica concertata con gli americani e i canadesi, per una politica di cooperazione e sicurezza comune di tutta l'Europa. La diplomazia ufficiale aveva dato poco peso a questa proposta, reputandola solo un espediente per consolidare i confini segnati nel dopoguerra. Ma poteva essere invece una vera svolta e io condividevo questa speranza di Aldo. Per questo motivo accettai di andare in autunno in visita a Mosca (iniziativa mal vista dalla opposizione, ma anche dai franchi tiratori), mentre declinai un analogo invito di Washington. Volevo prima accertare le possibilità effettive di realizzazione di quella che si sarebbe pòi chiamata la politica di Helsinki e perciò mi riservavo di andare in America nell'anno successivo se vi fossero stati argomenti rilevanti da trattare, compreso l'apporto per far coincidere il grande disegno di cooperazione e sicurezza continentale con il programma nixoniano di «1973, anno dell'Europa».

Non nascondo che volevo anche attendere per vedere se il governo resisteva alle bordate contrarie, considerando poco prudente la «passerella» alla Casa Bianca di un presidente del Consiglio che sta per essere impallinato. Avevamo già avuto precedenti del genere (Scelba e Fanfani) e non volevo ripeterli. E infine mi sembrava saggio non prestarsi, prima delle elezioni americane, a possibili strumentalizzazioni di parte.

Agli inizi del 1973 gli americani rinnovarono l'invito e, non accettando, si rischiava di avallare interpretazioni politiche inesatte; tanto più che lasciavano a noi la scelta della data. In un rapporto a Medici, l'ambasciatore Ortona informava che il Presidente, trionfalmente rieletto (tutti gli stati salvo il Massachusetts), voleva approfondire direttamente «quale può considerarsi in una prospettiva avvenire la validità dell'Italia come elemento importante di una alleanza cui il governo americano, malgrado le nuove modulazioni della sua politica estera, si considera totalmente e prioritariamente legato».

Per di più Nixon mi aveva fatto dire da un amico delle «riunioni Pinay» che sarebbe stato utilissimo che dopo Washington avessi fatto una breve visita di lavoro a Tokyo, cominciando a colmare una lacuna nei rapporti Europa-Giappone che lo preoccupava.

Medici e io, accompagnati da Rinaldo Ossola, allora direttore generale della Banca d'Italia, andammo alla Casa Bianca il 17 aprile, dopo una notte di assuefazione oraria a Williamsburg in Virginia. L'accoglienza fu quella protocollare con musiche, bandiere, discorsi, saluti, sorrisi, televisioni e fotografie. E, come per i ministri della Difesa, anche per i primi ministri la liturgia dei due giorni in programma nella capitale è rigida per non fare torti a chicchessia: colloqui con il Presidente; incontri e pranzo al Dipartimento di Stato (retto allora da William Rogers, ma con una sovrastante ombra massiccia di Kissinger dal suo posto nel Consiglio nazionale di sicurezza); omaggio al cimitero militare di Arlington; ricevimento al Campidoglio, offerto dall'onorevole John Sparkman (Affari Esteri); colazione data dai deputati e senatori italo-americani; incontri con i segretari al Tesoro Shultz e della Difesa Elliot Richardson e con il sottosegretario Paul Volcker; cocktail di restituzione all'ambasciata italiana. Il tutto coronato da un pranzo di gala offerto a mia moglie e a me dai Nixon, allietato dai marines in veste di musici e da uno show di Frank Sinatra, che veniva riammesso nell'alta società dopo due anni di quarantena a seguito di certe polemiche sulla mafia.

In aggiunta alla lista degli incontri concordati, ricevetti volentieri la visita del potentissimo leader dei sindacati George Meany. Venne subito al sodo (a suo avviso) ed espresse aspre censure all'atteggiamento, secondo lui, possibilista nei confronti del comunismo verso il quale la sua intransigenza era proverbiale. In particolare se la prendeva con Bruno Storti per la conduzione dell'Internazionale libera che — sempre a suo giudizio — aveva indotto l'American federation of labor a venirsene via. Ascoltò con compostezza le mie repliche sulla indubbia fedeltà democratica di Storti e sulla necessità di aiutare i lavoratori a liberarsi dal comunismo, facendo opera di convinzione e non troncando la comunicazione con loro. Cercai poi di dire (ero ancora sotto l'impressione dello spettacolo dantesco del porto di Los Angeles bloccato dagli scioperi) che in fondo in Italia le lotte sindacali erano meno aspre; ma mi ripeté la spiegazione avuta nell'altro versante e cioè che tutta la lotta si concentra nel periodo del contratto. Accennai anche alla modificata politica americana rispetto ai grandi paesi comunisti, ma sorvolò sull'argomento. Mi disse però che avrebbe gradito incontrare sindacalisti italiani e che sarebbe stato utile un viaggio del ministro del Lavoro, Dionigi Coppo, anche per firmare l'accordo sulla sicurezza sociale. Nel congedarci, ritorsi scherzosamente la sua accusa alle confederazioni italiane di ingerirsi troppo nella politica, osservando che la sua influenza sulla politica americana e anche sulle elezioni era ben maggiore. Il linguaggio chiaro non gli dispiaceva e ci lasciammo in termini molto cordiali.

Naturalmente il *clou* di tutto il mio programma fu rappresentato dai colloqui con Nixon, specie il primo, che superò di parecchio le due ore previste in tabella. Vi assistettero Henry Kissinger e, per noi, il mio consigliere diplomatico Andrea Cagiati. Non so se sia vero che Nixon avesse in funzione il registratore. Io, a parte qualche appunto che registrai successivamente nel diario, mi affido alla memoria; mentre per il resto degli incontri mi ha aiutato anche il recente libro dell'ambasciatore Egidio Ortona sui suoi *Anni d'America 1967-1975*.

Nixon era prevalentemente interessato al quadro internazionale, anche perché — lo disse — i problemi interni di una nazione hanno un taglio e un grado di risolvibilità molto differenti a seconda se vi è, o meno, un buon ancoraggio esterno. La Nato era per lui un punto fermo, che aveva permesso agli Stati Uniti di sviluppare una politica articolata con l'Est (qui gli riferii il giudizio preelettorale a lui favorevole di Kosygin) e bisognava rafforzare l'intesa tra i massimi dirigenti occidentali per proseguire in tale direzione, senza equivoci e senza scavalcamenti. Per la Cina era riuscito a superare i tabù tradizionali del Congresso, più che mai, in questo, espressione di uno stato d'animo ostile della popolazione (ricordai dentro di me il *mai* della signora Luce). Era il frutto della lobby di Chiang Kai-shek? Non la credeva così determinante ed era ormai in gran parte storia passata.

La coesione dell'alleanza; un rapporto più «abituale» tra America ed Europa (sulla Cee era rispettoso e comunque non allarmato); la reciproca comprensione con il Giappone: questi erano i cardini di una saggia costruzione internazionale.

Lo tranquillizzai sull'atteggiamento dell'Italia. La difficile situazione nei rapporti tra i partiti democratici — accentuata dall'inflazione e dalla faticosa gestione dei bilanci pubblici — non riguardava le grandi linee di politica estera, verso le quali, anzi, vi era un moto convergente anche da parte dell'opposizione. Gli narrai l'impegno pieno ed entusiasta che i comunisti portavano ora a Strasburgo e a Bruxelles, un tempo indicati come centri di reazione classista. E, nei socialisti, le frange ostili alla politica atlantica sembravano ormai in esaurimento. Lo sforzo che avevo tentato era rivolto verso il recupero dei socialisti alla collaborazione anche con la presenza dei liberali. Quali che fossero i nostri sviluppi interni — insistei molto su questo punto — la fedeltà italiana non era in discussione. Forse, se non fossero state fatte dall'Amministrazione precedente (Kennedy) tante sollecitazioni per affrettare il centrosinistra in Italia, la formula non sarebbe andata così presto nelle secche.

Nixon prese atto con evidente soddisfazione di queste mie assicurazioni, che dovevano contrastare con le informative di qualche *desk* di... specialisti da lontano. Gli parlai della necessità di dare più impulso alla collaborazione americana *preventiva* con noi europei; anche per non trovarci nella disinformazione che aveva creato disagi nel passato, quando, talvolta, apprendemmo di alcune iniziative prima dai sovietici che da Washington.

Anche la conoscenza — obiettiva e psicologica — sui punti caldi del pianeta di qualcuno più vicino alle aree in crisi poteva giovare agli Usa che, dovendosi occupare di tutto il mondo, non avevano sempre il modo di approfondire adeguatamente le informazioni. E citai il Medio Oriente, per il quale era inutile attendersi soluzioni spontanee o attutimenti per decorso di tempo. Medici, nei contatti con gli egiziani, aveva maturato la convinzione che un programma di sostegno economico avrebbe forse alleggerito la tensione e favorito il contatto con Israele. (Era un piano già elaborato? No. Erano idee che si sottoponevano come elementi di studio, per confrontarle eventualmente con altre.)

Parlammo di energia, con l'accento da parte dell'Italia, «dipendente» dall'estero per i quattro quinti del fabbisogno, sull'urgenza di una concertazione politica ampia. E poteva essere l'incontro, e non necessariamente lo scontro, con il petrolio arabo. Nixon accennò a un programma di ricerche alternative; tema che avrebbe ripreso con me il giorno successivo il segretario al Tesoro Shultz, dicendo che gli Stati Uniti, se erano stati capaci di inventare la bomba atomica e di mandare uomini sulla luna, non si sarebbero arresi ad alcun ricatto energetico.

Nixon a più riprese fece gli elogi di De Gasperi e fu largo di apprezzamenti per l'apporto degli immigrati italiani al progresso della nazione americana. Fu anche molto interessato — e non se ne risentì — alla mia teoria che noi italiani dovevamo coltivare il rapporto con gli Stati Uniti con eguale intensità su tre paralleli: il Presidente, il Congresso, gli italo-americani. Tra l'altro era stupendo il suo successo elettorale, ma frà tre anni, dato il loro sistema, sarebbe tornato a essere il *signor* Nixon. Non era possibile dare agli ex presidenti uno *status*? Ed era logico mantenere la cadenza biennale delle elezioni dei deputati? Nixon sorrise e disse che da loro le radici costituzionali sono intoccabili.

Ci trasferimmo il 19 mattina a New York e iniziammo subito con la visita al nuovo segretario generale delle Nazioni Unite, Kurt Waldheim, allora rispettatissimo ospite dell'America. Parlammo di vari argomenti, tra cui Cipro, per il quale problema U Thant gli aveva passato consegne speciali.

Andai poi al «New York Times» per un fuoco di fila di domande *off record* e mi recai al Council on Foreign Affairs per rispondere — questa volta con pubblicità — ad altre domande. Con il più forte partito comunista, dopo quello sovietico, e con una palese difficoltà alla cooperazione tra i partiti democratici, l'Italia suscitava qualche apprensione; ma in tutti era presente la lineare fedeltà atlantica e lo spirito europeo dei nostri governi, che correggevano efficacemente l'impressione di instabilità.

David Rockefeller, presidente della Chase Manhattan Bank, organizzò una colazione al sessantesimo piano del loro edificio speciale che ci consentì scambi di informazioni e valutazioni con persone, tutte di primo piano, del mondo finanziario e imprenditoriale. David si fece promettere che non sarei mancato in dicembre all'appuntamento Pinay in casa di suo fratello.

Alla sera, invece, milleduecento convitati si raccolsero al Waldorf Astoria per il rituale banchetto. Parlarono i promotori Fortune Pope e Howard Molinari, e inoltre: Thomas De Rosa, il sindaco John Lindsay, il governatore Nelson Rockefeller, John Volpe, l'ambasciatore alle Nazioni Unite John Scali (altro oriundo). L'atmosfera era calda e confortante.

Nixon, che mi era molto grato perché avevo accettato il consiglio di recarmi a Tokyo (era molto preoccupato per la scarsa coesione del triangolo Usa-Europa-Giappone), mi offrì il suo aereo fino alle Hawaii: dieci ore, con uno scalo tecnico alla base californiana di El Toro Marine. Nell'albergo Kahala Hilton di Honolulu trovammo grande agitazione, ma il tappeto rosso non era per noi, bensì per Liza Minnelli che arrivava nello stesso momento. Non ci mancarono però danze augurali e tanti serti di fiori, tra cui quelli di Clare Luce.

Ma la sorpresa più singolare la ebbi apprendendo che il sindaco del capoluogo delle Hawaii era da cinque anni un oriundo italiano, Frank Fasi, rieletto di recente, ma combattutissimo dal governatore e dai legislatori dello Stato, che per ripicca avevano disertato in massa la sua seconda cerimonia inaugurale. Era un uomo dalla volontà di ferro, che aveva vissuto gli anni della depressione nel Connecticut lavorando nei campi e facendo il fattorino in un magazzino di ghiaccio. Sposatosi nelle Hawaii dopo la guerra — combattuta nei marines — aveva messo in piedi una fabbrica di costruzioni, sembra molto fiorente, di medie dimensioni. Fui molto lieto di conoscerlo.

Al mattino seguente, crociera sul panfilo dell'Ammiragliato, con una sosta agghiacciante a Pearl Harbor, dove le navi inabissate ricordano uno dei momenti più tragici della storia contemporanea.

Ascoltata la Messa di Pasqua nella chiesa di Honolulu, ci imbarcammo su un volo Jal diretti a Tokyo. Terminava così una visita negli Stati Uniti, ricca di spunti da elaborare e da verificare. Ma ne avrei avuto il tempo?

Ero stato lieto di sentirmi lodare pubblicamente da Nixon («Dopo avere parlato con lui posso dire che continua l'opera di De Gasperi, uomo forte del tipo di quelli che occorrono al paese, al popolo, al mondo libero»), ma sapevo benissimo che questo elogio non aveva gran peso nella lotta tra i partiti e neppure all'interno della stessa Democrazia cristiana. L'«Avanti!» del giorno successivo intitolava a quattro colonne il servizio sul mio viaggio: «Arroganza di Andreotti alla ricerca di una investitura da parte di Nixon».

12

COSTANTINO BRUMIDI

Durante il soggiorno negli Stati Uniti per rendere visita al Presidente Nixon, né lui né gli altri mi parlarono del « caso » che da dieci mesi agitava le pubbliche acque americane. Nel Campidoglio veaemmo anche il senatore Sam Ervin, che presiedeva l'inchiesta parlamentare « sulla campagna per la rielezione presidenziale » (la « Commissione Watergate »), ma nessun accenno fu fatto al suo delicato incarico. Nixon d'altra parte sembrava tranquillo sul suo avvenire e in quei giorni non avvertiva certamente l'intensità della tempesta. Con ogni probabilità non riteneva che l'eccesso di zelo degli attivisti repubblicani, spinto al punto di spiare illegalmente la sede centrale del partito avversario, e che nel marzo erano stati condannati dal giudice John Sirica, potesse coinvolgerlo in prima persona. E, in effetti, l'accusa che lo distrusse come presidente non fu il *fatto* dei *plombiers*, ma la reiterata difesa d'ufficio che egli ne fece e l'ostinato diniego a inviare agli inquirenti certe registrazioni telefoniche di sue conversazioni con il segretario Haldeman che, alla fine, però, dovette consegnare su ordine unanime della Corte suprema. Nel frattempo, un colpo al suo prestigio glielo aveva arrecato anche il vicepresidente Spiro Agnew, costretto a dimettersi per accuse di natura fiscale. Al suo posto fu eletto Gerald Ford, stimata figura di parlamentare.

Il Parlamento aprì contro Nixon la procedura dello *impeachment*, affidata all'autorevole presidente del Comitato affari giudiziari della Camera, il mio vecchio amico Peter Rodino. Soltanto un'altra volta (nei confronti del Presidente Andrew Johnson) si era ricorso a così clamoroso *iter* di estromissione. Sono fuori strada, tuttavia, quanti collegano nell'episodio fattori di nazionalità (l'origine italiana sia di Rodino che del giudice Sirica), come nella contestazione tributaria al vicepresidente Spiro Agnew non ebbe alcun rilievo la sua appartenenza alla comunità greca. Debbo invece ricordare qui quanto mi aveva detto il cardinale Spellman nel 1962 quando Nixon fu battuto come governatore della California, dopo che due anni prima era stato sconfitto di strettissima misura da Kennedy nelle presidenziali (113 mila voti di differenza su 69 milioni di votanti).

A suo avviso Nixon aveva un doppio peccato originale: la discendenza familiare modesta e la capacità di mobilitare simpatie personali senza un forte collegamento con l'apparato del partito. E aggiunse che gli mancavano anche «importanti sostegni». Non mi disse quali, ma mi tornò alla mente quest'ultima frase quando, più tardi, vidi un elegante opuscolo con fotografie e didascalie sui presidenti degli Stati Uniti edito da una organizzazione massonica americana dopo l'epilogo del Watergate. Vi si leggeva testualmente che quasi tutti i presidenti americani avevano fatto parte della massoneria e che Nixon era stato una delle poche eccezioni.

L'8 agosto del 1974 Richard Nixon annunciò le sue dimissioni e il giorno successivo Gerald Ford prestava il giuramento presidenziale. Il suo prestigio personale fece sì che nessun rilievo venisse dato al fatto che né il presidente né il vice traevano l'autorità direttamente dal corpo elettorale.

Ford come suo primo atto decretò il perdono giudiziale, sottraendo così Nixon da ogni rischio di dover comparire dinanzi al magistrato per condividere la sorte dei suoi collaboratori.

Nell'estate successiva, mentre mi trovavo in California di ritorno dal Messico, dove ero andato a trovare mia figlia, incontrai Vernon Walters che era lì per un discorso ai veterani e che si era recato a far visita a Nixon nella sua residenza di San Clemente. Volli anche io andare a salutarlo, perché detesto le persone che ossequiano i potenti e, quando questi cadono in disgrazia, li negligono e, non di rado, li vilipendono.

Fui sorpreso dall'isolamento in cui Nixon viveva, senza nessun apparato visivo di sicurezza. La salute non era buona e si scusava per dover tenere una gamba sollevata a causa della flebite. Non posso dire che fosse allegro, ma la sua serenità era impressionante. Accennò alla sua vicenda con amarezza, ma senza rancori personali. Era soltanto preoccupato per la facilità con cui, a suo avviso, si poteva montare una campagna ostile, facendo precipitare a candela l'indice di popolarità nei sondaggi. Gli chiesi se fosse possibile che deputati e senatori, come avevo letto, fossero risentiti per la sua votazione altissima nella rielezione (a parte il distretto della capitale, solo nel Massachusetts kennediano non aveva prevalso) non corrispondente ai suffragi dei candidati repubblicani, che si ritenevano pertanto poco appoggiati dal Presidente. Lo escluse, ma anche se lo pensava non l'avrebbe certo detto. Mi parlò dei momenti di gloria dei suoi due mandati — a Mosca, a Pechino, in Europa — e delle fasi nelle quali si era dovuto assumere pesanti responsabilità.

Nel Natale del 1972, ad esempio, per costringere i nordvietnamiti a ritornare al tavolo del negoziato con Kissinger a Parigi aveva dovuto dare e reiterare l'ordine di pesanti bombardamenti con i B52 anche nelle aree di Hanoi e di Haiphong. Importanti giornali e non pochi circoli lo avevano disapprovato, ma il negoziato riprese ed ebbe termine la terribile guerra — la più lunga nella loro storia —, «una guerra non iniziata da una presidenza repubblicana».

Ho conservato con Nixon rapporti di cortesia e qualche mese fa mi ha invitato a colazione, al ristorante Le Cirque di New York per spiegarmi come mai non poteva venire a un meeting promosso dalla Democrazia cristiana italiana in occasione del quarantennale del Piano Marshall. Gli organizzatori in loco erano stati ferventi zelatori del suo impeachment e si sarebbe trovato in imbarazzo. Con una presenza in pubblico insieme a me voleva dimostrare che non vi erano altri motivi per non venire (del resto cancellammo del tutto l'evento). Alla colazione c'era anche l'ex segretario di Stato, generale Haig, antica conoscenza come comandante Nato, liquidato da Reagan, verso il quale era stato nel suo recente libro di memorie di una raffinata cattiveria: ha cominciato dicendo di aver conosciuto il futuro presidente in un giorno nel quale era tristissimo perché era reduce dal funerale di un ventriloquo, suo compagno d'arte.

Nixon ora è un po' invecchiato (ha settantasei anni), ma la sua mente è vivacissima e la sua memoria perfetta. Ha fatto viaggi importanti, accolto ovunque benissimo, e ha scritto libri e diari che hanno avuto grande successo.

Nel giugno 1973 lasciai la presidenza del Consiglio per consentire la ripresa dei rapporti Dc-Psi, che io condizionavo al mantenimento dei liberali al governo, allora non accettati dai socialisti, e mi dedicai con intensità al mio lavoro di deputato. In particolare, presi a occuparmi dell'Unione interparlamentare, il club che da cento anni esatti raccoglie a convegno i membri delle assemblee rappresentative di tutto il mondo.

In una o due conferenze annuali, tenute in sedi rotanti, si dibattono problemi dell'attualità, con libertà di posizione ben maggiore degli incontri intergovernativi, condizionati dai relativi verbali delle proposte formali e simili. Ma, a parte le conferenze, vi sono rapporti continui tra parlamentari e senatori dei diversi paesi sia collettivi — con visite bilaterali incrociate — sia singolarmente in occasione dei loro viaggi a Roma o di visite di nostri nelle rispettive capitali. Vi sono anche gruppi di amicizia, e io ebbi la presidenza di quello Italia-Usa che conservo tuttora, nonostante gli impegni governativi, insieme alla presidenza generale del gruppo italiano dell'Unione della quale, internazionalmente, ho diretto per quattro anni la Commissione politica e del disarmo.

Nel 1975 ricevemmo l'invito per una visita nel Campidoglio americano (nel frattempo io ero rientrato al governo come ministro del Bilancio, ma vi andai come parlamentare) e ci trovammo dinanzi a una difficoltà: a Washington non desideravano comunisti; per noi il veto era inaccettabile. La trattativa, un poco bizantina, si concluse con due condizioni: dovevo garantire personalmente che i colleghi non avessero incontri fuori programma e inoltre il segretario di Stato Kissinger avrebbe ricevuto me come ministro e non la delegazione. Ero tuttavia molto soddisfatto di questo viaggio di restituzione di un incontro a Roma di ben sette anni prima.

Il gruppo, che partì in novembre, era presieduto dal democristiano Giuseppe Vedovato, e composto da me, dal socialista Pietro Lezzi, dal socialdemocratico Giuseppe Amadei, dai comunisti Sergio Segre e Franco Calamandrei, dal liberale Sam Quilleri e da Luigi Turchi del Movimento sociale-Destra nazionale. Mancò all'appuntamento all'ultimo minuto il repubblicano Michele Cifarelli e comprendemmo il perché dopo aver letto un corsivo critico della «Voce» che definiva *pasticcio all'italiana* la presentazione in America anche di comunisti e missini. Ma fu tutt'altro che un pasticcio.

A cominciare dallo speaker, Carl Albers, ricevemmo accoglienze molto calde e potemmo intessere a più riprese un dibattito conoscitivo utile a noi e a loro. Mi annotai le repliche soddisfatte dei senatori Michael Mansfield e Hubert Humphrey e degli onorevoli Claude Pepper e Della Garza ai loro schietti quesiti sulla tenuta democratica di fondo dell'Italia. Tutti rimasero poi colpiti dalla unanimità con cui i delegati italiani si esprimevano in favore della Comunità europea, in un quadro di amicizia con gli Stati Uniti d'America. E anche la cordialità che esisteva senza eccezioni tra tutti noi impressionò favorevolmente i colleghi statunitensi.

Gli oriundi italiani (Lagomarsino, Annunzio, Mazzoli, Conte, Rinaldo, Biaggi, Zeferetti e molti altri) ci accompagnarono a visitare il palazzo, facendoci assistere anche ai lavori di alcuni comitati. Sorvolai sugli elogi, già sentiti, del patriottismo del pittore Costantino Brumidi, autore nel secolo scorso del grande affresco della cupola dell'aula dell'assemblea plenaria. I dépliant del palazzo lo definiscono senza troppa umiltà come il Michelangelo del Campidoglio ed esule *politico* dall'Italia.

In verità, come modesto cultore dell'Ottocento romano, avevo letto che il Brumidi dovette prendere il largo dopo il ritorno a Roma di Pio IX da Gaeta, poiché si era dedicato, durante la Repubblica, a saccheggiare le case dei cardinali e a prendere per sé parecchi ricordini.

Ognuno dei 435 deputati ha un suo studio, con un certo numero di collaboratori, che si moltiplicano per i cento senatori, le cui competenze sono molto ampie. Riflettere che gli onorevoli in Italia sono il doppio è inutile. Ma gli stati dell'Unione hanno strutture complesse e compiti molto più vasti delle nostre regioni. E ogni Stato ha il suo Senato e la sua Camera dei rappresentanti.

Kissinger, con il quale ebbi, accompagnato dall'ambasciatore Roberto Gaja, un franco scambio di idee al Dipartimento di Stato, mi spiegò le ragioni interne per le quali avevano dovuto fare eccezioni partitiche sul viaggio della delegazione italiana. La crisi Nixon e la vittoria comunista in Vietnam avevano turbato gli animi; e la fase elettorale, ormai iniziata, non consentiva mosse che potessero creare equivoci. Del resto, l'annuncio del disimpegno futuro del vicepresidente Rockefeller e le dimissioni del ministro Schlesinger non dovevano essere drammatizzati, ma erano pure il segno di tempi non pacifici.

Parlammo della situazione italiana e del problema che in quel momento ci occupava: l'indebitamento con l'estero arrivato a livelli di emergenza. Kissinger si disse lieto del mio ritorno al governo e ricordò con garbo la mia vecchia teoria sulla necessità della evoluzione graduale della democrazia italiana, senza quelle pressioni che l'Amministrazione Kennedy aveva, a mio avviso, poco opportunamente esercitate. In tal senso il segretario di Stato comprendeva la valenza politica della nostra delegazione parlamentare onnicomprensiva e mi disse che, anche al di fuori di Washington, avremmo avuto modo di avere interessanti contatti. Si riferiva in particolare a Colorado Springs dove fummo accolti con grande apertura al Comando unificato per la difesa aerea Usa-Canada, Norad — sito all'interno del monte Cheyenne —, e all'Accademia aeronautica. Io conoscevo già da ministro della Difesa il fascino di questi incontri, ma per i colleghi fu motivo di una considerevole impressione positiva.

Nel Colorado vi fu un intermezzo semicomico. Alle sei del pomeriggio avevamo già concluso il programma, compreso un pranzo presso il comandante del Norad consumato secondo i loro orari, prelusivi alla libera uscita dei militari. C'era da allestire qualcosa per la sera, onde evitare dispersioni di... controllo dei colleghi. E, non essendoci nulla di meglio, finimmo, divertendoci, alle corse dei cani con relative piccole scommesse, anche fortunate. Pensai alla lavata di capo ricevuta da mia madre in anni lontanissimi perché ero andato al cinodromo romano della Rondinella, considerato un luogo da non frequentarsi.

La mattina dopo ci trasferimmo al confine tra il Nevada e l'Arizona per una visita alla grandiosa diga degli anni Trenta voluta dal Presidente Hoover. Dopo una mezz'ora di spiegazioni tecnicissime, insinuammo l'opportunità di andare a fare colazione a Las Vegas, ospiti della moglie del senatore dell'Indiana Vance Hartke che ci aveva invitato. Anche se di giorno questa striscia fantasmagorica nel deserto è meno attraente fu però una tappa graditissima. Las Vegas non è certo tutta l'America, ma è *un* aspetto dell'America che merita di esser visto (a parte il divertimento, siamo sinceri).

Di lì andammo a Phoenix, in Arizona, apprezzandone il clima straordinario e assistendo a una riunione in costume religioso di studentesse universitarie che intendeva smentire un inserto pubblicitario che la definiva terra adattissima per ammalati delle vie respiratorie e per anziani. Le giovani che incontrammo erano le «Figlie di Giobbe», ché leggono solo questo libro della Bibbia. Non sembrarono scontente della nostra presenza al loro meeting annuale.

Proseguimmo poi per Houston, nel Texas, assistendo a un briefing al Centro spaziale sulla cooperazione russo-americana nelle analisi delle rilevazioni; e visitando con interesse e una punta di commozione l'ospedale del professor Cooley, dove alcune centinaia di italiani vanno ogni anno a tentare di salvare, sostituendo le valvole, il cuore e la vita. Ci guidò l'aiuto dottor Francesco Sandiford, figlio del professore di diritto della navigazione che nel 1939 mi commissionò lo studio sulla Marina pontificia, a cui devo la mia conoscenza di De Gasperi in Biblioteca Vaticana. Sandiford junior ci presentò sua moglie, anch'essa americana: sembravano due fidanzatini di Peynet. Ma non passò molto tempo che la fanciulla andò a scuola di tiro e con una «magnum» spedì al Creatore suo marito (lessi che con diecimila dollari di cauzione sfuggì al carcere), cavandosela con uno scampolo di pena.

All'aeroporto di Houston distribuivano un catalogo per regali di Natale a domicilio: andavano da un sacchetto di pistacchi dal costo di nove dollari a una vasca da bagno ornata di diamanti che ne costava 118 milioni (83 miliardi di lire del 1975).

A New York, oltre ai ricevimenti dei nostri rappresentanti diplomatici, avemmo la ventura di assistere all'Onu al dibattito sulla equiparazione — promossa dagli stati arabi — tra sionismo e razzismo. Quali che ne fossero le motivazioni, e anche le provocazioni, si apriva un solco destinato a pesare negativamente sulla convivenza nello Stato d'Israele e sulla sistemazione politica della causa palestinese. E capivamo perché all'esterno una folla di ebrei, di protestanti e di cattolici manifestasse il proprio dissenso.

Il felice consuntivo del viaggio lo facemmo con i colleghi Robert McClory ed Edward Derwinski, ripromettendoci più stretti contatti. Le amministrazioni governative passano — anche se in America di regola a tempi di quadriennio — e i parlamenti restano.

Riprendemmo soddisfatti il volo per Roma, dopo aver letto un'interessante dichiarazione alla stampa italiana dell'ambasciatore John Volpe: «Distensione è una cosa e comunismo è un'altra. Certo noi non possiamo dire all'Italia: non mettete i comunisti al governo. Sarebbe una interferenza bella e buona. Noi ci auguriamo che l'Italia rimanga un paese libero e democratico. E lavoreremo sodo per aiutarla a rimanere tale».

13

OMAGGIO A FORD

Prima che finisse il 1975 tornai per la terza volta nell'anno negli Stati Uniti. Non volevo mancare all'appuntamento Pinay-Rockefeller, specie dopo aver saputo che quest'ultimo aveva manifestato il proposito di rinunciare alla vicepresidenza dopo le elezioni.

Pur senza entrare in argomenti strettamente americani, credo di aver compreso che Nelson non voleva essere coinvolto in una eventuale sconfitta elettorale di Ford. Non lo stimava un candidato destinato a vincere e non escludeva — se le primarie avessero dato a Ford un sostegno modesto — di potere essere lui il candidato repubblicano.

L'anno precedente, in occasione dell'analogo raduno a Washington, avevo accettato volentieri un invito a pranzo dal *chairman* della Banca Franklin di Chicago, Michele Sindona, che gli americani di Roma avevano proclamato «l'uomo dell'anno».

Durante il mio lavoro di ministro finanziario avevo conosciuto il dottor Sindona a Milano, stimatissimo e ascoltato tributarista, di cui uomini come Franco Marinotti tessevano elogi da far impallidire in confronto Adam Smith. In riunioni alla Camera di commercio e all'Unione industriali avevo ascoltato da Sindona interventi non effimeri, con idee che, non solo a me, sembravano valide e originali. Quando nessuno parlava di una possibile crisi mondiale per il caro-petrolio, Sindona enunciò la proposta di un *pool* occidentale dell'argento per avere un contrappeso finanziario mondiale a tale evento. Meglio sarebbe stato l'oro, ma per motivi diversi non era proponibile un cartello con l'Unione Sovietica e il Sudafrica, i due grandi produttori. Aggiungo che proprio in quel 1973 amici della Graduate School of Industrial Administration della Carnegie Mellon University mi avevano scritto la loro ammirazione per un seminario lì tenuto dal dottor Sindona, se non erro promosso dall'ex ministro del Tesoro David Kennedy.

Su questo pranzo sindoniano ogni tanto ritorna qualcuno in vena di darmi fastidio. Infatti, Sindona divenne successivamente un astro calante e molti suoi interessati o disinteressati panegiristi e cooperatori ne cominciarono a dire tutto il male possibile. Ugo La Malfa, che fu mio vicepresidente nel governo del 1979, ripeteva che mezza Italia gli aveva raccomandato l'aumento di capitale della finanziaria di Sindona: io appartenevo, e La Malfa lo sapeva bene, all'altra metà. È assurdo e scorretto parlare del 1975 riferendosi alle vicende successive: crollo finanziario, condanna, intrighi mafiosi, estradizione, scomparsa, morte misteriosa. Non ho elementi diretti, né è questa la sede per approfondire. Mi è rimasto tuttavia sempre insoluto il dubbio di come sia stata possibile una ascesa così rapida e una discesa altrettanto veloce in una nazione come l'America, dove la trasparenza della Borsa e dei movimenti finanziari sembra così radicata e indiscussa. Quanto è potuto accadere da ultimo nella filiale della Banca nazionale del lavoro in Georgia è un altro elemento di dubbio.

Da Washington, tornai in fretta a Roma, perché in quel Natale del 1975 la situazione politico-parlamentare era in gran movimento. L'inflazione aveva raggiunto una cifra allarmante e per avere gli ultimi prestiti possibili il governo aveva dovuto dare in pegno alle banche tedesche l'oro della riserva. L'avanzata dei comunisti nelle elezioni amministrative dell'autunno pesava come un incubo sulla situazione.

Le cose non migliorarono nei mesi successivi, mentre si preparavano le elezioni politiche del giugno 1976 in condizioni davvero disorientanti.

Il 20 giugno 1976 la Democrazia cristiana recuperò tre punti in percentuale sulle regionali dell'anno precedente ed ebbe 262 seggi alla Camera e 135 al Senato, perdendo soltanto 4 mandati di deputato. Ma la crescita dei comunisti fu rilevante: salirono da 179 a 228 deputati e da 94 a 116 senatori. I socialisti furono penalizzati di 4 deputati e 4 senatori e il Movimento sociale discese a Montecitorio da 56 a 35 e a Palazzo Madama da 26 a 15. I liberali ebbero un crollo: passando da 20 a 5 deputati e da 8 a 2 senatori. Forte il calo socialdemocratico (da 29 a 15 e da 11 a 6); stazionari i repubblicani e i sudtirolesi. *Nuovi* i 6 deputati di Democrazia proletaria e i 4 radicali, gli uni e gli altri presenti solo a Montecitorio.

Non era davvero un quadro facile di governabilità, specie in relazione agli enormi problemi economici e finanziari da affrontare.

Moro e Rumor andarono in America per il vertice annuale dei Sette paesi industrializzati, ma il loro stato d'animo non era certo adatto a farli occupare dei problemi del mondo, avviluppata come era la politica *italiana* in un labirinto sempre più tortuoso. E ci fu il giallo della diffida all'Italia circa un possibile coinvolgimento comunista, resa pubblica dal cancelliere tedesco Schmidt, anche a nome degli Stati Uniti, della Francia e dell'Inghilterra, dopo una consultazione a quattro ai margini del summit di Portorico, riunitisi pretestuosamente a parte come potenze garanti di Berlino. I nostri non furono avvertiti, così ci dissero al loro ritorno. Anni dopo, viceversa, nel libro di memorie dell'ambasciatore Roberto Ducci si legge che Moro, invitato, aveva preferito rimanere con i suoi collaboratori per studiare i dossier dell'incontro a sette, che non aveva avuto il tempo di leggersi a Roma.

In breve, i quattro cosiddetti «grandi» diffidavano l'Italia dall'aprire ai comunisti preannunciando, in caso inverso, un nostro distacco dalla comunione occidentale o poco meno.

Perché questo gesto così clamoroso e contrario a ogni consuetudine di normalità diplomatica? Per quanto allarmati che fossero sulle sorti italiane, i grandi alleati, avrebbero dovuto semmai studiare un piano di sostegno effettivo per la nostra finanza boccheggiante, e non farci prediche pubbliche, come quelle che i vicini di casa fanno a una madre di famiglia dalle risorse molto limitate, la quale saprebbe bene in che modo fare di più per i propri figli se ne avesse i mezzi. La mia opinione è che il «monito» sia stato ispirato da qualche consigliere americano, non da Ford personalmente, in funzione elettorale statunitense. A pochi mesi dal responso popolare, si voleva forse far leva sul pericolo comunista in cui versava l'Italia, sottolineando la responsabilità della Amministrazione democratica di Kennedy per le spinte all'apertura a sinistra. Si pensi che in piena bagarre psicologica per il clamoroso crollo del Vietnam (le immagini televisive dell'ambasciatore Graham Martin che parte da Saigon ripiegando la bandiera statunitense erano state uno schiaffo terribile per la sensibilità degli americani) dire comunismo significava per l'opinione pubblica evocare la resa finale di Saigon ai marxisti del Vietnam del Nord.

Ricordo quanto mi aveva detto un giorno Spellman, reduce dalla Messa di Natale celebrata tra le truppe operanti nel Vietnam del Sud. Un tipo di guerra come quella non sarebbe stata mai vinta; e questo avrebbe provocato nel popolo americano una delusione traumatica, perché smentiva in lui la convinzione storica di essere nel mondo il braccio vincente di Dio, costi quel che costi, per difendere la libertà. Prevedeva reazioni devastanti, aggravate dalla corruzione di ogni genere che si era sviluppata a margine della spedizione vietnamita. E fu tale stato d'animo, come vedremo, a portare al successo Jimmy Carter.

Tornando all'Italia, anche l'opposizione comunista e i sindacati avvertivano che la temuta bancarotta non avrebbe danneggiato solo la Democrazia cristiana e i partiti governativi, ma avrebbe travolto tutti, aprendo la strada ad avventure di cui nessuno era in grado di prevedere il colore. In tale condizione maturò la convinzione di un necessario periodo armistiziale nella lotta politica e il Presidente Leone dette a me l'incarico di formare il governo. A suggerirlo fu in particolar modo Aldo Moro, il quale mi riteneva idoneo a tranquillizzare le preoccupazioni... portoricane, nel momento in cui dovevamo acquisire la non-belligeranza comunista (la Dc non volle trattare con il Pci, ma lasciò che lo facessi io, per la facciata, a titolo quasi personale). Craxi, da pochi giorni eletto segretario del Psi, mi aiutò affermando che almeno per un anno la loro posizione verso il monocolore democristiano sarebbe stata (voto favorevole, astensione o voto contrario) identica a quella che avrebbero assunto i comunisti.

Nacque così il governo che Luigi Cappugi, mio consigliere economico, definì molto brillantemente della «non sfiducia». Vi partecipò, dando un significativo apporto di sostanza e di prestigio, Rinaldo Ossola, come ministro del Commercio estero. Comunisti, socialisti e altri partiti si astennero sulla mozione di fiducia, ma in pratica equivaleva a un sostegno positivo.

Mi fu di grande conforto ricevere pochi giorni dopo a Roma il sottosegretario tedesco agli Esteri latore di questo messaggio di Schmidt: «Fate un programma coraggioso e Stati Uniti, Francia, Inghilterra e Germania saranno con voi». Moro aveva visto giusto?

Gli americani andarono alle urne agli inizi di novembre e trovarono uno sfogo al senso collettivo di colpa per il Watergate e il Vietnam seguendo la predicazione battista del governatore della Georgia Jimmy Carter. Il suo messianismo non era occasionale. Da sempre alla sera, prima di coricarsi, leggeva un brano biblico in lingua spagnola e apparve l'uomo giusto per la catarsi. L'appartenenza alla Trilaterale gli aveva assicurato, a sua volta, l'appoggio di quote rilevanti del mondo economico che non si identificava più, come un tempo, nel Partito repubblicano. Del resto, l'anno precedente a Washington, il direttore del Centro ricerche elettorali, Richard M. Scannon, ci aveva detto: «Negli Stati Uniti vige un sistema politico sostanzialmente privo di partiti». Comunque, per quel che valeva, la maggioranza dei *congressmen* e dei senatori di origine italiana apparteneva al campo democratico e potevano anche far migliorare le nostre *chances*. Ma come arrivare fino al rodaggio della nuova Amministrazione? Avevamo bisogno di un tonico immediato — non tanto in cifre, ma psicologicamente — e trovammo la disponibilità piena dell'ambasciatore John Volpe che non si lasciò fermare dalla tradizione secondo cui nel periodo di transizione non si ricevono visite estere. Ford mi invitò a Washington smentendo così che la benevolenza parlamentare comunista comportasse una nostra messa in quarantena.

Come non bastassero i problemi del governo, dovevo temere le insidie di un tipo incallito di miei avversari. Con un colpo alle spalle datomi da l'«Espresso», in piena polemica sullo scandalo delle illecite provvigioni pagate dalla ditta americana Lockheed per la vendita di aerei alle Forze Armate italiane, il settimanale di Eugenio Scalfari uscì con una copertina clamorosa: l'Antelope Cobbler (nome in codice del corrotto) ero io. Fu facile alla Commissione di inchiesta, da me investita, delibare subito la calunniosa assurdità, ma mi era rimasto il dubbio se dietro la squallida manovra vi fosse qualche agenzia o circolo stranieri, indispettiti dalla formazione del governo. Fu proprio nel viaggio verso l'America, il 5 dicembre, che un giornalista, Giancesare Flesca, mi illuminò, presente anche il senatore Calamandrei che andava laggiù per un seguito del nostro precedente viaggio parlamentare. Niente Cia o altri « fili » complicati: era stata una truffa compiuta da un americano in cerca di denaro, tale Hauser. Aveva preso il mio nome a caso, essendo l'unico politico italiano di cui conosceva l'esistenza, e aveva fabbricato documenti falsi che « l'« Espresso » aveva acquistato e pubblicato in fretta temendo di essere preceduto da altri; senza cioè attendere l'esito di un viaggio di verifica a New York fatto fare al Flesca. Accertato il « bidone », si affrettarono a far macchina indietro e a spedire mister Hauser a confessarlo all'Inquirente.

Per la terza volta (dopo l'affare Giuffrè del 1956-57 e le farneticazioni dell'ambasciatore Martin), l'« Espresso » aveva cercato di distruggermi, senza riuscirci. Ma mentre la prima vicenda — le imprese di un piccolo bancario romagnolo semifolle — era un fatto interno, l'affare Martin riguardò i rapporti italo-americani.

Martin era venuto all'ambasciata di Roma da Saigon, dopo l'ammaina bandiera e con il cuore spezzato per la morte di un figlio. Viveva molto riservatamente e ricordo che ebbi occasione di apprendere che era già da un anno a Palazzo Margherita e non aveva nemmeno fatto la visita di cortesia al Presidente della Camera. Questo però era affar suo, mentre, quando già era partito, ebbe un'eco clamorosa la sua dichiarazione di forti finanziamenti (Cia o giù di lì) fatti a partiti e politici italiani nel 1972 per sostenere il sistema democratico. La notizia, inserita in un'ampia inchiesta del Congresso americano, fu pubblicata per prima in Italia da « Stampa sera », accennando a fonti attendibili, e ripresa dall'« Espresso » con una copertina invocante l'estromissione dal governo dei ministri chiamati in causa (io, Donat Cattin e altri). Reagimmo fermamente, facendo approvare anche una risoluzione dalla direzione democristiana che richiedeva al governo americano di non dare alcuna copertura di segreto e di chiarire fino in fondo tutta questa odiosa materia. Avevamo letto, infatti, che il Presidente voleva servirsi del veto o comunque impedire la pubblicazione di documenti sull'attività della Cia in Italia e in Angola (!).

Scrissi anche formalmente all'ambasciatore Volpe (« Proprio coloro che da sempre sono stati e si onorano di essere amici degli Stati Uniti senza aver ricevuto mai né chiesto alcun beneficio personale o di gruppo hanno il diritto a non vedere ombre di alcun genere su aspetti così delicati di correttezza e di indipendenza ») e indirizzai una vera diffida a parlare rivolta all'ex ambasciatore Martin; ma mentre Volpe si affrettò a trasmettere e a dire che sotto di lui nulla del genere era mai accaduto, Martin non dette — nonostante vari solleciti — alcun riscontro. La sua irreperibilità mi dispiacque, tanto più perché avrei voluto consigliargli di smentire o di chiarire l'informazione avuta dai servizi che nel periodo degli anni Settanta aveva acquistato loro tramite una villa in Toscana.

All'arrivo a Washington fummo introdotti da Ford dall'ambasciatrice Shirley Temple, la bambina prodigio del cinema, divenuta capo del protocollo della Casa Bianca (attualmente è a capo dell'ambasciata di Praga).

Le solite liturgie, la foto dal balcone e un'ora e quaranta di colloquio nella Sala ovale. Illustrai la situazione, chiarendo che le difficoltà non ci venivano da problemi di politica estera, ma dalla situazione economico-finanziaria. Il Parlamento viveva una fase di responsabile attesa, anche se il massimo carico delle responsabilità era sulle spalle della Democrazia cristiana. La previsione di un aumento del prezzo del petrolio rendeva ancora più grigia la nostra prospettiva. Avevamo bisogno di parole di fiducia e non di... scomuniche portoricane.

Ford mi pose il quesito sull'atteggiamento dei comunisti nelle leggi di potenziamento delle tre Forze Armate e mi parve fosse una cartina di tornasole. Risposi che non avevano votato contro la legge per la Marina e che lo stesso avrebbero fatto per le altre due. Sorrise compiaciuto, tanto da apparirmi molto comprensivo sulla attualità italiana (forse ebbe la sensazione di esserlo stato troppo, perché più tardi — richiamato da qualcuno — mi chiese se era stato chiaro sulla sua contrarietà ai comunisti *nel* governo).

Gran parte dell'incontro fu dedicata al petrolio. Ford ci mise al corrente dei passi fatti, anche personalmente, con i paesi produttori per indurli a moderazione. Ma il risultato era modesto, salvo forse con il venezuelano Manuel Pérez. L'ipotesi di un 10 per cento di aumento significava per gli Usa arrivare a 35 miliardi di dollari per le importazioni petrolifere, con effetti molto gravi sulla bilancia dei pagamenti e sulla ripresa dell'economia. Era spiacevole per il governo americano che la Comunità europea non fosse in grado di concordare un atteggiamento univoco.

Ford si informò sui nostri negoziati con il Fondo monetario e dette incarico al segretario al Tesoro, William Simon, di studiare con noi se e che cosa potevano fare per aiutarci, anche se egli era ormai in partenza dalla Casa Bianca, e lo sottolineava.

A colazione fummo da Kissinger, al quale avevo portato l'onorificenza italiana della Gran Croce, perché sembrava fosse rimasto male quando l'ambasciatore Gaja l'aveva consegnata a Nelson Rockefeller. Escludeva che i comunisti si fossero convertiti alla donazione di sangue, perciò «o sbagliavo io nell'accettare o facevano loro male i calcoli di convenienza».

Non faceva mistero nel credere personalmente alla prima ipotesi. Lo stato di necessità (bastava avere un pallottoliere) sarebbe già bastato a rispondere; ma io andai oltre e sviluppai il mio vecchio convincimento della convertibilità — senza fretta impossibile — dei peccatori politici.

Notai con piacere, nel colloquio a due *post prandium*, che senza la presenza del suo staff (Sonnenfeld, Hartman, Robinson) Kissinger era molto più comprensivo. Ma anche nel brindisi a tavola elogiò la mia coscienza democratica, espresse auguri per il governo e riconfermò «pieno sostegno e solidarietà da parte americana nei confronti del Presidente del Consiglio e dell'Italia».

Gerald Ford ci offrì il pranzo di gala, anche se il viaggio era di lavoro; e si svolse in un clima insieme affettuoso ed emozionato degli ospiti verso il Presidente sconfitto, che a sua volta dimostrava un esemplare distacco. Lo vidi con gli occhi lucidi solo quando il presentatore, Tony Orlando, accennò al rammarico per le scelte dell'elettorato. Ma per aiutarli ad allontanare ogni malinconia, ed essendo io estraneo alle arti di Tersicore, me ne tornai presto alla Blair House, mentre tutti si lanciavano in lunghissime danze. All'arpa i musici marines. Questa è la guerra da preferire.

All'indomani venne a vedermi il senatore Walter Mondale, vicepresidente vincitore nel ticket di Carter. Si informò, espresse simpatia, assicurò di riferire in giornata a Plains al Presidente eletto e mi annunciò un incontro con Cyrus Vance, che sarebbe stato dopo il gennaio segretario di Stato.

Mondale si trattenne anche al breakfast con altri otto senatori (Roman Hruska del Nebraska, Charles Percy dell'Illinois, Claiborne Pell del Rhode Island, Robert Griffin del Michigan, Charles Matthias del Michigan, Richard Schweiken della Pennsylvania, Pete Domenici del New Messico, John Pastore del Rhode Island) più l'attivissimo fondatore della Fondazione Italia-America, il marchigiano Jeno Paolucci, potentissimo industriale del Minnesota e grande elettore di Mondale. John Pastore e Clairborne Pell indirizzarono efficacemente le domande e risposte per esserci di giovamento.

Alle 11 vennero alla Blair House William Simon, accompagnato dal Presidente del Federal Reserve Board, Arthur Burns, da Alan Greenspan, il numero uno dei consiglieri economici di Ford, e dal sottosegretario Edwin Yeo. Per oltre un'ora vi fu un cortese scambio di convergenze valutative, con riferimenti all'autonomia del Fondo monetario rispetto al governo americano, e alla necessità che il negoziato con il Fmi terminasse, e bene, per potere avere *swaps* dagli americani. È vero: i sindacati italiani stavano dimostrando grande comprensione; investimenti nuovi affluivano (una volta tanto ci giovò laggiù la Libia, con la partecipazione azionaria nella Fiat); il Parlamento ci approvava, ma il Tesoro americano non aveva strumenti idonei per aiuti diretti all'Italia.

A dare all'incontro un corso diverso e decisivo provvide John Volpe. Con voce quasi concitata parlò della situazione difficile dell'Italia e del coraggio che io avevo avuto nell'accettare il governo rischiando di bruciare una intera vita (bontà sua) di prestigio e di meriti politici. Il nostro fallimento non sarebbe stato soltanto *nostro*. Quando si vuole, le procedure si trovano sempre. E nessuno poteva dimenticare come l'aiuto dato all'Italia di De Gasperi fosse stato poi ripagato con una fermezza meravigliosa nella difesa della democrazia occidentale. Un gesto di solidarietà doveva quindi a ogni costo essere deciso.

Simon e Burns si sciolsero e il segretario al Tesoro ci disse che Ford gli aveva detto che *doveva* accontentarci.

Specificai ancora una volta che non chiedevamo denaro, né volevamo scavalcare il Fondo monetario. Avevamo solo bisogno di una dichiarazione di impegno americana a venirci in aiuto qualora si fosse manifestata per noi una nuova crisi valutaria come due mesi prima.

E così fu fatto. Simon rilasciò una pubblica dichiarazione, esprimendo *apprezzamenti* per l'efficacia del nostro programma di stabilizzazione, *fiduciosa attesa* per le conclusioni del Fondo e *propositi* di studio immediato di modi per un tangibile appoggio degli Stati Uniti «nell'intento di aiutare l'Italia durante l'esecuzione del suo programma economico».

Andai alla colazione di Nelson Rockefeller molto sollevato; e ascoltai da lui, dalla importante e simpatica signora Catherine Graham, da Richardson e moglie, dalla segretaria dell'Housing and Urban Development e da altri, espressioni di fiducia motivata per un'Italia che riusciva sempre a superare gli ostacoli. Nelson nel brindisi ricordò i nostri incontri di dicembre e specialmente quando una volta, non potendo venire, ci aveva inviato un giovane collaboratore, Henry Kissinger.

In una agenda di impegni densissima rilasciai interviste a «Newsweek» e alla «Washington Post»; discussi con delegazioni del Brooking Institute e del Foreign Affair Council l'opportunità di revocare le restrizioni dei visti ai comunisti italiani, ma di farlo sempre tramite il nostro governo; parlai con Meany, il quale comprese la delicatezza psicologica della scala mobile per i nostri lavoratori e promise di spiegarlo agli esperti del Fondo monetario (mi disse che l'Afl-Cio era stata determinante per la vittoria di Carter, ma Ford aveva fatto di tutto per impedire loro di aiutarlo).

L'8 dicembre mattina, dopo avere ascoltato la Messa alla Holy Rosary Church, ripresi la via del ritorno. Nelson Rockefeller era alla scaletta e mi disse: «Tout le monde a été bien impressionné».

Il viaggio era stato utilissimo non solo per frenare lo scivolamento della lira, ma per rimuovere ostilità interne verso il governo dettate dalla convinzione che gli americani ci avessero scomunicato. Il mancato voto contrario dei comunisti creava disagio anche in alcuni democristiani, che si dicevano sicuri che in breve tempo avremmo avuto due milioni di disoccupati e il dollaro a mille lire. Nel triennio, grazie a Dio, avvenne il contrario. La bilancia dei pagamenti andò in attivo di 5000 miliardi, dal passivo iniziale di 2300; le riserve valutarie salirono dal valore di 1000 miliardi a 15.549; il risparmio da 55 a 95 mila miliardi; l'inflazione scese dal 23 all'11,6 per cento. Non sarà stato tutto merito di Gerald Ford e di John Volpe, ma io resto loro gratissimo.

14

CARTER

Appena insediato, Carter inviò in Italia il vicepresidente Mondale per un approfondito esame della situazione internazionale. Lo accompagnavano collaboratori di primo piano: Mainard Glitman, David Aaron, Richard Cooper, Fred Bergsten, David Glift.

Mi dispiacque per lo sgarbo fatto in questa occasione dalla nuova Amministrazione a John Volpe. Ebbe istruzioni di partire in tutta fretta, senza attendere la venuta di Mondale come sarebbe stato logico, eventualmente anche senza accompagnarlo nei colloqui politici. Forse vi era vecchia ruggine nei rapporti tra Volpe, ministro dei Trasporti, e Carter, governatore della Georgia. Non so spiegarlo altrimenti.

Al termine dei suoi incontri, Mondale rilasciò dichiarazioni molto favorevoli al momento italiano e cinque giorni dopo mi scrisse una lettera personale, informandomi di aver riferito a Carter la sostanza e lo spirito della nostra conversazione, dalla quale si era creata l'opportunità «di sviluppare d'ora innanzi una crescente cooperazione tra i due governi».

Il primo capo di governo europeo a visitare Carter fu James Callaghan che, nel Consiglio Nato del 25 marzo, ci riferì dicendo: «Sarà un compagno poco comodo, ma faremo buona strada insieme». Insieme lo incontrammo in maggio a Londra per il summit dei Sette paesi industrializzati e il Consiglio Nato. In quattro giorni di lavoro comune, di lui mi colpirono due caratteristiche: la volontà di dominare gli interessi economici impegnandosi a ridurre drasticamente entro il 1984 (due suoi quadrienni?) le importazioni di petrolio; e una grande cautela per gli impieghi dell'energia nucleare, cautela che diveniva ostilità per i progetti di reattori fertilizzanti, quelli cioè che autoriproducono il combustibile. Il timore di utilizzazione militare delle relative tecnologie era in lui, che era stato alle dipendenze dell'ammiraglio Hyman Rickover, quasi angosciante. E poiché era troppo facile l'obiezione sullo svantaggio per i paesi non in possesso di uranio, accennò a un possibile *pool* di questo prezioso elemento per sottrarlo al lucro speculativo. Incitava inoltre ad accelerare gli studi delle fonti alternative, tanto al petrolio che al nucleare, annunciando eccezionali stanziamenti nel bilancio statunitense con previsioni che a me sembravano irrealizzabili, almeno per l'energia solare su cui avevo qualche conoscenza a causa degli studi di un mio figlio al Mit bostoniano.

In un colloquio bilaterale all'ambasciata americana di Londra, Carter insisté perché mi recassi in visita a Washington prima delle vacanze estive. Vi andai a fine luglio e una circostanza fortuita fece sì che venissi accolto con una cordialità particolare. Una settimana prima, uscendo da un colloquio all'Eliseo, avevo risposto ad alcune domande dei giornalisti francesi negando che l'accento messo da Carter sulla difesa dei diritti civili potesse creare difficoltà tra l'Est e l'Ovest in Europa. Era vero che Brežnev se ne era lamentato con Giscard dicendo che Carter «stava rompendo il codice della distensione»; ma era anche vero che tutti gli Stati europei, insieme con gli Stati Uniti e il Canada, avevano sottoscritto l'Atto di Helsinki, nel quale il riconoscimento dei diritti umani è parte essenziale. Alla Casa Bianca avevano apprezzato queste mie occasionali dichiarazioni e Carter me lo disse pubblicamente, provocando una riaffermazione da parte mia, che feci citando proprio il discorso di Carter a Londra sul valore della distensione e su concrete iniziative di negoziato offerte all'Unione Sovietica.

Nei due lunghi colloqui alla Casa Bianca l'argomento «energia» fu ripreso anche sotto un aspetto militare. Qualche amico del Pentagono mi aveva detto che il nuovo Presidente non era affatto favorevole al progetto di bomba al neutrone, tanto caldeggiato dai suoi predecessori fino al punto di chiedere a noi europei di reagire concordi a una lettera polemica che avevamo ricevuto in proposito da Brežnev. A me sembrava inquietante che su temi così complessi e di indirizzo si potesse ogni quadriennio mutare di avviso e pregai Carter di farci conoscere il suo pensiero.

Rispose che non aveva ancora preso una decisione, ma corrispondeva al vero che egli fosse contrario a questo tipo d'arma per il timore che il suo minore potenziale distruttivo potesse indurre a farne uso, innescando così una fatale *escalation* nucleare.

Osservai che, ove la sua decisione fosse stata diversa, doveva preoccuparsi molto della impostazione che Washington aveva dato al problema. Una indiscrezione giornalistica — credo per sondare le reazioni — aveva esaltato l'innovazione perché, in fondo, uccideva solo le persone e non distruggeva l'ambiente. Se fosse stato detto il contrario, avremmo forse avuto le manifestazioni — in nome delle vite umane — per introdurre la bomba al neutrone. Comunque il Presidente Carter non doveva compromettere la fiducia che verso di lui, come uomo di pace e di distensione, era molto larga. L'Onu aveva indetto per l'anno successivo una sessione speciale per il disarmo ed era necessario che gli Stati Uniti prendessero la leadership di questo movimento mondiale. Troppe volte avevamo ingiustamente giocato soltanto in difesa lasciando ad altri il ruolo psicologico di partigiani della pace.

Carter mi chiese di esporre la nostra posizione sul Medio Oriente, invitando a fare opera di persuasione presso l'Olp perché rimuovessero la pregiudiziale contro il diritto di Israele all'esistenza. Replicai che se si riusciva a farli sedere a un tavolo con gli israeliani, magari solo per un esame preliminare del *modus procedendi*, il riconoscimento reciproco sarebbe già avvenuto di fatto. Ma il problema vero non era questo. Fino a quel momento il governo israeliano non aveva mai parlato di disponibilità a restituire i territori occupati. Non erano quindi di ostacolo certi paragrafi dello statuto dell'Olp quanto la sostanza del problema. Se a Tel Aviv si fosse accettata l'idea di una soddisfazione politica alle esigenze fondamentali del popolo palestinese il resto sarebbe stato agevole.

Carter mi apparve di un ottimismo poco realistico. Aveva un suo piano e riteneva di avere in proposito ottenuto comprensione da Hassan, dal re Hussein e da Begin; ma anche

Sadat lo aveva accolto bene. Riteneva possibile far partecipare alla Conferenza di Ginevra, senza veti israeliani, la rappresentanza dell'Olp nello spirito di quella patria alla quale essi hanno diritto. In quanto alla restituzione dei territori, essa era *dovuta* e gli Stati Uniti avrebbero fatto rispettare le risoluzioni dell'Onu. In quel momento il governo statunitense non pensava affatto di estromettere i sovietici dalla corresponsabilità del negoziato Medio Oriente.

Il tema fu ripreso con Cyrus Vance durante e dopo la colazione al Dipartimento di Stato, presenti Philip Habib e Richard Cooper. Non davano un peso eccessivo alle mie previsioni pessimistiche circa un accordo per Gerusalemme. Ci informarono invece utilmente degli sviluppi in Rhodesia e potei fornire loro qualche elemento poiché avevo parlato poco tempo prima con il Presidente dello Zambia, Kenneth Kaunda.

Avemmo poi colloqui importanti con John Moore e il vicepresidente dell'Eximbank, Vito Gianturco; con James Schlesinger e George Vest sulle questioni energetiche (ancora contrarietà alla propulsione nucleare marittima); con il ministro Joseph Califano sulla sanità e sui rapporti scolastici; con il segretario al Tesoro, Werner Blumenthal, che confermò gli impegni di Simon.

Al pranzo di gala la star fu Shirley Verrett, già corista degli Avventisti del settimo giorno a Los Angeles e ora applaudita ovunque, anche alla Scala. Eseguì brani di Pergolesi e di Rossini.

Nel mio «brindisi» partii dal motto latino dello stemma americano (*E pluribus unum*) e ricordai gli italo-americani morti in guerra, citando i nomi che avevo letto nel monumento a quelli affondati alle Hawaii nel bombardamento improvviso di Pearl Harbor (Bonfiglio, Restivo, Brignole, Puzio, Giovenazzo, Pedrotti, Valente, Criscuolo, Riganti). Non tralasciai di parlare dello sforzo per la ripresa che l'Italia stava attuando «agevolato da un consenso parlamentare molto ampio». «È nostro orgoglio» aggiunsi «dimostrare agli antichi emigrati e alla loro discendenza che l'Italia si ammoderna nella sua realtà esteriore, si rafforza nel suo patrimonio spirituale, riesce a seguire strade di concordia e di pacificazione.»

All'indomani, altro colloquio con Carter alla Casa Bianca. Parlando di energia, riprese il tema proposto al summit di Londra per uno studio sul ciclo del combustibile al fine di scongiurare al massimo ogni tentazione di usi militari. Trattammo poi di programmi culturali e di formazione ed esaminammo in che modo operatori statunitensi potessero partecipare a valide iniziative di sviluppo nell'Italia meridionale (ve ne erano già 73 con oltre 40 mila operai). Il tema lo ripresi in un breakfast con gli operatori economici venuti anche da lontano. Chiesi inoltre a Carter di rivedere la loro posizione negativa verso l'Organizzazione internazionale del lavoro, ma mi rispose che *subito* era impossibile.

Ci trasferimmo al Campidoglio per una colazione di lavoro con i «rappresentanti» della Commissione esteri, presieduta dal democratico del Wisconsin Clement J. Zablocki, cui si aggiunsero gli italo-americani Matthew J. Rinaldo, Robert J. Lagomarsino, Silvio O. Conte, Bruce F. Caputo, Leon E. Panetta, Teno Roncalio, Martin A. Russo, James D. Santini, Joseph P. Addabbo, Mario Biaggi, Bruce F. Vento, Leo C. Zeferetti, Robert N. Giaimo, Peter W. Rodino, Frank Annunzio, Joseph A. Le Fante, James J. La Falce, Robert L. Legget, Romano L. Mazzoli e Joseph J. Minish; e poi per un caffè i senatori. Vedemmo John Sparkman, Edward Kennedy, Hubert Humphrey, Howard Baker jr., Frank Church, Claiborne Pell, John Glenn, Jacob Javits, Abraham Ribicoff, Edward Brooke, Adlai Stevenson, Pete Domenici e Daniel Moynihan. Feci visita anche allo speaker Thomas «Tip» O'Neill.

Pomeriggio con gli esponenti del Brooking Institute: Philip Trerise, Robert Solomon, Joseph Jäger e William Cline. Con loro parlammo ancora dei visti di ingresso negli Stati Uniti; da parte mia mi dichiarai favorevole alla più grande liberalità e ricordai quello che si diceva in Italia trentasette anni prima, e non era una battuta: e cioè, che se Mussolini avesse visitato e conosciuto l'America non avrebbe dichiarato la guerra.

La franchezza nei rapporti instaurati con Carter, unita anche ad alcune testimonianze sulla nostra serietà (significativa quella di Burns, il *dominus* della Federal Reserve, che forse l'anno prima aveva dubitato dei programmi da me enunciati), mi sembrarono recare un buon contributo alla politica estera italiana. Per questo fui malamente colpito da una dichiarazione che il 12 gennaio successivo fece il portavoce del Dipartimento circa il « non mutamento dell'atteggiamento del governo americano nei riguardi dei partiti comunisti, *compreso quello italiano*». Perché una dichiarazione così inutile e interferente, quando si conosceva bene la delicatezza dei rapporti politico-parlamentari in Italia? Rimpiansi la saggezza di Volpe e lo feci telefonare all'ambasciatore Gardner, che si trovava in quel momento a Washington. Questi si professò estraneo alla dichiarazione, che aveva cercato anzi di attenuare ribadendo ai giornalisti il pieno appoggio dell'Amministrazione Carter al nostro governo. La dinamica delle situazioni interne dei due paesi — aggiunse — non sempre coincide. E più o meno lo stesso concetto («necessità di politica interna obbligano gli Usa a certi atteggiamenti») fu espresso quella sera da una importante giornalista americana al capo del mio ufficio stampa.

L'episodio mi amareggiò molto, e lo feci sapere, anche perché vi scorgevo infelici manovrette di provenienza italiana collegate al sempre difficile colloquio con i partiti. Altro che necessità interne degli Stati Uniti!

Il 30 maggio, ancora sotto l'emozione dell'assassinio di Moro (durante la sua prigionia Carter mi aveva scritto un messaggio di grande sostegno — anche con la preghiera — alla difesa dei princìpi democratici che il governo stava dimostrando; ed aveva inviato il ministro Califano a esprimerci solidarietà), andai a Washington per il Consiglio Atlantico e in un colloquio con il Presidente non raccolsi che lodi per il nostro governo, che in quel momento non aveva più l'astensione, ma anche il voto favorevole dei comunisti. Quando si parla direttamente e non si lascia la parola ai portavoce si evitano molti errori e molti equivoci sono dissipati.

Carter mi espresse il desiderio di visitare l'Italia dopo il vertice di Bonn, ma le dimissioni di Leone e la conseguente sede vacante presidenziale fecero poi annullare la visita. Non credo fosse vero, come scrisse « Newsweek », che a sconsigliarla fossero stati i servizi di sicurezza americani a causa del terrorismo italiano; infatti, erano convinti che potesse agire anche all'estero e, durante il mio soggiorno a Washington, la nostra ambasciata era stata presidiata da quaranta agenti con l'ausilio di carri armati ed elicotteri. Anche a New York, dove mi recai il 2 giugno per parlare all'Onu nella sessione dedicata al disarmo, vi era un grande apparato di forze protettive: tanto più che su un muro — e lì non è abituale questo tipo di letteratura — era comparsa una scritta: «Moro = Andreotti».

Ero andato di persona alla riunione speciale sul disarmo per accentuare l'importanza che vi attribuiva l'Italia collegando i temi della pace, della solidarietà internazionale e della lotta al terrorismo (era la sede anche per ringraziare tutti i paesi che ci erano stati vicino nella tragica vicenda di Moro), nonché per riaffermare che l'Italia non si arrendeva all'attacco delle Brigate rosse.

La riunione dei Sette paesi industrializzati a Bonn si svolse il 15 e 16 luglio. Carter si diceva sicuro che i sovietici fossero intenzionati, come lui, a concludere il negoziato Salt 2; e per evitare ostacoli non si sarebbe irrigidito nel legame con i processi politici dell'Urss, pur continuando a dare il massimo rilievo ai diritti umani. Alla colazione del Presidente Walter Scheel mi trovai vicino a Carter e gli chiesi una interpretazione autentica sulle dichiarazioni da lui fatte a Berlino di possibilismo verso l'eurocomunismo. Mi rispose chiedendo a me cosa pensassi in proposito e gli dissi che una graduale evoluzione comunista avrebbe giovato ai paesi del Patto di Varsavia e anche ai partiti comunisti dell'Europa occidentale. Consentì, ma si premurò di dire che non intendeva certo incoraggiare il comunismo in Italia e in Francia. Parlammo poi del sistema monetario europeo sul quale, in una riunione, mi era sembrato freddo, forse sensibilizzato da chi vi vedeva una manovra antidollaro e quindi antiamericana. Si interessò molto alla mia interpretazione in senso diverso e dette subito istruzioni al segretario al Tesoro Blumenthal di tenersi a stretto contatto con il ministro Pandolfi. Tornato in America mi scrisse un biglietto di ringraziamento per il lavoro comune svolto a Bonn. Intanto, non venendo per ora a Roma, avrebbe inviato in visita sua madre, con la speranza di vederla ricevere dal Papa e da Pertini.

Carter andò riservatamente avanti nel tentativo di sbloccare la crisi arabo-israeliana; ma non più nella prospettiva ginevrina, come ci aveva detto, bensì con una ipotesi di accordo Sadat-Begin garantito dagli Stati Uniti.

È ancora presto per dare del fatto un giudizio conclusivo, ma non mi nascosi il rischio di tale manovra, alquanto azzardata. Il Presidente, in una lettera, chiedeva comprensione e appoggio, anche presso la Cee, dicendosi certo che gli altri paesi arabi avrebbero fatto soltanto qualche protesta e nulla più. Brzezinski, che vidi poco tempo dopo, mi spiegò che era l'unica strada possibile e che Sadat avrebbe ora potuto promuovere efficacemente il processo favorevole ai palestinesi. Sia Carter che Sadat ci chiedevano di andare a visitare le capitali arabe — dove la reazione era diversa da quella che i servizi americani avevano pronosticato alla Casa Bianca — per indurre a dar credito alla soluzione Camp David.

Con Forlani ci recammo al Cairo, proclamando insieme a Sadat la teoria del « primo capitolo » di un libro di pace dell'area mediorientale, di cui subito sarebbero stati scritti gli altri capitoli. E di qui andammo a Tripoli, Amman e Bagdad, accolti ovunque con rispetto personale ma con espressioni di grande avversione a quello che chiamavano il tradimento egiziano. Sadat si era assicurato il Sinai e aveva indebolito il fronte comune: questo era il pensiero dei tre governi.

Lo trasmisi a Carter, suggerendo anche di riallacciare rapporti con l'Irak, che mi sembrava addirittura desideroso di farlo. Purtroppo lo fecero con anni di ritardo. Circa le preoccupazioni per Camp David, Carter non sembrava colpito. Mi confermò per iscritto che da Camp David i palestinesi avevano riportato il diritto a scegliere liberamente il proprio destino politico.

In un'altra lettera, comunicandomi la normalizzazione dei rapporti con la Cina, si ricordò della mia tesi della tripolarità con la Russia e precisò che era « in contatto con il Presidente Brežnev per rassicurarlo che tale normalizzazione non ha altro scopo che promuovere la pace nel mondo ». Aggiunse anzi: « Chiarirò a Brežnev la mia continua determinazione di rafforzare la relazione fra gli Stati Uniti e l'Unione Sovietica ».

Gli risposi con apprezzamenti per la posizione assunta, insistendo per un incontro diretto Carter-Brežnev, e perché fosse concluso al più presto il Salt 2.

Nel gennaio del 1979 un certo mugugno nacque da un incontro a quattro alla Guadalupa tra Carter, Giscard, Schmidt e Callaghan. L'incubo di un inaccettabile «direttorio» tornò ad agitare le acque, anche se si era trattato di un'occasionale utilizzazione delle vacanze di Capodanno ai Caraibi fatta da due dei capi di governo. Né la riunione era stata preceduta da meditate riflessioni, perché ne uscirono previsioni rosee, più balneari che politiche (e infatti pochi giorni dopo lo Scià abbandonava l'Iran e si iniziava un anno tutt'altro che tranquillo).

Il 3 marzo Carter mi scrisse prevedendo la conclusione del Salt 2, utile anche per correggere la *international turbulence* che stava compromettendo la pace mondiale, e terminava così: «Condivido il suo punto di vista circa l'importanza di un incontro tra il Presidente Brežnev e me: *tanto* più presto avrà luogo tale incontro, meglio sarà per i rapporti americano-sovietici».

Il 29 maggio venne a Roma Cyrus Vance e ci informò che per la prima volta Begin aveva affermato che gli accordi di Camp David erano stati un *primo passo* verso la pace globale nell'area. Ci disse anche che la firma del Salt 2 era ormai prossima. Fu firmato il 18 giugno e ci rallegrammo tutti con Carter nel summit dei Sette paesi industrializzati, tenuto a Tokyo nove giorni dopo e dedicato ancora una volta quasi esclusivamente ai problemi energetici e al caro prezzo del petrolio.

Rientrato a Washington, Carter scrisse agli altri sei partecipanti di Tokyo — almeno credo, perché non vi era motivo di scrivere solo a me — ribadendo i propositi espressi in Giappone e anzi ampliandoli: assoluto impegno a non importare *mai più* petrolio in misura superiore a quella dell'anno 1977 e a ridurre in seguito gradualmente le importazioni fino a dimezzarle nel 1990; grande impulso al trasporto pubblico per ridurre la dipendenza dall'automobile; stanziamenti iperbolici per le ricerche di sostituti del petrolio. Mi chiedeva: «Se queste politiche riscuotono la Sua approvazione, io spero che potrà trovare una occasione prossima per dirlo pubblicamente».

Feci diramare una nota stampa da Palazzo Chigi per corrispondere al giusto desiderio di solidarietà espresso da Jimmy Carter, anche se i dati tecnici elaborati dagli esperti apparivano cervellotici. E fu questo, oltre a una udienza il 19 luglio al suo consigliere per la Sicurezza David Aaron, uno degli ultimi atti della mia presidenza triennale.

Il 4 agosto del 1979 lasciai la presidenza del Consiglio e ricevetti da Carter una lettera molto gentile:

> Nel momento in cui, dopo tre difficili anni di servizio, cessa di essere capo del governo, desidero esprimere il mio apprezzamento per la sua ferma amicizia e il suo saggio consiglio. Dal nostro primo incontro a Washington, subito dopo la mia nomina, al recente summit di Tokyo, noi abbiamo lavorato strettamente uniti in uno spirito di collaborazione e di reciproco rispetto. Ho molto stimato il suo contributo di rafforzamento di più strette relazioni tra i nostri due paesi. Ho anche apprezzato l'appoggio che lei e il suo governo hanno dato allo sforzo compiuto, all'interno dell'alleanza e in altri organismi internazionali, per migliorare la sicurezza e la qualità di vita dei nostri popoli. Rosalynn si unisce a me per inviare a lei e alla signora Andreotti i nostri migliori auguri per il futuro.

E pochi giorni dopo, incontrando Rosalynn a Quito per l'insediamento del presidente ecuadoriano Jaime Roldós, ebbi nuove manifestazioni di una simpatia non convenzionale della famiglia Carter. Del resto nelle relazioni personali Jimmy Carter era perfetto. La prima volta che lo incontrai, a Londra, ci fu facile parlare con reciproca franchezza e forse utilità. E mi sorprese, poco dopo rientrato in albergo, di ricevere un suo biglietto tutto a mano: «Sono stato lieto di essere stato con Lei. Grazie per essermi stato di tanto aiuto. Suo Jimmy».

Lasciato il governo non ho più avuto occasione di incontrare Jimmy Carter, salvo che nel banchetto ufficiale offertogli da Pertini durante una sua rapida visita in Roma. Ma il giorno che fu sconfitto andai tra i primi all'incontro che l'ambasciatore Richard Gardner aveva predisposto, credo in cuor suo, per festeggiare la vittoria democratica alle presidenziali. Molti invitati all'ultimo momento si scusarono. Non si sa mai!... -

Cominciava verso Carter il revisionismo di giudizi da parte della sterminata legione degli opportunisti e dei voltagabbana. E in questi anni, salvo un viaggio in Cina e ora una missione ufficiosa per la pace interna in Etiopia (per la quale ha chiesto anche il nostro contributo), di Jimmy Carter le cronache internazionali non hanno più avuto occasione di occuparsi.

15

ARRIVA REAGAN

Che peso abbia avuto nella sconfitta di Carter la questione degli ostaggi americani tenuti per più di un anno prigionieri nella loro ambasciata a Teheran, è difficile dirlo con precisione. Certo l'opinione pubblica era turbata al punto da spingere, in aprile, al gesto avventato della spedizione, miseramente naufragata, di un commando liberatore. In questo caso giocarono anche le false informazioni sulla rivolta di massa contro Khomeini che sarebbe scoppiata al primo apparire di un solo elicottero americano (forse sono le stesse fonti che fecero credere a Saddam Hussein, agli inizi della guerra Iran-Irak, di poter effettuare una facile marcia di penetrazione. Carter era convinto di avere un canale giusto e ne rifiutò uno che gli veniva offerto per mio mezzo).

Ero venuto, tramite amici, a contatto con l'avvocato parigino Chéron, che aveva curato gli interessi dell'Ayatollah durante il suo soggiorno in Francia, e gli avevo chiesto, subito dopo la criminosa cattura e preoccupato di quanto succedeva, se vi fosse un modo per sbloccare la pesante situazione degli ostaggi prima di complicazioni drammatiche. Chéron — sentito chi di dovere — mi propose una «scaletta operativa»: 1. un tribunale statunitense avrebbe dovuto prendere in carico la richiesta di estradizione del deposto Scià con un dettagliato carnet di accuse; 2. all'atto processuale avrebbe dovuto esser data una grande pubblicità di stampa e televisiva; 3. il giudice probabilmente avrebbe eccepito l'inesistenza di un trattato di estradizione tra gli Usa e l'Iran, e così la procedura sarebbe andata in un binario di attesa, meglio si sarebbe detto «morto». A questo punto, politicamente soddisfatto, il governo iraniano avrebbe riconsegnato gli ostaggi.

Naturalmente informai senza indugi gli americani (26 novembre 1979) e non senza mia meraviglia ebbi il giorno seguente la risposta: «Meglio non interferire nella iniziativa che ha intrapreso l'Onu». Non credetti a questo e ritenni che Washington avesse altra carta valida da giocare. E dovevano ritenere di averla se, alla vigilia delle elezioni presidenziali, era stato inviato in Europa un aereo con i certificati elettorali degli ostaggi; evidentemente si nutriva la certezza che si potesse celebrare il clamoroso ritorno prima che gli americani andassero alle urne. La restituzione avvenne invece agli inizi della nuova Amministrazione. Può darsi che Khomeini non avesse dimenticato un Capodanno che Carter era andato a festeggiare nell'Iran con lo Scià, quando, peraltro, aveva pronunciato — contraddizioni della vita — il discorso di elogio dei diritti umani e di riserve sulla polizia dello Scià che aveva dato ali all'insurrezione. Nel gennaio ero stato, in verità, pregato di riattivare la pista parigina, ma li collegai direttamente non volendo espormi ad altre brutte figure (e Chéron mi fece sapere che ormai era tardi).

Altro quesito irrisolvibile è se i democratici avrebbero avuto possibilità di vittoria con un candidato diverso da Carter. L'anno precedente, in ottobre, in un pranzo dai Rockefeller avevo ascoltato la previsione della candidatura di Ted Kennedy che l'avrebbe spuntata su Reagan (non su Connally, dicevano, ma questi aveva subìto troppi infortuni perché i repubblicani potessero candidarlo).

Alcuni senatori invece, attorno al Natale, mi avevano detto che sarebbe stato candidato Ford in quanto Reagan, Connally e Bush si sarebbero eliminati a vicenda. Anche loro davano per quasi sicura la scelta dei democratici per Kennedy (al quale fu di irreparabile danno la spietata impostazione della propaganda avversaria: «Il popolo americano non si può fidare di chi non ha potuto fidarsi la segretaria»).

Previsioni negative sulle *chances* di Carter me le espresse anche Vittorio Nino Novarese, venuto a trovarmi in giugno per parlarmi di un grande film sul viaggio di san Paolo nel Mediterraneo che stava progettando.

John Volpe, a Roma per la beatificazione di don Orione, pensava che la partita di novembre tra repubblicani e democratici fosse ancora aperta.

Agli inizi del 1980 ero stato eletto alla presidenza sia della Commissione esteri della Camera sia del Gruppo italiano dell'Unione interparlamentare: due incarichi che mi davano frequenti occasioni di contatto con l'ambasciata americana e con personalità di passaggio.

Partecipai alla conferenza di primavera dell'Unione ad Atene (chiamato a dirigere la Commissione «Politica e disarmo») e a una sessione dedicata al disarmo tenutasi a Bruxelles. In ambedue gli appuntamenti lavorai a contatto dei parlamentari americani (particolarmente con il senatore Claiborne Pell), ma in buoni rapporti anche con i sovietici, il cui capodelegazione si rimise a me per un testo sull'auspicio di smantellamento dei missili «europei». Riportata a Washington, quest'ultima circostanza, insieme all'unanimità della mia nomina alla Commissione, suscitò qualche apprensione, ma non presso responsabili che conoscevano bene le mie idee sulla bilateralità e controllabilità del disarmo. Del resto, anche se non mancavano gli intransigenti contro presunte condiscendenze verso il Partito comunista italiano, si realizzò in quella settimana un viaggio in America di Napoleone Colajanni e di Romano Ledda, esponenti del Pci.

Una piccola polemica sulla... fede anticomunista la ebbi anche con l'«Osservatore Romano», che criticò un mio discorso all'Unione cattolica stampa italiana sulla vulnerabilità militare di un'Italia, se spaccata in due.

Il direttore, il vicedirettore e la stessa segreteria di Stato si dichiararono estranei alla critica e il giornale trovò rapidamente il modo per farla rientrare.

In quanto ai rapporti Usa-Partito comunista italiano, prima di Richard Gardner l'ambasciata romana non ne aveva. Gardner arrivò con una amplificata fama di *liberal* aperturista (tra l'altro lo si faceva passare per sociologo, mentre è giurista). E quando io ero stato accolto da Carter come un grande amico, Scalfari aveva scritto: «Carter accetta il Pci nel governo»: di qui le necessarie precisazioni. Inviti a comunisti a Villa Taverna vi furono, ma non a Berlinguer. E se c'erano motivi di compiacimento per il loro atteggiamento sul Patto Atlantico, sull'Afghanistan, sulla non partecipazione a riunioni internazionali equivoche, per altri aspetti il dissenso permaneva: la presenza americana nel Golfo Persico, la base della Maddalena, i missili.

Secondo il mio giudizio, Gardner, coadiuvato bene dalla moglie Danielle Luzzatto, fece fronte adeguatamente in materia a una linea di novità nella continuità. E mi furono grati perché alle 7 del mattino del 5 novembre io ero andato in ambasciata, a differenza di molti invitati che, appresa dalla radio la vittoria di Reagan, come ho detto, ripresero a dormire.

Gardner è tornato a insegnare alla Columbia University e viene di frequente in Italia. Qualche volta abbiamo parlato di quelle elezioni del 1980. A parte la questione degli ostaggi, gli errori di Carter sarebbero stati: il voto all'Onu su Gerusalemme, certe avventure del fratello, qualche esuberanza di Andy Young, la politica verso Cuba. Ma, di contro, vi erano *fasti* cospicui nel quadriennio: Camp David, il Trattato Salt 2, il rafforzamento della Nato, l'accordo sul Canale di Panama.

In realtà l'opinione pubblica, liberatasi dalla catarsi per il Watergate e il Vietnam, aveva ora bisogno di un altro messaggio sollecitatore. E Reagan lo aveva individuato nel recupero del sogno americano di grandezza. Khomeini aveva tenuto sotto scacco l'Unione, avvilendola. La riscossa si imponeva in tutte le direzioni.

Da poco eletto, Reagan abrogò le limitazioni alle vendite di cereali all'Urss, che Carter aveva decretato, puntando anche sul fallimento del programma di aumento delle disponibilità di carne a seguito della carenza di mangimi. Agricoltori e commercianti applaudirono; i fautori della distensione sottolinearono il gesto favorevolmente; e la grande massa dei cittadini restò indifferente.

Fu il segno della possibilità di un tipo di politica molto pragmatico e alternante verso il grande avversario: carota e bastone. Nel contempo la nuova Amministrazione apriva all'Europa, enunciando propositi di più intensa e articolata collaborazione tra le due sponde dell'Atlantico. La maggioranza della Camera era — per quel che conta — del partito opposto? Non importa. Reagan aveva dalla sua una enorme capacità televisiva.

16

UN VESCOVO DELUSO

Il Presidente degli Stati Uniti che vi fa domandare, mentre siete a Washington, se può chiedervi un favore personale suscita qualche emozione. E non mi venne certo in mente che potesse trattarsi di « cortesie » tipo quella di trattenere *extra legem* una persona, come nei giorni neri di Sigonella. Era infatti solo un appuntamento — che detti all'istante — per l'arcivescovo di New Orleans, giunto per questo nella capitale federale.

Incaricato di allestire il padiglione vaticano nella Expo della Louisiana, monsignor Philip Matthew Hannan desiderava fortemente il prestito della statua michelangiolesca del *Cristo risorto* che è a Roma, nella chiesa di Santa Maria sopra Minerva. Se fosse per una predilezione verso il Buonarroti o per ripetere il successo del cardinale Spellman che riuscì a far esibire nella esposizione di New York la *Pietà* della basilica vaticana, non so: era solo una perorazione fatta con tanto calore da commuovere e imbarazzare. Mi riservai di far valutare l'istanza nelle sedi proprie, anticipando però la difficoltà, nata proprio per lo sfregio fatto a la *Pietà*, che aveva provocato la decisione della Santa Sede di non permettere più trasferte, anche se il misfatto era accaduto nella sede propria. Me ne parlò anche George Shultz dicendomi che il Presidente ci teneva moltissimo.

Era ministro dei Beni Culturali Enzo Scotti e, con qualche fatica (contrariamente a quel che io credevo si reputa più rischioso il viaggio di opere scultoree che non di quadri), riuscì a ottenere i consensi tecnico-artistici. Tuttavia l'iter burocratico tardava e Reagan sollecitava, essendo pronto, per evitare ogni rischio alla statua, a farla trasportare su una nave

129

da guerra statunitense (come avrebbe potuto immaginarlo Michelangelo?). Avevamo infatti spiegato che non si dava importanza a una polizza di assicurazione, anche con cifre iperboliche, perché si doveva escludere comunque il danneggiamento e ancor più la perdita.

Intanto a Scotti era subentrato Nino Gullotti e finalmente tutto fu riservatamente perfezionato e potei comunicarlo alla Casa Bianca. L'imballaggio avvenne in modo accuratissimo e i fedeli guardavano con curiosità la ferrea gabbia che stava sul punto di partire. Sul punto; perché uno dei padri domenicani, contrario al prestito, chiamò un cronista e un fotografo e sulla stampa romana vennero clamorose proteste che indussero il ministero a revocare il permesso. Domandai in quei giorni a tutti coloro con cui parlavo quante volte si fossero recati ad ammirare il *Cristo risorto* e non ne trovai neppure uno. Reagan, da politico, comprese che vi sono alcuni limiti invalicabili anche per ministri e oltre. Meno rassegnato fu monsignor Hannan, al quale, per addolcirgli la delusione, inviai una minuscola riproduzione in argento della statua in questione. Era un mio dono personale, per cui non mi occorrevano permessi e autorizzazioni; e non si trattava di un prestito, ma di una destinazione definitiva.

Questo occasionale contatto con l'arcivescovo della Louisiana mi porta a esprimere qualche episodica impressione sui cattolici americani, dopo aver rinunciato a un approfondimento del tema che sarebbe fuor di luogo in questo libro.

Spellman mi disse una volta scherzando che, se volevo avere una idea dei vescovi americani, pensassi a tutte caratteristiche diverse dalle sue. Era certamente un paradosso, ma presi lo spunto per dirgli che per me — europeo e per di più romano — era difficile comprendere anche alcuni aspetti esterni delle loro curie vescovili, sulle quali incombevano pesanti compiti «terreni» per costruire e gestire scuole, ospedali e altro. In più l'aspetto di alcune addette agli uffici ecclesiastici di Madison Avenue si avvicinava — forse esagero — alle copertine delle nostre riviste femminili. Era il segno, mi si spiegò, di un superamento intelligente di certi «nostri» tabù, tale da rendere molto più sani e non complessati i rapporti tra uomini e donne.

Dove non fui convinto della bontà della... *nouvelle cuisine* cattolica fu in materia di giurisprudenza matrimoniale. Ero allora meno lontano dai miei studi di diritto canonico e osservai che, dalla constatazione che il *Codex* romano-occidentale era troppo modellato su schemi giustinianei per poter essere recepito agevolmente nel mondo anglosassone (la diocesi di New York produsse uno studio valido per la riforma), si arrivava — secondo me — a un possibilismo preoccupante. E sono portato a meditare quando leggo oggi che i tribunali ecclesiastici statunitensi nel 1987 (ultime statistiche disponibili) hanno deciso favorevolmente, nei dodici mesi, 58.232 cause di nullità e negativamente 1305; e che al 1° gennaio successivo in tutta la Chiesa universale pendevano 67.018 cause, di cui 49.109 negli Stati Uniti, il che vuol dire oltre il 70 per cento.

Ora, se si pensa che i cattolici americani sono 54 milioni e quelli italiani (matrimonialmente il numero dei «civili» è molto basso) 56; e se si legge che nell'anno in questione le nullità dichiarate in Italia sono state 950 (126 quelle respinte), vi è più di un motivo per riflettere. Né si dica che il calcolo va fatto non sui cittadini ma sui *domiciliati*, perché qui entriamo nel complesso tema dei domicili giudiziari, qualcuno dei quali ha provocato forti sensazioni.

Non dispiacciano questi rilievi. Qualche anno fa scrissi un romanzetto (*I minibigami*) per mettere in luce l'assurdità di uno dei motivi di nullità del matrimonio, e cioè la mancanza di delega nel sacerdote celebrante. Sono stato lieto di constatare che nel *Codice* riformato questo motivo è stato soppresso.

Dove invece i cattolici americani, e per essi la Conferenza episcopale, meritano stima e approvazione, è nella compilazione dei documenti sui grandi temi di attualità. Intanto, è encomiabile il metodo. Si redige un primo schema e lo si diffonde per raccogliere commenti, possibili integrazioni, rettifiche da apportare. Talvolta si formulano nuovi testi provvisori sottoposti alla stessa procedura consultiva fino ad arrivare alla redazione definitiva.

Due di queste prese di posizione mi hanno particolarmente interessato: l'analisi delle armi nucleari e le linee di politica sociale in una nazione dove la vecchia povertà non è scomparsa e le nuove affiorano in modo preoccupante.

So che i governi non amano molto queste prese di posizione su materie miste e pretendono, anzi, che tutto ciò che è militare sia di esclusivo dominio statale. Ma sarebbe difficile fare dei *diritti umani* un cardine della propria politica estera e negare l'unicità e la globalità dei problemi dell'uomo anche in relazione alla sua stessa sopravvivenza fisica. Non sono certo in grado di valutare quanto il documento dei vescovi abbia stimolato l'Amministrazione Reagan e stimoli quella Bush nella strada del disarmo, ma è certamente un antidoto psicologico e culturale verso quelle correnti che avrebbero invece voluto e vogliono il mantenimento rigido della deterrenza nucleare.

Mi colpì molto quanto disse il Presidente Gerald Ford, non cattolico, agli intervenuti a Filadelfia al Congresso eucaristico internazionale nell'agosto 1976: «In questa circostanza rendiamo omaggio al contributo della Chiesa all'edificazione di un mondo più pacifico e all'alta e saggia ispirazione che essa dà al mondo. Per milioni di uomini e di donne la Chiesa è rifugio dell'anima, scuola dello spirito e deposito sicuro degli ideali morali».

In quanto al testo di politica sociale, forse è anche utile per rimuovere la convinzione diffusa nel mondo che tutti gli americani siano benestanti e felici. Comunque era una denuncia dovuta, che è stata fatta in termini molto responsabili da una Chiesa che non può chiudere gli occhi dinanzi alle umane sofferenze.

So che alla linea, diciamo pure sanamente progressista, ha dato un apporto non marginale, già quando era a Cincinnati, l'attuale arcivescovo di Chicago, cardinale Joseph Bernardin; e della sua origine trentina io mi compiaccio.

Sarebbe per me, straniero, poco opportuno entrare in altri temi dibattuti laggiù, come il sacerdozio femminile e il celibato ecclesiastico: ma le questioni sociali e quelle della sicurezza non conoscono confini. A lode dei cattolici americani va messa altresì in evidenza la grande generosità e anche una religiosità sostanziale. Nell'intervallo meridiano del lavoro non sono pochi quanti vanno alla Messa delle 12 e cinque minuti (la prima volta che vidi un tale orario mi incuriosii e quando me lo spiegarono riconobbi che «nella Roma onde Cristo è romano» questo non accade).

Del resto, sia nelle loro accademie militari che nelle portaerei ho visto più volte — da militari cattolici, protestanti ed ebrei — una frequenza religiosa molto accentuata. All'Accademia aeronautica di Colorado Springs vi è un edificio sacro nel quale convivono una chiesa, un tempio e una sinagoga. Il cardinale Spellman, vescovo castrense, ne era fierissimo.

Mi fermo qui. Ma non senza ricordare l'emozione che produsse alla Camera De Gasperi, quando, di ritorno dagli Stati Uniti, commentò la scritta che campeggia nel cimitero di Arlington sulla tomba del Soldato Ignoto: «Sconosciuto a tutti, ma non a Dio».

17

ARAFAT

Ho accennato più volte all'importanza delle relazioni con i membri del Congresso americano. E questo non solo perché non pochi tra di loro hanno una lunga vita politica attiva, a differenza degli uomini di governo statunitense, la cui parabola è quasi sempre molto breve, ma perché non pochi rappresentanti e senatori non possono che conoscere superficialmente le situazioni dei singoli stati e dei loro problemi su cui devono discutere e decidere. Rischiano così — se non utilizzano le occasioni propizie — di essere orientati da stati d'animo emotivi, provocati dai persuasori televisivi o dai lobbisti, che laggiù rappresentano una corporazione registrata e legittimamente operante.

A questo fine giovano tutti i tipi di contatto, sia individuali che di gruppo. Di qui il ruolo specifico dell'Unione interparlamentare. Nel 1982 avemmo per due volte — nel gennaio e nel settembre — ospiti in Roma delegazioni del Campidoglio americano. Come sempre, accanto alle informazioni reciproche (come vanno i comunisti? il movimento pacifista è vivo anche in Italia? quali sono le valutazioni sul Sudamerica? c'è qualche cosa di nuovo nelle ricerche sul cancro? ecc.) si toccano i temi di attualità. Al momento campeggiava l'emergenza Libano; ed ebbi il piacere di verificare che i colleghi d'oltreoceano avevano ben compreso che noi avevamo unito le nostre navi alle loro per solidarietà occidentale e non perché fossimo convinti che con le cannoniere vi era la prospettiva di far uscire dal caos quella tormentata nazione.

Gli ospiti del gennaio, guidati da Peter Rodino, furono Frank Annunzio, James La Falce, Joseph Minish, Leon Panetta, Matthew Rinaldo, Leo Zeferetti, George Danichson,

Lawrence De Nardis, Bernard Dwyer, Edward Don, Frank Guarini e Bruce Vento. Oltre Roma andarono in Friuli, a Pisa, Firenze, Avellino e Napoli (Nato). A Majano la commissione visitò il centro per anziani intitolato a Marianna Stango Rodino e a Villa Santina un altro centro di assistenza: due contributi americani alla ricostruzione post-terremoto.

Dovetti vivere, durante il soggiorno romano di questa missione parlamentare, un momento tragicomico. Dopo un'ottima colazione-dibattito alla Casina Valadier (lo chef si era fatto onore con panieri di fettuccine paglia e fieno, una imponente sella di vitello in bellavista, formaggi appetitosi e un piacevolmente massiccio semifreddo al torroncino), quattro *congressmen* mi chiesero se potevano ossequiare il Presidente Pertini che accondiscese subito. Senza volerlo, Frank Annunzio partì con il piede sbagliato, salutando il Presidente a nome dei membri italo-americani del Congresso che, disse, erano ormai un gruppo importante. « Non contate un tubo » replicò Pertini « perché in tutti i film americani i mascalzoni sono sempre oriundi italiani e voi subite questo affronto ». Sorpreso, ma non domato, il deputato di Chicago rispose: « Può darsi che da noi questo sia nei film, ma i terroristi qui li avete per le strade ».

Non lo avesse mai detto. Il Presidente contestò questo e replicò che comunque i terroristi erano tutti stranieri. Io sudavo freddo, mentre per fortuna gli altri tre *congressmen*, appesantiti dalla... Casina Valadier, sembravano appisolati. Ma Pertini molto generosamente cambiò registro e fece tornare il sorriso sul volto di Frank dicendo: « Voi sapete che io appartengo all'antifascismo e alla Resistenza, ma se non ci fosse venuta in soccorso l'America il fascismo sarebbe ancora al potere. » E su questa e altre rievocazioni belliche l'udienza ebbe termine. All'uscita, imbarazzando il corazziere, Annunzio fece alcuni commenti di cui gli altri suoi colleghi, da poco riemersi dal riposino (capisco perché in America nel lunch sono preclusi gli alcolici), non comprendevano il motivo. In tante occasioni del settennato pertiniano fu l'unica in cui vedevo uscire qualcuno scontento dell'udienza al Quirinale.

In primavera si verificò un brutto fatto di cronaca nera: il rapimento nel Veneto del generale americano Dozier, liberato da specialisti del nostro esercito con un blitz spettacolare. Parlamentari americani decisero di inviare in Italia una delegazione, presieduta dall'onorevole Rostenkowski, per esprimerci gratitudine, ma dovemmo declinare l'offerta poiché in quei giorni eravamo tutti impegnati a Lagos per la conferenza di primavera dell'Unione. E lì il senatore Stafford e gli altri parlamentari si profusero in elogi per la funzionalità dei nostri apparati di sicurezza. Non nascondevano che un generale americano in cattività avrebbe creato nella loro opinione pubblica una reazione insostenibile.

Nel settembre la delegazione statunitense che partecipò a Roma alla conferenza dell'Unione interparlamentare ebbe anche una particolare sessione di lavoro con il gruppo italiano. E fui molto lieto di leggere la dichiarazione che al riguardo rilasciò l'autorevole leader, onorevole Claude Pepper (uno dei decani del Campidoglio):

Abbiamo appena concluso un incontro molto caloroso, quasi fraterno, con i nostri colleghi del Parlamento italiano, e abbiamo potuto rilevare che, come legislatori, condividiamo molte delle stesse speranze e preoccupazioni.

Il nostro incontro altamente positivo ha costituito, a nostro giudizio, un'altra indicazione del legame crescente che unisce i nostri due paesi, della crescente forza dei rapporti tra l'Italia e gli Stati Uniti. A nostro modo di vedere, tali rapporti sono eccezionalmente stretti e vantaggiosi per diversi motivi. I nostri governi, i nostri popoli, e noi stessi in qualità di rappresentanti dei nostri parlamenti, siamo su posizioni molto vicine su numerose questioni internazionali, quali la repressione in Polonia, l'aggressione sovietica in Afghanistan, e l'appoggio alla nuova iniziativa di pace del Presidente Reagan per il Medio Oriente. Dichiariamo qui in modo specifico che riteniamo che le truppe italiane, insieme ai reparti americani e francesi, abbiano svolto magnificamente il loro compito durante l'evacuazione degli elementi dell'Olp dal Libano.

Tutti questi punti, insieme ad altri, dimostrano il valore dei vincoli che uniscono l'Italia e gli Stati Uniti, membri uguali dell'Alleanza occidentale e della comunità delle nazioni. Sottolineiamo questo concetto. Sappiamo che vi sono coloro che cercano di dare grande enfasi alle differenze di dimensioni e di ruolo all'interno dell'Alleanza. La realtà però è che i nostri paesi sono partner che condividono valori comuni e sono impegnati a realizzare comuni obiettivi. Noi parlamentari affrontiamo insieme i gravi problemi del nostro tempo, sapendo che in ultima analisi possiamo contare sul reciproco appoggio.

Questa dichiarazione era tanto più importante politicamente perché nella conferenza il punto di maggiore interesse era stato l'applauditissimo discorso di Yasser Arafat. Al di fuori delle rigidità governative (si incontrò solo col ministro degli Esteri Colombo e neppure al ministero), tutti avvertivamo che non era tenendo l'Olp nel ghetto che si poteva risolvere il problema del Medio Oriente. Ed era giunto il momento per una coraggiosa svolta, dato che alla Conferenza araba di Fez, da dove tornava, Arafat aveva fatto dichiarazioni moderate (che ripeté a Roma) e si era prospettata quella linea di soluzione che sarebbe stato saggio approfondire. Ma né Washington né Londra vollero ricevere il Comitato di Fez ritardando tristemente l'avvio a una composizione.

Le novanta delegazioni si recarono anche in Vaticano, dove ascoltarono un significativo discorso di Giovanni Paolo II: «La libertà è un prisma unitario di cui la libertà religiosa non è che *una* delle facce. Senza la libertà religiosa non vi è libertà; e senza libertà globale non esiste libertà religiosa».

Anche nel calendario 1983 figurarono due appuntamenti interparlamentari. A gennaio vennero Clement Zablocki (presidente del Comitato esteri), E. Kika de la Garza, Donald Pease, Bill Nelson, Bruce Vento, William Broonfield, Robert Lagomarsino, Larry Winn, Mario Castillo. Discutemmo a fondo i problemi della sicurezza e la situazione economica. Con schiettezza i colleghi americani, che erano ogni anno sottoposti alla tentazione di decurtare i bilanci militari per quel che atteneva alle loro spese in Europa, ci chiedevano se era in vista uno sforzo maggiore da parte nostra, dato che gli indici della produzione e della crescita erano piuttosto buoni. Ricordo che, alla fine di una... documentata schermaglia, il capodelegazione ci chiese: «Il popolo italiano è almeno grato per questo sforzo americano?».

Zablocki, originario polacco, era interessatissimo alle informazioni che potevamo avere da Varsavia; e naturalmente della venuta a Roma apprezzava più di tutto l'opportunità di incontrare il suo (e nostro) Papa. Mi parlò dello sviluppo delle loro collettività negli Stati Uniti, specialmente a Chicago, con una crescita demografica che ne aumentava in prospettiva l'importanza. Rigidamente anticomunista, non vedeva all'orizzonte una evoluzione possibile e giudicò impraticabili le speranze che io avevo ascoltato da Edward Gierek qualche anno prima e che gli riferivo.

Ancora una volta i nostri visitatori apprezzarono — e lo dissero — il clima collaborativo che esisteva tra noi parlamentari italiani, sia nell'Unione che nella Commissione esteri. Sembrava loro strano, abituati a pensare all'Italia come a un inguaribile terreno di scontro di guelfi e ghibellini, di rossi, di bianchi e di neri.

Quando vennero in agosto i trentadue membri del Congresso guidati da Claiborne Pell, li ricevetti non più a Montecitorio, ma alla Farnesina, essendo divenuto — dopo le elezioni — ministro degli Esteri nel governo presieduto da Bettino Craxi. E naturalmente le prime domande furono sul significato di questa novità italiana. Non si può giudicare superficiale un americano se ha difficoltà a capire che non vi erano motivi di preoccupazione per un primo ministro socialista, dato che nella nomenclatura, e non solo nella loro, i paesi socialisti erano quelli dell'Est. Inoltre, non abituati alla proporzionale e alle coalizioni, non afferravano il significato di ministri appartenenti a un partito diverso da quello del presidente.

Un altro elemento che desta sempre meraviglia tra gli americani è l'alto quoziente di partecipazione degli elettori alle urne. E ascoltai — con la citazione di un politologo — la curiosa teoria che la metà degli aventi diritto può stabilmente delegare l'altra metà a esprimersi. A me sembra un espediente per giustificare l'enorme astensionismo, spinto anche dal sistema di registrazione volta per volta, che obbliga a una doppia operazione. E in più vi è la grande mobilità dei cittadini; non so se esagerassero, ma ci dissero che, ad esempio, i dirigenti di azienda che dopo cinque anni sono nella stessa ditta sarebbero meno di un terzo; e che anche lo spostamento dalla costa atlantica a quella del Pacifico riguarda quote non indifferenti della popolazione.

Alcuni *congressmen* ebbero un incontro con esponenti di ditte americane operanti in Italia, dai quali ebbero conferma del quadro politicamente tranquillizzante che noi avevamo esposto.

Il 17 maggio, libanesi e israeliani avevano firmato un accordo bilaterale sorprendendo un po' tutti. Il primo ad aversene a male fu il Presidente siriano Assad (me lo disse nel corso di una visita che avevo fatto a Damasco su loro invito), che per di più si era sentito tradito dall'ambasciatore volante americano Philip Habib che riceveva frequentemente e che non gliene aveva fatto parola. Non è questa la sede per analizzare l'episodio, ma è difficile escludere che sia stato legato a questo accordo (e/o alla espulsione dei palestinesi?) l'assassinio del Capo dello Stato libanese Bechir Gemayel. L'accordo andò presto in desuetudine e Amin Gemayel, subentrato al fratello, non dimenticò mai quelle giornate.

Washington aveva intanto incaricato di coordinare l'azione diplomatica nell'area l'ambasciatore Robert MacFarlane, già ufficiale dei marines e addetto al Dipartimento di Stato. Lo ricevetti volentieri il 25 agosto, al suo rientro da una difficile serie di colloqui a Damasco, Gedda, Amman, Il Cairo e Gerusalemme. In qualche modo gli Usa si rendevano garanti del ritiro degli israeliani sul fiume Awali come parte dello sgombero totale previsto dagli accordi del 17 maggio che Beirut non riusciva a ratificare. In Libano l'inviato di Washington aveva trovato una situazione incandescente per via della spaccatura tra Gemayel, considerato espressione solo della Falange, e l'alleanza cristiano-druso-sunnita dei pro-siriani Franjeh, Walid Jumblatt e Karame.

Espressi a MacFarlane il mio avviso così riassunto: la Siria non era in condizione da sola di risolvere il problema libanese, ma senza o contro la Siria era una totale illusione sperare di risolverlo. E poiché l'esercito libanese come tale era molto debole, non si poteva pensare al ritiro degli stranieri senza concordare una piattaforma con i drusi e con la sinistra musulmana. Mi sembrava altresì arduo che gli uomini della Forza multinazionale potessero andare tra le montagne dello Chouf per garantire che non succedessero massacri e caos al ritiro degli israeliani.

La buona volontà di MacFarlane era indubbia, ma era ben difficile che potesse far di più di Philip Habib, il quale, parlando l'arabo, aveva un accredito di partenza piuttosto rilevante. Era certo che gli occidentali potevano fare affidamento sulla diplomazia, ma non su un ruolo di persuasione della forza militare presente sul posto. Anzi!

A questo riguardo aveva fatto un certo rumore un piccolo incidente durante la visita a Venezia del Presidente Mitterrand che, purtroppo, coincise con una aggressione ai militari francesi dislocati in Libano. Mitterrand parlò di rappresaglie e io fui angosciato al pensiero che anche i nostri soldati si trovassero esposti a questa catena viziosa di violenze e controviolenze. Era nostra attenta cura di mantenere una protezione politica attorno alle truppe del generale Angioni e lo facevamo con successo. Ritenni quindi necessario dire che quando nell'ex Congo Belga gli italiani avevano subìto una imboscata assassina, i nostri aviatori non avevano invocato rappresaglie e il misfatto era rimasto isolato. Tra un silenzio di cortesia e la salvaguardia dei nostri soldati in Libano, io non esitai. Questo poté dispiacere ai francesi, ma non guastò davvero i miei rapporti con il loro Presidente. Tanto più — i nostri giornalisti lo ignoravano — che pochi giorni prima mi ero trovato in Francia con i ministri degli Esteri dei paesi della Forza multinazionale e Claude Cheysson era stato il più deciso nell'escludere rappresaglie nel caso di attacchi per non dar luogo a una spirale pericolosissima.

Agli inizi di settembre andai a Madrid per la Conferenza della cooperazione e sicurezza europea (Csce) ed ebbi modo di avere due lunghi colloqui con George Shultz, che in precedenza avevo conosciuto come ministro del Tesoro. In un incontro con Gromyko, Shultz aveva allentato la tensione per l'aereo sudcoreano abbattuto dai sovietici. Dovevamo mantenere tutti una linea di fermezza sul piano del blocco temporaneo dei voli civili con e da Mosca, ma non compromettere i negoziati in corso, né quello che si stava concludendo; e neppure lo sforzo per ridurre i missili continentali che gli Usa volevano giustamente decidere in pieno accordo con tutti gli alleati.

A quest'ultimo proposito, la fermezza nel dispiegamento (per noi Comiso) stava dando i suoi frutti; anche se ad Andropov si dovevano richiedere concessioni ulteriori. E qui mi trovai per la prima volta dinanzi al tema dei missili francesi e britannici. Shultz li escludeva dai contatti con Mosca dato che «non si conteggiavano nemmeno i missili cinesi»; io pragmaticamente aderivo più volentieri alla spiegazione che per il momento era impossibile abbinare le questioni e non si doveva compromettere il principale per l'accessorio.

Gli chiesi poi di tenere una riunione, magari simbolica, dei quattro ministri delle forze dislocate in Libano per dimostrare che vi era almeno un coordinamento politico, mancando, e non era del tutto negativo, quello militare. Shultz aderì subito e ci trovammo poche ore dopo.

Nello stesso mese, durante l'Assemblea generale dell'Onu a New York, mi incontrai con Shultz. Il nostro leale atteggiamento — del resto in continuità con il periodo precedente interpretato da Emilio Colombo — ci metteva in una buona posizione con il maggiore alleato che apprezzava esplicitamente quanto facevamo a ogni occasione per favorire progressi nel negoziato ginevrino sui missili, sul quale George era abbastanza ottimista. Tornai io stesso sui missili francobritannici, auspicando (e avvenne) che i due governi approfittassero della tribuna Onu per dire che al momento e nella sede giusta non si sarebbero sottratti a un confronto. Prima di lasciarci Shultz toccò altri tre temi.

In primo luogo, le preoccupazioni che la Libia continuava a suscitare a Washington. Lo ricordava, dati i rapporti dell'Italia con il vicino Stato mediterraneo. Gli dissi che anche nei nostri rapporti vi era un'alternanza di buono e cattivo tempo, ma che comunque in questa fase ci sembrava che Gheddafi (come aveva detto pochi giorni prima al ministro iugoslavo Lazar Mojsov, che me lo aveva riferito a New York) propendesse verso una certa moderazione con l'affermazione di voler favorire soluzioni politiche sia nel Ciad che in Libano. Quindi si potevano attendere di nuovo messaggi libici di buone intenzioni verso gli Stati Uniti. Shultz osservò che, più che inviare messaggi, Tripoli doveva dare segni concreti dell'asserita volontà di migliorare i rapporti con Washington.

L'ultimo argomento furono le difficoltà fra Stati Uniti ed Europa nel campo della politica agricola. Secondo lui erano difficoltà fondate, ma occorreva che i governi sapessero avere di esse una visione politica, in maniera da controllarle e impedire che lasciassero troppe tracce.

Il segretario di Stato mi parlò infine della grande importanza che gli Stati Uniti attribuivano a una crescente collaborazione con noi per la lotta contro la droga e in particolare per reprimere il traffico di eroina. Questo era l'obiettivo del prossimo viaggio in Italia dell'*attorney general* che si aspettava di poter stabilire una sempre più fruttuosa collaborazione con le nostre competenti autorità. Lo rassicurai pienamente, lieto che si iniziasse in materia una collaborazione intensa che, fino a quel momento, era mancata. Ci saremmo rivisti presto, per il viaggio in Usa del Presidente Bettino Craxi.

18

VIAGGIO CRAXI

Il viaggio del Presidente Craxi negli Stati Uniti fu preparato con molta cura, sia nella elaborazione del programma sia nella scelta delle materie da trattare (è sempre buona norma concentrare i dialoghi su pochi punti e non indulgere ai «giri di orizzonti» che per ambo le parti non fanno acquisire alcun elemento nuovo di informazione).

Gli impegni della Farnesina mi consentirono di partecipare soltanto ai colloqui di Washington, mentre Craxi andò a Providence (Rhode Island) per una laurea *ad honorem* alla Brown University; fece visita al segretario generale dell'Onu; fu a una colazione del Council on Foreign Relations, offertagli da David Rockefeller; e inaugurò a Staten Island un monumento a Garibaldi.

A parte altri utili incontri (segretario al Tesoro, Fondo monetario, Banca internazionale, segretario al Commercio), il soggiorno a Washington si articolò sui colloqui e colazione di lavoro alla Casa Bianca, sulla riunione al Dipartimento di Stato, su un pranzo in onore del vicepresidente Bush nella nostra ambasciata, sulla visita al Congresso e sulla conferenza stampa.

Registrata rapidamente la conferma del comune approccio sul tema missilistico (mai interrompere il negoziato e non deflettere dall'equilibrio in basso delle forze), si valutò positivamente la prudenza della riunione dell'Est a Sofia dopo lo spiegamento occidentale per ridurre il dislivello. Ci congratulammo per i nuovi contatti americani con la Siria incoraggiando a proseguirli senza pretese di... allineamento. In un paese islamico — osservai — anche in famiglia si ha la poligamia e non si può davvero pretendere il contrario in politica estera, tanto più, aggiunsi, che altre nazioni, anche non musulmane, non sono troppo monogamiche. Erano vere le voci di uno studio preliminare di accordo Usa-Giordania, anche se erano infastiditi per le fughe giornalistiche; raccomandammo vivamente di non perdere di vista la globalità della regione e di non fare passi falsi tipo l'effimero accordo Libano-Israele. Sullo stesso Libano andava verificata la disponibilità conciliante anche di Walid Jumblatt, che io avevo occasione di vedere a Roma, dove risiede sua madre e che viene spesso a trovare. Jumblatt è un personaggio difficile, ma per fortuna non è permaloso. Un giorno Sandro Pertini ha dichiarato in una conferenza stampa che il capo dei drusi è un drogato, lui però non ha presentato note di protesta e ci ha riso sopra.

Sondammo con Reagan le *chances* di un piano congiunto Usa-Europa-Arabia Saudita, aperto anche ad altri paesi, per aiutare la ricostruzione libanese una volta cessate guerriglie e schermaglie. Accoglienza rispettosa, ma non oltre.

Le posizioni americane sui vari problemi internazionali potevano essere così riassunte: ripetute le preoccupazioni per la Libia; dichiarata propensione a sostenere lo sviluppo della Somalia, ma senza antagonismi verso l'Etiopia; riguardo per i paesi di Contadora, ma perdurante diffidenza per il sandinismo nicaraguense; prudente omaggio alle aspirazioni di libertà nel Cile perché « si può cercare di accelerarne il processo verso la democrazia, ma è difficile chiedere a Pinochet di suicidarsi ».

Proprio sul Cile vi fu una discussione sui testi delle dichiarazioni che i due presidenti avrebbero fatto all'uscita. Accettammo la attenuazione, in quanto anche gli americani avevano molto rivisto la loro posizione, se si pensa che la signora Kirkpatrick, in visita a Santiago nei giorni della espulsione di Alwyn e di altri leader oppositori, aveva fatto pubblici complimenti per la « stabilità cilena ».

La signora è un personaggio insieme duro e incantevole. All'Onu, dove rappresentava Washington, è stata molto chiusa, arrivando quasi al limite dell'abbandono societario di New York; ma quando è venuta a parlare a Roma di pace e a Venezia di diritti dell'uomo ha detto cose molto belle e sentite.

A tavola Craxi chiese a Reagan — rafforzando così la simpatia personale che era emersa — di raccontare qualcuna delle sue barzellette. Non ci fu bisogno di insistere. Mise da parte con gioia le schede per argomento, a cui si attiene con scrupolo, e attinse dal suo repertorio due piccoli «divertimenti», tra i quali abbondavano le prese in giro per le attività diplomatiche. Non è irriguardoso riferirli, tanto più che nel summit industriale a Venezia, durante un ricevimento che la sicurezza aveva voluto poco affollato, dedicò pubblicamente tre quarti d'ora a questa accondiscendente attività.

«Un ambasciatore in frac e decorazioni e privo — per civetteria — di occhiali fa il suo ingresso nel salone presidenziale delle feste quando la musica inizia a suonare. Con un moderato inchino, il personaggio rende omaggio alla dama più vicina e la invita a ballare. "Non posso per tre motivi" fu la gelida risposta. "1. Non so ballare. 2. Stanno suonando l'inno nazionale. 3. Io sono il nunzio apostolico".»

In altre occasioni reaganiane il nunzio diventava l'arcivescovo di Berlino o di Parigi: variazioni sul tema.

L'altro raccontino concerneva un amatore di aerostati che il vento stava portando alla deriva. Finalmente scorge qualcuno sulla terrazza di un solenne edificio e, manovrando, riesce ad abbassarsi un poco e gridare: «Dove sono?». Dalla ovvietà della risposta («State volando su un pallone») capì che si trovava sul cielo di Washington, esattamente sopra il Dipartimento di Stato.

Salvo poche eccezioni — di una, importante, farò esplicito cenno — Reagan colloquiava, come ho accennato, servendosi dei cartoncini preparati dai collaboratori. Quando poteva liberarsi da questa rigidità — nelle colazioni e nei pranzi non di lavoro, per esempio — era particolarmente umano e con grande carica di simpatia. Le storielline erano un ottimo mezzo per sfuggire a quesiti fuori ordine del giorno, come gli accadeva nei contatti con la stampa.

Sia al Campidoglio che al National Press Club Craxi ottenne un buon risultato, rispondendo alle domande con precisione e anche con una vena di umorismo che in America è d'obbligo e crea l'ambiente. Vedendo i molti deputati e senatori che venivano a salutarmi, mi disse scherzando che avrei potuto presentarmi alle elezioni anche laggiù. In altri momenti vi avrei letto una malignità piena di speranza, ma dopo mesi di lavoro comune il nostro rapporto era divenuto costruttivamente eccellente.

Della riunione con George Shultz e il suo staff noterò due argomenti. Invocammo che con la Comunità europea si trovassero a Washington stabili meccanismi di leale e fiducioso contatto per evitare controversie non indispensabili e cercare soluzioni positive congiunte invece che *querelles*, ad esempio elaborando un piano coordinato di aiuti alimentari ai paesi poveri. Shultz non dissentì e si rammaricò che non avesse potuto avere attuazione l'accordo da lui fatto l'anno avanti con Gaston Thorn.

Più esplosivo l'altro tema, per quel che accadde pochi giorni dopo. Chiesi che valutazione davano al Dipartimento della situazione di Grenada dopo l'assassinio del primo ministro Maurice Bishop. E spiegai che lo chiedevo poiché in un colloquio con Fidel Castro nel 1981 questi mi aveva detto che se non si fosse trovato un *modus vivendi* con gli Stati Uniti (sulla scia dei vecchi preliminari con il governo Carter) sarebbe stato necessario coordinare la difesa militare cubana con il Nicaragua e con Grenada. George e i suoi sembrarono sorpresi: Bishop era comunista come il suo successore, e quindi nulla poteva dirsi di mutato.

Restai di sasso pochi giorni dopo quando appresi che gli americani erano sbarcati in forze a Grenada per scongiurare una situazione «insostenibile». Non pretendo certamente che un alleato ci debba rivelare i suoi piani strategici, ma che ci dica che nessuna emergenza esiste e attui subito dopo una massiccia operazione militare, delicata anche sul piano dei princìpi, non era giusto. Avevamo diritto a un chiarimento, soprattutto per il prestigio italiano.

George mi chiese di ricevere la Presidente dell'isola di Dominica perché era stata lei, insieme al Capo dello Stato di Barbado, a dare l'allarme e a sollecitare l'intervento armato. Confesso che questa spiegazione accresceva la mia inquietudine. Era possibile che gli Stati Uniti, con i loro vari e potenti servizi e con centinaia di studenti universitari nell'isola, fossero venuti a conoscenza della pericolosità della situazione soltanto per l'iniziativa di due piccoli stati caraibici?

Se George mi avesse detto che la grande emozione in America per la distruzione della caserma dei marines a Beirut aveva richiesto una immediata manovra psicologica di deviazione su altro tema, avrei compreso. Ma così, no. Ben venga la presidentessa dominicana (e venne due volte accolta benissimo), ma intanto all'Onu noi non potevamo approvare il gesto militare, deciso autonomamente e senza neppure tentare un approccio internazionale legale. E così facemmo, sollevando critiche e riserve anche in casa nostra. Ma questo gesto di rispetto per le buone regole servì invece ad accrescere la nostra considerazione a Washington e altrove. Avemmo prove quasi immediate di una maggiore attenzione verso l'Italia.

A dicembre si riunì a Bruxelles il Consiglio atlantico. Di regola avviene a livello di ministri degli Esteri e a margine della riunione 1983 Shultz mi dedicò un'ora e mezzo di incontro, nonostante ci fossimo visti da poco.

Parlò dell'effetto formidabile della solidarietà atlantica, usando espressioni a me care: fermezza, pazienza, ragionevolezza, dialogo. E accolse il suggerimento di venire in gennaio a Stoccolma — conferenza sul disarmo — per avere modo di incontrare Gromyko. In Italia vi era buona convergenza in Parlamento; e i comunisti avevano inviato delegati di partito a Mosca per smuovere Andropov, anche se finora senza successo. Era necessario altresì che a Stoccolma venissero i colleghi dei paesi neutrali, *in primis* la Iugoslavia. Ci impegnammo a sollecitare.

Informai Shultz sul Consiglio europeo di Atene, sottolineando l'importanza *sotto tutti gli aspetti* della ormai probabile entrata della Spagna e del Portogallo nella Cee. Il settennale negoziato si sarebbe concluso, a ogni costo, durante il semestre italiano.

Ci intrattenemmo poi sul Medio Oriente. Noi avevamo fatto per il Libano uno sforzo doppio di quello concordato con Beirut ed eravamo lì con duemilacinquecento militari sul suolo e seicento imbarcati. Con quale utilità? Non avremmo certo programmato ritiri unilaterali, ma un discorso su questa graduale riduzione si imponeva a tutti e bisognava insistere nel trasferire all'Onu i compiti di polizia. Reagan aveva enunciato un «piano» per il Medio Oriente: che ci si poteva realisticamente attendere?

Shultz mi fece un resoconto dei recenti incontri a Washington con Gemayel e Shamir.

Gemayel intendeva allargare il suo governo fino a inserirvi alcuni dei maggiori esponenti sino allora a lui contrari, quali Franjeh, Karame e Jumblatt. La Siria era riservata, ma si poteva insistere su Damasco, evitando da parte loro la tentazione di iniziative militari. Alla Siria Washington aveva detto e ripetuto che l'azione americana dopo l'agguato ai marines e ai negoziatori americani era meramente difensiva.

A proposito dei colloqui con Shamir, Shultz spiegò che i resoconti della stampa erano stati inesatti, specie su una unità operativa Usa-Israele contro la Siria. Tuttavia, circa il problema dei territori occupati e quello specifico degli insediamenti israeliani, la risposta di Shultz fu elusiva.

Compresi che gli americani si auguravano potesse essere re Hussein a dichiararsi per primo disposto ad aprire il negoziato, a nome anche di esponenti palestinesi, ritenendo che a quel punto Israele non avrebbe più potuto tirarsi indietro: «In un modo o nell'altro Israele si dovrà muovere, anche se il problema degli insediamenti è tutt'altro che facile». Il suo ottimismo a me non sembrava fondato.

Il giorno successivo ci trovammo — Shultz, Howe, Dumas e io — per parlare insieme di Libano, ma non ne uscirono elementi maggiori di quelli emersi nel colloquio a due con il segretario americano.

Io insistetti molto sulla necessità di coinvolgere l'Onu al posto della Forza multinazionale nel Libano; e anche di non lasciar marcire il problema palestinese con il rischio di dare ali a chi considerava una pia illusione la possibilità negoziale. Pur con grande rispetto, storico e attuale, per Israele e per la sua suscettibilità, bisognava che qualche iniziativa smuovesse le pericolosissime acque.

Shultz assicurò che il loro fiduciario di turno, l'ambasciatore Rumsfeld, non sarebbe stato inattivo.

Alla fine di ogni anno si cerca di tracciare un bilancio delle proprie azioni e omissioni. Io ero abbastanza soddisfatto del periodo di rodaggio alla Farnesina. E, pensando al viaggio a Washington con Bettino Craxi, era facile comparare l'Italia del 1984 con quella dell'immediato dopoguerra quando non era disdicevole — perché non offrivamo né ci veniva richiesta alcuna contropartita avvilente — andare in America anche a mendicare perché il popolo italiano non morisse di fame e potesse iniziare la sua rinascita.

19

OLIMPIADI

Ero stato incerto, pur valutando l'iniziativa, se andare agli inizi dell'anno nuovo negli Stati Uniti per la presentazione della versione inglese della poderosa raccolta di scritti e lettere di Filippo Mazzei, l'avventuroso medico e commerciante toscano che, pioniere dell'emigrazione italiana, divenne nel XVIII secolo consigliere di Jefferson e controfirmò la Dichiarazione di Indipendenza. Alle insistenze della biografa del Mazzei, suor Margherita Marchione, e del presidente della Dickinson University del New Jersey, Peter Sammartino, si unirono i dirigenti del Monte dei Paschi che volevano inaugurare una loro nuova presenza in America con una mia conferenza sulla posizione italiana nei problemi economici e politici del 1984. Ma a togliere ogni esitazione venne un invito a Washington per colloqui con il Presidente, con Shultz e con i ministri del Tesoro e della Difesa, Donald Regan e Caspar Weinberger. Confesso che ne ero soddisfatto anche per la implicita smentita a quanti andavano brontolando per la posizione italiana su Grenada.

Le due manifestazioni newyorkesi riuscirono bene e il convegno sulle prospettive italiane nell'economia degli anni Ottanta dette modo a personalità eminenti di laggiù di esprimere le loro valutazioni e dare interessanti suggerimenti.

Il 13 gennaio ero alla Casa Bianca e il capo del protocollo mi fece notare una certa eccezionalità nell'avere udienza il mattino, che il Presidente dedicava di norma alla riunione del National Security Council. Mi ricevette presenti Bush e Shultz.

Portato da Reagan il discorso sul Libano, insistetti perché si facessero pressioni su Gemayel per far progredire in tutte le direzioni il lavoro di riconciliazione nazionale, notando qualche piccolo sintomo di apertura anche attraverso i miei recenti viaggi e contatti con i dirigenti israeliani e con altri stati della zona. Reagan convenne, e volle dire che la mia idea di non trascurare la Siria era stata coltivata e che era di quei giorni un caloroso messaggio indirizzatogli dal Presidente Assad. Raccomandai anche che la Forza multinazionale continuasse ad assicurare la protezione dei campi palestinesi, per evitare il rischio di nuovi eccidi a Sabra, Chatila e ovunque.

Ringraziai, poi, per l'importanza che gli Stati Uniti avevano accettato di dare all'imminente incontro di Stoccolma inviando il segretario di Stato, il che aveva fatto elevare il livello a tutti i trentacinque paesi. Reagan volle mettermi a parte del discorso televisivo che avrebbe fatto tre giorni dopo agli americani. Vi attribuiva molta importanza per chiarire con quale spirito l'America affrontava non solo la Conferenza di Stoccolma, ma, in senso lato, i problemi del disarmo e della sicurezza.

Lo ringraziai e riconobbi da parte mia che l'impostazione era eccellente, dato che le opinioni pubbliche e soprattutto i giovani hanno bisogno di ben comprendere a quali ideali di pace e di difesa si ispiri la democrazia americana. Mi auguravo che questo approccio preparasse un altro momento costruttivo della determinante presenza degli Stati Uniti sulla scena internazionale simile a quella realizzata a suo tempo da Nixon con l'apertura alla Cina senza mettere mai a repentaglio il dialogo con l'Unione Sovietica.

Anche il successivo colloquio al Dipartimento di Stato ebbe contenuti notevoli e si svolse in un clima di grande cordialità. Shultz riprese, approfondendolo, il tema della Conferenza di Stoccolma, accettando l'idea di mantenere stretto collegamento anche con i paesi neutri (Austria, Svizzera e Svezia) e non allineati (Iugoslavia). Per dimostrare che l'Occidente non si era affatto isolato e che, in mancanza di progressi negoziali, doveva per forza riarmarsi, Shultz mi ripeté che l'obiettivo del discorso presidenziale del lunedì successivo era proprio quello di delineare la cornice per la ripresa di un dialogo costruttivo con l'Est. Shultz ebbe la cortesia di dirmi che le osservazioni da me fattegli su Stoccolma in occasione del Consiglio Nato di dicembre lo avevano convinto ancora di più a sostenere presso il Presidente questa linea di *apertura nella fermezza*. Perciò quello di Reagan sarebbe stato a suo avviso « un quieto discorso centrato sulle prospettive delle relazioni americano-sovietiche ».

Sul tema del disarmo ritenni di attirare l'attenzione sulla sensibilità che si manifestava in alcuni paesi nordafricani e, in particolare, in Libia rispetto allo spiegamento dei missili in Sicilia, sensibilità sulla quale si poteva innestare una campagna di cui era bene tener conto per fornire, se possibile, adeguate risposte e per non compiere comunque atti polemici in un momento delicato.

Discutemmo di nuovo di Medio Oriente, insistendo sulla necessità di spingere Gemayel sulla via della riconciliazione nazionale: nonostante tutte le difficoltà, a me sembrava che le varie parti libanesi non avessero abbandonato l'obiettivo di un Libano indipendente e unificato.

Sugli aspetti più generali del Medio Oriente illustrai meglio a Shultz le impressioni riportate dai miei recenti viaggi laggiù.

Nel perseguire giustamente un miglioramento nel rapporto con la Siria, e possibilmente anche un rilancio del negoziato sui territori occupati, era importante non perdere quanto già acquisito, e cioè il rapporto di pace tra Egitto e Israele. Il segretario di Stato era dello stesso avviso e mi disse che Israele era quanto mai preoccupato della pace molto fredda che esisteva con l'Egitto. Lo scambio tra la restituzione del Sinai e la pace rischiava di dimostrarsi non producente per Israele e poteva quindi scoraggiare ulteriori passi. D'altra parte l'Egitto non poteva sbilanciarsi troppo — osservavo io — perché il disegno di Camp David si era arenato e il mondo arabo considerava Il Cairo responsabile dell'indebolimento globale. Occorreva pazientemente ricostruire la « comunione islamica » dell'Egitto; e Shultz fu interessato al preannuncio di mie visite al Cairo stesso, a Khartum, a Tripoli e in Arabia Saudita con Pertini.

Introdussi poi l'argomento Unesco. Sapevo che gli americani (ed anche altri paesi) vedevano criticamente l'operato del segretario generale Amadou-Mahtar M'Bow, ma la loro minacciata uscita avrebbe aggravato la crisi della istituzione, e non solo dal punto di vista del bilancio. Shultz mi rispose che la corda era stata tirata troppo e che ormai la decisione era presa. Mi avrebbe però inviato a Roma la loro rappresentante a Parigi per un esame analitico (conobbi così Jean Gerard, una pedina molto intelligente della diplomazia americana, che passò poi a reggere l'ambasciata statunitense a Lussemburgo). Non parlai invece, per non provocare illazioni errate, di un avvenimento per cui provavo intima gioia: la normalizzazione delle relazioni diplomatiche tra gli Stati Uniti e la Santa Sede. Finalmente.

Ripartii da Washington all'indomani, il giorno del mio sessantacinquesimo compleanno. Pensai che, se fossi stato uno degli ambasciatori che erano con me e rientravano anche essi molto soddisfatti (Bruno Bottai, Umberto La Rocca e Bartolomeo Attolico), sarei dovuto in quel giorno andare a riposo. Andavo invece a Stoccolma per la conferenza, al successo della quale la Farnesina non era stata certamente estranea.

La durezza di facciata del discorso sovietico non ridusse questa valutazione. Shultz ebbe il suo incontro con Gromyko ed essendo ripartito in fretta dalla Svezia mi informò per iscritto, il 19 gennaio, con una di quelle tante « Dear Giulio » che per il quinquennio successivo potrebbero da sole dare una immagine esatta della evoluzione internazionale. Shultz era dispiaciuto per il tono del discorso pubblico di Gromyko, in contrasto con il suo e con quello del Presidente Reagan, ma

> nonostante questo preludio ho trovato che l'incontro di cinque ore è stato utile [...]. Le nostre sostanziali differenze permangono specialmente per quanto riguarda la riduzione delle armi nucleari. Ciò nonostante, e in contrasto con la sua *public performance*, Gromyko è stato cautamente insistente nel discutere le future possibilità dei negoziati sulle armi chimiche, sulla ripresa dei colloqui Mbfr e in relazione alla stessa conferenza sul disarmo [...]. Io ho insistito sulla necessità di continuare fra noi un dialogo e *Gromyko ha concordato* [...]. Sono stato in un certo senso rincuorato dalla natura seria e approfondita di questo scambio di idee.

In febbraio assistetti Pertini in un incontro avvenuto con il vicepresidente Bush nella nostra ambasciata a Mosca in occasione del funerale di Andropov. Parlammo di un vertice, che ormai stava maturando, tra Usa e Urss; delle modalità del ripiegamento militare in corso nel Libano, che gli americani avevano deciso in tutta fretta e che noi non criticavamo, fiduciosi come siamo da sempre nelle iniziative diplomatiche e politiche. Era però necessario un intelligente coordinamento di queste iniziative. Spiegai che non si doveva considerare contraddittorio l'avviso che Israele dovesse liberare la parte di Libano occupato, ma che dovesse farlo *contestualmente* alla Siria, altrimenti il tutto sarebbe stato reso molto più difficile. Sapevo infatti che i circoli americani premevano su Israele anche per alleggerirne i forti carichi di bilancio.

Nell'incontro che in quella stessa occasione «funebre» il Presidente Pertini e io avemmo con Černenko, potemmo con piacere rilevare che la volontà di negoziare la riduzione degli armamenti sussisteva e che i missili di Comiso non erano di ostacolo al dialogo aperto e costruttivo anche tra i sovietici e noi.

Mi ero illuso dinanzi alla esterna bonarietà di Černenko e a un certo possibilismo nel colloquio con Gromyko che vi fossero ancora margini per evitare il loro boicottaggio alle Olimpiadi di Los Angeles. Il nuovo astro sovietico sembrava desideroso solo di terminare la liturgia delle udienze e riposarsi dopo il faticoso rito mortuario del mattino, e aveva accettato volentieri il suggerimento di Pertini di lasciare ai ministri degli Esteri i problemi. Anche in una visita successiva al Cremlino la porta sembrava ancora semiaperta, tanto da convenire che, se Reagan si fosse impegnato per iscritto alla protezione degli atleti sovietici, sarebbero stati superati i dubbi sulla loro incolumità (parlavano di minacce del Ku Klux Klan, ma in verità temevano le defezioni). Reagan scrisse subito la lettera, ma quando il presidente del Cio — già ambasciatore spagnolo a Mosca — si apprestava a partire per consegnarla, un secco comunicato dell'Urss annunciò la definitiva rinuncia ai Giochi 1984. Invano, anche per legittima curiosità, cercai di comprendere il motivo di questo rigurgito di ostilità; Gromyko sorrise quando glielo chiesi e minimizzò la portata. La «trasparenza» non era ancora arrivata; però, avendo poi constatato che l'effetto organizzativo delle Olimpiadi californiane era stato splendido anche con le assenze dell'Est, nel 1988 i sovietici furono tra i primi ad aderire ai Giochi di Seul, nonostante la reazione adirata della Corea del Nord, alla quale invano fu proposto un più che onorevole compromesso sportivo (con la possibilità di ospitare al Nord una o più gare).

Perché mi ero occupato con tanto impegno dell'andata dei sovietici a Los Angeles? Io credo che le Olimpiadi, con la grandissima attrazione delle opinioni pubbliche mondiali che si accresce a ogni quadriennio, rappresentino un fattore per contribuire alla distensione internazionale. Per questo ero stato tra coloro che si erano opposti nel 1980 alla pretesa americana di far disertare i Giochi di Mosca; e poiché il governo italiano di allora tentennava preoccupato, avevamo preparato in Parlamento un documento così concepito: «La Camera, ritenendo che la decisione della partecipazione alle Olimpiadi spetti esclusivamente alle sedi sportive, passa all'ordine del giorno». Tale testo avrebbe raccolto un grandissimo consenso, ma non vi fu bisogno di farlo votare. Fu il governo stesso a rimettere il bruciante cerino nelle mani del Comitato olimpico nazionale; e Franco Carraro resistette sapientemente anche a un finale tentativo contrario di qualche suo autorevole amico politico, preoccupato che gli americani considerassero la nostra presenza a Mosca come un gesto di... minore fedeltà occidentale.

Tornando al 1984, il problema dominante nelle cancellerie non erano le Olimpiadi, ma l'abile proposta di Mosca di un solenne trattato in cui tutti i paesi si impegnassero a rinunciare all'uso della forza per dirimere le controversie. Può darsi che fosse ingenuo e improduttivo un tale protocollo, ma dovevamo fare attenzione a non restituire a Mosca la bandiera della pace internazionale come ai tempi di Stalin e del primo Brežnev. Mosca aveva proposto anche un secondo negoziato per l'inibizione del primo uso dell'arma nucleare; e questo era impossibile accettarlo fino a che non fosse stato corretto l'enorme vantaggio dell'Est negli armamenti convenzionali. Era superabile l'abbinamento dei due trattati?

Invitato a Mosca, io avevo esplicitamente detto che insistere sull'abbinamento significava fare fallire l'intero disegno; e riportai dall'udienza di Černenko la convinzione che fosse possibile far procedere autonomamente i due esercizi diplomatici.

Lo comunicai a Shultz in un incontro a Bruxelles nel maggio, dove eravamo convenuti per la sessione primaverile della Nato. Shultz si mostrò interessato all'ipotesi — anche perché dovevamo farci carico dell'accoglienza psicologica delle proposte sovietiche tra le popolazioni dei paesi non allineati —, ma collegò la possibilità di discutere a Stoccolma del non uso della forza, che egli non escludeva, a una seria disponibilità sovietica a negoziare anche le proposte occidentali di rafforzamento della fiducia. In questo periodo di dure polemiche, l'Unione Sovietica stava mettendo alla prova l'Alleanza e bisognava dimostrare più che mai forza e coesione per superare il momento difficile senza far venir mai meno la disponibilità al dialogo.

Quel giorno parlammo anche della Polonia e illustrai a George il proposito dei Dieci della Comunità di fornire aiuti a un piano di ripresa dell'agricoltura polacca, autonomo dall'iniziativa statale, che la Chiesa da tempo stava cercando di varare e che anche Solidarność vedeva con favore. Shultz mi confermò che nell'incontro in Alaska fra il Papa e Reagan si era parlato di questa come di altre prospettive per migliorare la situazione in Polonia. Gli dissi che gli Stati Uniti dovevano riesaminare le misure di embargo commerciale tuttora vigenti verso quel paese e che riguardavano anche forniture di prodotti agricoli (cereali per l'alimentazione animale) forniti invece in abbondanza all'Unione Sovietica: il risultato era che i polacchi, per ora senza riuscirvi, sarebbero stati costretti a importarli tramite Mosca a prezzo maggiorato e accentuando la propria dipendenza economica dall'Urss.

Shultz, in vista dell'incontro della settimana successiva a Londra per il vertice dei Sette paesi industrializzati (scherzammo su questa serie continua di occasioni di nostri incontri), mi accennò a una idea americana di allargamento dell'uso della formula a sette, con riunioni nel corso d'anno dei ministri degli Esteri e di altri ministri per fare del summit un punto generale di impostazione e di verifica: tutto questo per armonizzare meglio la politica euro-americana con quella del Giappone. Notai — e le esperienze degli anni seguenti mi confermarono nella opinione — che l'importanza del summit più che nei discorsi stava nella pubblicità foto-televisiva dell'incontro. Per il resto, forse i contenuti dell'altro contatto organico con il Giappone (ogni primavera a Parigi nell'Organizzazione per lo sviluppo economico) erano più importanti; ma l'eco rimaneva ristretta entro un ambito di specializzati.

In vista delle Olimpiadi, interrotto il filo di speranza con Mosca, era rimasto il timore di atti di boicottaggio a opera di qualche fanatico. Samaranch me ne parlò e pensai che fosse utile un suo diretto rapporto con Shultz, che ne fu lieto e lo vide subito, informandomi del risultato.

> Caro Giulio, voglio darti notizie circa il mio incontro con il presidente del Cio Samaranch, che tu hai reso possibile. A mio avviso, l'incontro è stato positivo per tutti gli interessati. Samaranch era preoccupato per varie questioni, compresa l'inadeguatezza degli impianti di sicurezza. Non ho potuto essere pienamente d'accordo con lui su questo punto, sottolineando che non abbiamo alcuna informazione circa possibili imminenti incidenti. Tuttavia, ho assicurato Samaranch che saremo ansiosi di apprendere qualsiasi dettaglio dovesse venire a sua conoscenza. I nostri sforzi sono stati indirizzati alla prevenzione e ho sottolineato che preferiamo eccedere in questo settore piuttosto che trovarci impreparati. Abbiamo stanziato notevoli fondi e disporremo di più di 17.000 persone addette alla sicurezza.

Mi informava poi di aver dato a Samaranch una dichiarazione da inviare ai comitati nazionali per tranquillizzarli sia sulla sicurezza sia sul delicato problema delle eventuali richieste di asilo di atleti minorenni.

Samaranch aveva molto insistito perché accettassi il suo invito a Los Angeles, ma ero in dubbio in quanto quei giorni di agosto sono i soli destinati alla famiglia e a una breve sosta nella vita politico-ministeriale. Per questo ho sempre resistito al forte desiderio di andare a Saratoga nel momento — appunto in agosto — della sua affascinante stagione ippica. A farmi decidere fu una comunicazione personale del Presidente Reagan: mi avrebbe incontrato volentieri in California proprio in quel periodo. Moglie, figli e nipoti non avrebbero potuto eccepire sulla mia assenza, e così potei — anticipando di qualche giorno sull'udienza presidenziale — godere del magnifico spettacolo olimpico, arricchito da una affascinante cornice hollywoodiana e valorizzato da una esemplare gestione amministrativa.

Fedeli alla loro filosofia generale, avevano affidato in appalto tutta l'organizzazione a un gruppo privato, messo insieme da un medio operatore turistico che si assunse persino una parte degli oneri di lavori aeroportuali, il cui interesse andava ben oltre le Olimpiadi. Naturalmente, salvo i membri del Comitato olimpico internazionale e un ristrettissimo numero di ospiti del Cio (io ero tra questi), tutti dovevano pagare il biglietto di accesso alle gare, compreso il sindaco di Los Angeles, a eccezione delle cerimonie inaugurale e finale dove aveva un ruolo protocollare. I prezzi erano altissimi, ma con il loro sistema tributario molte imprese ne avevano acquistato lotti per i loro dipendenti portando la spesa in detrazione fiscale. Vi era poi una serie infinita di oggetti con la sigla dei Giochi: bambole, magliette, berretti, carte da gioco, accendini, bottoni. Le percentuali d'obbligo di questo massiccio movimento andavano ad aggiungersi per il Comitato agli incassi di botteghino. Conclusione: nessuna spesa a carico dei contribuenti, pagamento delle imposte e un buon utile per gli azionisti.

Ebbi la fortuna di assistere a entusiasmanti prestazioni agonistiche di italiani, vedendo più volte issare il tricolore e sentendo suonare il nostro inno. Penosa fu invece la partita dei calciatori azzurri contro la Iugoslavia. Mi rammaricai di essere andato quella sera a Pasadena e mi sentii quanto mai riconoscente per uomini come il pesista Alessandro Andrei, con la sua medaglia d'oro conquistata senza essersi mai sognato di avere i vantaggi degli sport ricchi, gareggianti non so con quanta coerenza con le massime eterne del barone De Coubertin.

Nella stupenda cerimonia di chiusura constatai qualche assurdità collettiva. Le delegazioni estere più applaudite furono la cinese — e passi — e quella romena. Si premiava, è chiaro, il dissenso da Mosca, ma mi sembravano esagerate le simpatie per paesi a struttura così diversa da quella caldeggiata dagli americani in tutte le sedi. Apprezzai però il civismo quando, nella rievocazione di tutte le Olimpiadi, nominate una a una, lo speaker arrivò a Mosca 1980: non vi fu un solo fischio o grido ostile. Da buoni sportivi molti come me pensavano all'amara delusione di tanti ragazzi sovietici, cecoslovacchi, tedeschi orientali che per anni si erano preparati con tante rinunce all'appuntamento californiano e avevano visto sciupata la lunga stagione di sacrifici. Era un aspetto su cui avevo richiamato, invano, Gromyko e Černenko.

Passai le serate — a eccezione di una — con gli oriundi italiani di California, apprezzandone più che mai la vivacità, il peso sociale, il prestigio scientifico. In assoluto non c'è competizione tra il *Nobel* Segrè, l'*Oscar* Rambaldi e Joe Di Maggio, ma a dipingere un quadro completo della nostra presenza giovano sia l'uno che gli altri, senza dire di tutte le posizioni intermedie.

Il 12 agosto fui ospite al Bonaventura Hotel a un grande banchetto della Italian Heritage Center Foundation, ma confesso che un invito che mi interessò non meno fu a casa di James Stewart che festeggiava i suoi trentacinque anni di matrimonio (nel settore i giubilei postnuziali sono rarissimi). Da Gregory Peck ad Audrey Hepburn, vi era il Gotha del mondo cinematografico. Il pranzo nel giardino era allietato da musiche, da intermezzi di celebri annunciatori delle televisioni e da auguri a ripetizione. Nella mia cronaca familiare, al ritorno, questa serata interessò molto di più dell'incontro con il Presidente degli Stati Uniti.

Con l'ambasciatore Petrignani fui anche a colazione con membri del Kitchen Cabinet di Reagan, che aveva in California una base solidissima. Davano per scontata la rielezione del Presidente in novembre e facevano già i piani per il ritorno di *Ron* in California agli inizi del 1989.

Partecipai anche a una colazione offertami da Franklin Murphy, direttore del «Times Mirror», e a una tavola rotonda sulle relazioni Usa-Europa-Urss presso la Rand Corporation di Santa Monica, con il direttore Arnold Horelick e con alcuni studiosi di questo importante centro di elaborazione politica (Abe Becker, Andrzey Korbonski, Don Rice, Jim Thomson, John van Oudanaren e Charlie Wolf).

E potei, altresì, fare una rapida visita al Museo di Paul Getty, invidiandone le risorse finanziarie, quasi illimitate.

Prima di recarmi a Los Angeles avevo fatto la già programmata seconda visita a Tripoli dopo quella per la Commissione mista. La collocazione dei missili a Comiso continuava a inquietare fortemente i libici che si vedevano come un potenziale bersaglio, tanto più che gli americani non tralasciavano occasione per esprimersi in un senso ostile alla repubblica gheddafiana, nonostante si dicesse che alle sue origini vi fossero appoggi e comprensione di interessi americani, colpiti da certe... larghezze di vedute petrolifere durante le ultime fasi della monarchia (ma la distinzione tra *governo* americano e *interessi* di americani più che per altri paesi valeva e vale per la Libia).

La propaganda sovietica dopo il dispiegamento dei missili europei occidentali era attivissima negli stati minori di tutto il Mediterraneo e li invitava ad allearsi con il Patto di Varsavia per fronteggiare la «prepotenza americana» che aveva messo ormai ai margini il ruolo dell'Onu e del suo Consiglio di sicurezza; e che era «tanto più perfida in quanto l'America era lontana e in caso di conflitto il primo impatto dannoso si sarebbe avuto su teatri europei o delle vicine coste».

Il mio ragionamento con i libici si sviluppò così. L'essere alleati con gli Usa non voleva dire che non li reputassimo capaci anche di errori; Grenada era un errore e lo avevamo condannato. Ma dividere il mondo in buoni e cattivi, dando a Mosca il certificato di bontà era già prima arbitrario, ma dopo l'invasione dell'Afghanistan non poteva davvero più evocare il rispetto per i non allineati. Del resto con chi si era alleata Mosca se non con gli americani per battere Hitler?

In quanto ai missili, se vi fossero stati solo quelli intercontinentali Usa-Urss, si sarebbe potuto ragionare diversamente. Ma era stata l'Unione Sovietica a installare negli ultimi anni una grande quantità di missili dalla gittata molto più vicina. Finché si trattava degli SS4 e 5 noi non avevamo reagito; ma gli SS20 avevano ben altra portata e non potevamo rimanere scoperti. L'Urss sapeva bene che se dichiarava disponibilità a smantellare questi missili noi avremmo annullato i nostri. Non cerchiamo che la parità deterrente. Ove i non allineati facessero blocco con Mosca, lo squilibrio politico si aggraverebbe e le tensioni crescerebbero. Il *non allineamento* vero di un gruppo di stati rappresenta un elemento di sicurezza collettivo. Del resto, l'Italia manteneva con l'Unione Sovietica rapporti leali e corretti; e lavoravamo fiduciosi per l'incontro Usa-Urss su tutti i piani, mirando al disarmo generale, che non poteva che essere graduale e controllato.

In quanto a Comiso, carta geografica alla mano, dimostravo che la gittata di quei missili era tale da poterli allarmare egualmente anche se fossero stati installati a Bolzano. Non vi era quindi alcun sottinteso antilibico nella scelta della costa siciliana.

I miei interlocutori (prima Jalloud e poi Gheddafi) non sembravano disposti a farsi convincere. Gli americani — dicevano — odiavano i libici; i missili in questione erano americani; era quindi naturale la reazione. E poco peso davano al rilievo che nessuna attrezzatura militare statunitense in Italia può essere usata senza il consenso del nostro governo. Continuavano a dire: «Noi vogliamo essere il paese più non allineato di tutti, ma lo si sta rendendo impossibile». E citavano frasi del generale Haig quando era al Dipartimento di Stato su una possibile guerra combattuta solo in terreno europeo (e si trattava — aggiungevano — di un ex comandante Nato).

Parlando del Libano si rammaricavano della presenza italiana e inglese a sostegno di una politica di vecchio (Francia) e nuovo (Usa) colonialismo interferente. Il popolo libanese è arabo e occorreva lasciare agli arabi la ricerca delle vie di rappacificazione interna. Bisognava piuttosto studiare grandi disegni di sviluppo economico generale, ispirato a criteri di giustizia. I tanti focolai di ribellione esistenti nel mondo non erano frutto di sobillazione libica o di altri, ma segno di non tollerabilità di condizioni di fame e di soffocamento.

Tralascio le mie risposte sugli indirizzi generali e il dialogo sui problemi bilaterali libico-italiani. Per il Libano dissi che noi eravamo là con il consenso del governo e su richiesta di Arafat dopo i massacri dei palestinesi a Sabra e Chatila. Il nostro ospedale era in Libano a disposizione di tutti; e ritirare i soldati senza che i palestinesi avessero una protezione dell'Onu (o anche di forze arabe di interposizione) sarebbe stato per loro un rischio enorme. Del resto non credevo, e lo dissi, che Reagan volesse andare alle elezioni del novembre con i suoi soldati ancora nell'area libanese.

Con Gheddafi trovai un occasionale punto di comprensione citandogli passi del suo Libro Verde che avevo studiato attentamente. Era esatto che nessuno è libero, se non è sua la casa (o la tenda) dove abita e il mezzo con cui si muove, ma ogni paese ha una economia diversa dagli altri, risorse o non risorse di base, popolazione eccedente o limitata. Era quindi necessario un intreccio di relazioni, anche bilaterali, in un quadro di pace negoziata tra tutti. Per consolidare la pace urgevano accordi di disarmo, superando le gravi disparità esistenti.

Si inserivano nelle sue risposte e interruzioni frequenti, demonizzazioni dei missili di Comiso, voluti — nella sua interpretazione — dagli israeliani in posizione antilibica. Tuttavia Gheddafi diceva chiaramente che anche i sovietici SS20 erano per loro motivo di preoccupazione.

A parte l'accenno critico di Gheddafi sugli SS20, non mi era sfuggita una sua frase sulla impossibilità che paesi *atei* potessero essere veramente amici di un paese che poneva come centrale il fatto religioso. E gli chiesi di volermi spiegare meglio, premettendo che io ero lì non per... vendere merce americana screditando quella sovietica. Il mio scopo era di tranquillizzare la Libia dopo Comiso e anche di consigliare il colonnello a non suscitare, con certi suoi discorsi incendiari, reazioni e timori che certo non giovavano alla sua nazione.

La parte finale del nostro incontro avvenne a due, con la sola presenza dell'interprete. Gheddafi si considerava vittima di una propaganda ostile, che era arrivata persino a inventare che un commando libico aveva forzato la frontiera statunitense per andare a uccidere Reagan (e un altro in Italia per assassinare Pertini!). Forse a dare esca a tale propaganda contribuivano anche quei fuorusciti che avevano lasciato la Libia non per motivi politici, ma carichi di soldi sottratti al popolo. L'America era una grande potenza ed era assurdo pensare che la Libia volesse attaccarla. Se vi era il rischio di un confronto dei suoi soldati con americani dipendeva non da sue spedizioni, ma dalla interferente «e inutile» presenza statunitense nel Libano. La Libia voleva costruire un proprio Stato forte e felice, non minacciando nessuno e volendo rimanere rigorosamente non allineata.

In verità — dissi — certi suoi discorsi ricorrenti sul proposito di *liberare* mezzo mondo suscitavano apprensioni ed erano parecchio diversi da queste considerazioni così sagge e moderate. Sia noi che gli americani non avevamo altro desiderio che far tornare i militari a casa, ma anche i paesi arabi avevano bisogno di maggiore dialogo e maggiore lealtà tra di loro, a cominciare dai rapporti tra la Libia e i suoi vicini. Noi avevamo sempre lavorato per rasserenare le relazioni tra i paesi arabi e gli Stati Uniti, per farle o iniziare o riprendere dove erano interrotte. E qualche buon passo avanti mi sembrava che con la Siria e l'Irak lo si stesse facendo.

Gheddafi mi disse che per più di un tramite aveva porto la mano agli Stati Uniti, ma sempre senza risultati. Poiché sarei andato la settimana successiva da Reagan (le cancellerie informano), mi pregò di fare anche io questo tentativo. E mi dette per il Presidente i suoi due libri verdi nell'edizione inglese, con dedica improvvisata.

La comunicazione orale riguardava la Sirte. Gheddafi offriva di rimettere la controversia a un lodo di arbitri imparziali scelti dallo stesso Reagan. In Libia — disse — non avevano giuristi di fama internazionale.

Al termine del mio colloquio con il Presidente Reagan, svoltosi nella grande suite dove alloggiava in Los Angeles, il portavoce informò che «il ministro degli Esteri Andreotti non è stato latore nel senso formale della parola di un messaggio, ma si è fatto portatore dell'interesse di Gheddafi di avere migliori rapporti con gli Stati Uniti. Il Presidente ha risposto che egli *considera benvenute le affermazioni libiche*, ma che si attende di vedere fatti concreti». Del Libro Verde avevamo convenuto allora di non parlarne, ma Reagan lo accolse volentieri e mi disse che lo avrebbe letto.

Fuori dalla Casa Bianca Reagan sembrava più sciolto e non si affidava solo alle schedine. Dopo essersi congratulato per le quattordici medaglie d'oro degli azzurri, si espresse in termini molto positivi per la serietà del nostro impegno internazionale a sostegno della comune politica di pace. «Se vi fossero dubbi in seno all'Alleanza — e in alcuni paesi» disse «dei dubbi sono affiorati, ma non in Italia — non potremmo parlare con i sovietici con tanta sicurezza.»

Si dichiarò fermamente convinto che Stati Uniti e Unione Sovietica dovessero trovare qualche base di accordo per ridurre la minaccia costituita dalle armi nucleari e dal loro incessante accumularsi. E mi chiese cosa personalmente pensassi delle intenzioni sovietiche, domandando a Shultz se mi aveva informato in dettaglio sulle proposte di Mosca (non solo lo aveva fatto quel giorno, ma mi aveva inviato una lettera confidenziale lo stesso giorno dell'iniziativa moscovita).

Risposi che probabilmente i sovietici non volevano permettere all'Amministrazione Reagan di cogliere un successo prima delle elezioni, ma che era sicuro che dopo le elezioni i sovietici sarebbero tornati al tavolo dei negoziati. Essi infatti avevano un obiettivo interesse all'apertura di una trattativa sul problema delle armi spaziali. «La vostra risposta» precisaï «è stata comunque molto utile e ha dato all'opinione pubblica la sensazione che gli Stati Uniti sono sinceramente desiderosi di trattare. È importante quindi che l'Amministrazione si mantenga su questa linea e continui a dare una costante e coerente dimostrazione — eventualmente anche attraverso un discorso dello stesso Reagan alle Nazioni Unite nel prossimo settembre — della disponibilità dell'Occidente alla trattativa e della volontà americana di perseguire tutte le possibili vie del negoziato. È del resto anche possibile» conclusi «che non vi sia ancora all'interno della dirigenza sovietica una chiara visione sulla linea da seguire nei confronti dell'Occidente.» Il Presidente Reagan si dichiarava d'accordo sulla mia valutazione.

Passando a parlare della questione delle mine che sarebbero state vaganti nel mar Rosso, riferii che il governo italiano aveva ricevuto una richiesta di aiuto da parte di quello egiziano per l'effettuazione delle operazioni di ricerca e di individuazione degli ordigni esplosivi. Il governo aveva deciso di investire della questione i competenti organi parlamentari, ai quali avrebbe proposto l'accettazione della richiesta del governo del Cairo, anche se sullo sfondo vi era parecchio mistero.

Ampliando il quadro del discorso, osservai che nella regione mediorientale rimanevano in piedi tutti i problemi derivanti dall'irrisolto nodo dei rapporti arabo-israeliani e che a questo punto occorreva compiere un nuovo tentativo per sbloccare la situazione. Forse era possibile cercare di ottenere dai paesi arabi un riconoscimento di Israele (con relative garanzie), il cui corrispettivo doveva essere naturalmente costituito da concrete concessioni per il futuro dei palestinesi. Anche leader arabi moderati, come Hussein e Mubarak, erano in difficoltà per il fatto che gli israeliani erano riusciti a impedire qualsiasi progresso per quanto riguardava una soluzione del problema dei palestinesi. Era sperabile che si riuscisse a formare in Israele un governo di coalizione che potesse rendere possibile la trattativa. Una soluzione del problema non poteva essere trovata su altra base che quella del riconoscimento simultaneo e reciproco delle due parti.

Reagan concordò pure su questo punto e sottolineò che era stata proprio questa la posizione che l'Amministrazione aveva sostenuto e che aveva anche incorporato nel proprio piano di pace per il Medio Oriente, sulla cui base, però, non era stato possibile finora compiere alcun progresso.

Circa la Libia riassunsi così la comunicazione di Gheddafi, precisando che lo facevo con convinzione, ma unicamente come un «fattorino postale», senza farmi delle illusioni circa un possibile, improvviso cambiamento di Gheddafi. Era un'apertura, e, se la si voleva *coltivare*, a mio avviso i frutti non sarebbero mancati e non avremmo più avuto i fatti tristissimi come l'uccisione della poliziotta britannica dinanzi l'ambasciata di Londra.

Le cose che Gheddafi mi aveva incaricato di dire erano essenzialmente due: 1. Gheddafi desiderava che Reagan sapesse che egli non è un comunista, che combatte il marxismo e che lo fa perché la sua religione, la sua dottrina filosofica, la sua visione del mondo lo portano a contrapporsi al materialismo marxista. Egli è, da questo punto di vista, dalla stessa parte degli Stati Uniti, nonostante tutta la diffidenza che questi nutrono per lui. 2. Gheddafi desidera avere un canale attraverso il quale comunicare con Reagan. Egli ritiene di non essere affatto compreso. Vuole essere un « non allineato » nel senso più pieno della parola: non vuole essere considerato un servitore degli Stati Uniti, ma non vuole neppure essere considerato un servitore di altri.

Prima di congedarmi parlai della riunione che i ministri degli Esteri dei Dieci tenevano in settembre in Costa Rica con quelli dei paesi del gruppo Contadora e dei cinque paesi dell'America centrale. Espressi il convincimento che i paesi europei debbono agire in armonia e concertazione con gli Stati Uniti, specialmente per quanto riguarda i problemi dell'America centrale, che è una regione che interessa gli Usa così da vicino. Per quanto si riferisce in particolare al Salvador, dopo aver notato che il Congresso americano aveva approvato proprio in quei giorni lo stanziamento di ulteriori fondi a suo favore, dichiarai che anche da parte italiana ci si proponeva di concedere a esso importanti aiuti economici, allo scopo di assistere Duarte nella difficile opera da lui intrapresa per il ripristino e il consolidamento della democrazia salvadoregna. Il Presidente Reagan dimostrò vivo apprezzamento per l'intenzione di contribuire così alla stabilizzazione del Salvador. E ne fui lieto perché qualche anno prima — terribile potere delle schedine degli uffici — al mio elogio di Duarte aveva opposto che era un eccessivo nazionalizzatore e che si riprometteva di distruggere, così, il sistema bancario e il commercio del caffè. Avevo raccomandato allora di fare approfondire meglio le valutazioni.

Tra le molte volte, in cui ho avuto l'occasione di essere intrattenuto da Reagan, questa fu la più significativa. Forse era l'ambiente; forse la sua euforia per il massiccio successo americano nelle Olimpiadi: pensai che la Casa Bianca gli andava un po' stretta, ma vi sarebbe stato certamente di lì a poco riconfermato.

20

LAUREATO NELL'INDIANA

Le elezioni di novembre avevano riconfermato la presidenza Reagan e fui lieto che George Shultz restasse al suo posto, avendo ormai instaurato con lui un rapporto molto corrente e produttivo (nel ringraziarmi per le congratulazioni mi assicurava di «esser felice di continuare *our close cooperative relationship*»).

Dopo Los Angeles lo avevo incontrato altre due volte, a New York il 2 ottobre e il 14 dicembre a Bruxelles, dove lo avevo ragguagliato sulla visita che stavo per compiere in Polonia e gli avevo espresso — dopo contatti diretti con Riyadh, Il Cairo, Algeri e Tunisi — il mio avviso su una progressiva moderazione dei paesi arabi, della quale dovevamo tempestivamente valutare le possibili implicazioni positive.

Ma, a parte i colloqui, intenso era stato lungo tutto l'anno 1984 il nostro carteggio. Cito solo alcuni messaggi.

In febbraio, essendo stato ucciso in Roma l'ambasciatore Leamon Hunt (uffici del controllo della pace nel Sinai), scriveva con fierezza: «I vili che escono dall'ombra per attaccarci non prevarranno». Il 27 marzo, dopo una visita a Washington del presidente egiziano Mubarak: «Noi abbiamo ripetutamente espresso la nostra disponibilità a intraprendere un dialogo concreto con l'Olp se essa aderisce ai termini che noi proponiamo: accettazione delle risoluzioni 242 e 338 del Consiglio di sicurezza e riconoscimento del diritto di Israele a esistere». Il 3 maggio: «Mentre il Presidente è sulla via del ritorno in patria desidero far parte di alcune impressioni immediate su quella che io considero una visita in Cina molto positiva. Naturalmente vi metteremo al corrente in dettaglio attraverso i normali canali, ma ho voluto inviare subito la mia valutazione personale. La visita è stata un successo».

1° giugno: «Mentre è ancora fresco il ricordo della nostra riunione ministeriale desidero dirti di avere trovato molto utili le nostre discussioni, sia qui a Washington che a Wye. Simili scambi diretti, senza documenti formali o discorsi sono il mezzo migliore che io conosca per raggiungere una vera comprensione degli affari internazionali. Spero che simili opportunità possano ulteriormente incrementarsi. Arrivederci a Londra». Il 6 luglio: «So che hai seguito da vicino gli scambi di vedute che abbiamo avuto la settimana scorsa con l'Urss sul controllo degli armamenti nello spazio. La reazione sovietica sulla correlazione con la discussione sulle armi nucleari di offesa è stata sinora negativa, ma non definitiva. L'incontro previsto per il settembre rimane».

29 agosto: «Il fatto che l'Italia mantenga discreti contatti con vari elementi della comunità palestinese può essere utile. Così come in altre aree di delicata diplomazia gli sforzi italiani sono per noi importanti e noi speriamo che questa cooperazione continui».

10 settembre: «Alla vigilia del vostro incontro europeo a San José desidero esporti, come alleato particolarmente stretto agli Stati Uniti, alcune delle nostre maggiori preoccupazioni».

5 ottobre: «Le quasi nove ore di discussione con Gromyko ci hanno offerto l'occasione di far presente in tutta sincerità l'interesse del Presidente a un dialogo Est-Ovest *più stabile e produttivo* [...]. Le discussioni non hanno rivelato alcun rilevante spostamento sostanziale da parte di Gromyko, ma hanno indicato un interesse da parte sovietica a *continuare* il nostro dialogo e forse a esplorare cautamente i modi in cui tale dialogo possa essere arricchito».

13 novembre: «Non condividiamo l'ottimismo di re Hassan che dal loro trattato di unione con la Libia possa derivare una concreta moderazione nel comportamento militare. Gheddafi conosce bene la posizione del governo americano: se la Libia abbandona la sua politica di appoggio al terrorismo e alla destabilizzazione di altri paesi ci renderemo conto che tali cambiamenti si sono in realtà verificati e saremo disponibili per discutere la possibilità di un miglioramento del-

le nostre relazioni bilaterali [...]. Tengo in grande considerazione la continuazione dei nostri scambi di vedute su questi argomenti».

Dell'ottimo clima esistente con il governo degli Stati Uniti avevo avuto, del resto, un riscontro importante ricevendo a Roma il 17 novembre una delegazione di *congressmen* presieduta da Dante Fascell, l'autorevole democratico della Florida, che attualmente presiede il Comitato esteri. Conobbi nell'occasione qualche nuovo collega parlamentare: Jack Brooks e Ronald Coleman del Texas, Lee Hamilton dell'Indiana, George Whitehurst della Virginia, Eldon Rudd dell'Arizona, Gerald Solomon di New York. Non ponevano più domande sulla tenuta della democrazia italiana ed erano prodighi di elogi per la nostra coerenza internazionale.

Anche da Vernon Walters, che venne a metà dicembre, sentii commenti molto distesi. Parlammo degli aiuti all'Etiopia, che era giusto dare, ma bisognava evitare che la distribuzione all'interno fosse fatta da velivoli con la Stella Rossa. È vero che sui sacchi vi era scritto Usa, ma quelli che sanno leggere non sono molti. Vernon mi disse che era stanco di fare l'ambasciatore volante, con una media di mille chilometri di viaggio ogni giorno; prevedeva di essere destinato alle Nazioni Unite o in Germania federale (l'una dopo l'altra ha avuto ambedue le sedi).

Agli inizi del 1985 erano mature le condizioni per un nuovo viaggio negli Usa del governo italiano, che fu preparato bene, ma senza difficoltà, data l'atmosfera politica esistente (con un certo favore laggiù — una volta accertato che i socialisti non erano antimilitari — per la collaborazione tra gli stessi socialisti e democristiani, avendo l'abitudine i minutanti del *desk* Italia al Dipartimento di Stato di ripetere spesso nelle loro note che nel 1922 un tale tipo di collaborazione avrebbe risparmiato all'Europa il fascismo).

Anche la data fu fissata con cortesia per permettere a Craxi di arrivarvi direttamente dal Sudamerica, dove si recava per l'insediamento presidenziale di Julio Maria Sanguinetti in Uruguay. Furono, il 5 e il 6, due giornate intense.

Alla Casa Bianca andammo dopo un incontro con Shultz dedicato alla preparazione del Vertice di Bonn e a un aggiornamento sull'America centrale. Il tema principale fu lo scudo spaziale, sciaguratamente battezzato dalla stampa come «Guerre stellari». Reagan espose la sua tesi che si trattava per ora solo di ricerche e di studi e che, se si fosse arrivati alla soglia di un'autentica *difesa* antimissilistica, gli Stati Uniti si sarebbero fermati, offrendo all'Urss l'alternativa tra negoziare subito uno smantellamento bilaterale massiccio o crearsi un sistema difensivo analogo per il quale si sarebbe lasciato loro il tempo tecnicamente necessario. Reagan ne parlava con intima convinzione e se la seconda ipotesi a prima vista poteva sembrare paradossale, non era così; perché gli Stati Uniti quando, per parecchi anni del dopoguerra, avevano da soli l'arma nucleare non ne avevano approfittato per mettere alle corde l'avversario; e vi era inoltre la convinzione che l'Urss avrebbe acceduto al negoziato per evitare di dover dissanguare le proprie risorse in una costosissima impresa concorrenziale di questo genere.

Agli alleati l'Amministrazione Reagan chiedeva una adesione, credo più che altro per superare gli ostacoli nel Congresso, mentre sul piano scientifico era Shultz a spiegare perché secondo loro non si potevano mettere limiti governativi alle ricerche. E si offriva all'Europa una grande occasione (miei vecchi amici del Pentagono mi dicevano che non era così) per far avanzare congiuntamente all'America la sua tecnologia, con ricadute ben oltre l'ambito militare.

Circa l'America latina mi colpì l'enfasi con la quale Reagan escludeva, quasi sdegnato, l'idea di un loro intervento armato in Nicaragua. Più cauto Shultz diceva, pur non smentendolo, che una seconda Cuba non sarebbe stata tollerabile nell'area. Ed era quindi utile che gli europei agissero presso Managua per un ripristino di libertà democratiche.

Per il Medio Oriente dovemmo purtroppo constatare che non vi erano novità, mentre spazio ampio fu dedicato — anche nel corso della colazione alla Casa Bianca — al commercio internazionale (in vista del nuovo negoziato Gatt) e alle misure da adottare contro il traffico della droga.

Analisi più approfondite vennero fatte incontrandoci con il segretario al Commercio Malcolm Baldrige, all'Agricoltura John Block, con l'*attorney general* Edwin Meese, con il segretario al Tesoro James Baker. Io vidi pure il presidente della Banca mondiale, Alden Klausen, per coordinare il lavoro della nostra cooperazione allo sviluppo nel Terzo Mondo, anche con consulenti italiani presso la Banca.

Ascoltammo con specifico interesse le informazioni sui posti di lavoro. Per quanto concerne l'esperienza americana, dei ventidue milioni di posti di lavoro creati negli Stati Uniti negli ultimi dieci anni, due terzi sono stati creati dalle piccole-medio industrie e nove su dieci dei posti stessi sono nelle aziende che impegnano meno di cento persone, mentre le grandi aziende non ne hanno creato nessuno. Inoltre, oltre due terzi di posti di lavoro sono stati creati nel settore dei cosiddetti «servizi», mentre la metà della «tecnologia avanzata» è stata prodotta, anche essa, nelle piccole aziende piuttosto che nelle grandi. Sulla base della esperienza compiuta da noi, ci disse Baldrige, dovrebbe essere interessante analizzare, con priorità, come possa essere stimolata la imprenditorialità delle piccole aziende.

Ci ripromettemmo di farne tesoro, ma pensavo a una contraddizione: delle migliaia di oggetti che avevo visto vendere a Los Angeles nemmeno uno era di produzione americana. Quasi tutto veniva da Taiwan e dalla Corea.

La grande novità rispetto al protocollo abituale di queste visite fu l'invito a Craxi perché tenesse un discorso alle due Camere riunite. Lo avevano promosso ben cinquanta senatori e centocinquanta deputati e la Casa Bianca lo aveva caldeggiato. Fu un successo.

Diversi membri del Congresso vennero a chiedermi a che punto era il negoziato per l'ingresso nella Cee di Spagna e Portogallo. I più erano favorevolmente interessati all'aspetto politico. Qualcuno era preoccupato per la concorrenza nel commercio degli agrumi. Sul momento non valutai queste riserve, ma più tardi — a negoziato faticosamente ma in modo brillante concluso — dovetti registrare delle sproporzionate reazioni mercantili americane. E quando le contestai mi risposero che i problemi politici e quelli commerciali seguono binari diversi e separati.

A vivificare il programma di Washington ci fu anche, in uno dei teatri del Kennedy Center, la presentazione — in sintesi, rispetto alla EPIC SIX HOURS MINI-SERIES — del film su Cristoforo Colombo diretto da Alberto Lattuada, interpretato da Gabriel Byrne, Rossano Brazzi, Virna Lisi, Oliver Reed e Raf Vallone.

Nonostante i generali elogi e gli applausi, fui poco fortunato perché avevo come vicino un pedante che mi faceva le più strane domande, a cominciare se esistessero davvero gli impermeabili ai tempi di Colombo. Cercai invano di rinviarlo, per indiscussa competenza colombiana, a Paolo Emilio Taviani.

Con Shultz mi incontrai di nuovo il 15 maggio a Vienna, dove si concludeva la Conferenza europea. Aveva visto Gromyko anche questa volta per sei ore, ma senza fare passi avanti; si pensava che Gorbaciov stesse ancora elaborando la strategia sovietica. Shultz riassunse così il suo pensiero sul momento Est-Ovest:

Elementi positivi. Il fatto che il nuovo mandato del Presidente Reagan fosse ai suoi inizi e che da parte americana si fosse elaborato un approccio globale articolato e completo ai problemi del disarmo; il fatto che in parallelo si stesse affermando al Cremlino un dirigente più giovane, il quale aveva molto tempo avanti a sé.
Elementi negativi. Episodi imprevedibili, quali la recente uccisione nella Germania orientale di un ufficiale americano, nonché la dialettica fra Usa e Urss sui diritti umani, sul problema del sistema di difesa spaziale e infine sul tema della riconciliazione con il popolo tedesco.

Shultz mi pregò di ricevere due giorni dopo a Roma il suo ambasciatore volante Richard Murphy, reduce dal Medio Oriente, per farmi riferire in dettaglio sulla missione che lo stesso Shultz stava disegnando. In sintesi Murphy mi chiarì il loro pensiero: gli Stati Uniti non possono volere la pace più di quanto la vogliano le parti direttamente coinvolte, ma una volta che le cose fossero mature, gli americani sarebbero stati pronti a dare il loro apporto.

Il Presidente Reagan aveva autorizzato Murphy, durante la sua missione in aprile, ad avere un incontro con una delegazione giordano-palestinese. Ma l'Olp aveva esitato e non aveva consentito che autorevoli esponenti palestinesi, non direttamente membri della stessa Olp, si sedessero a un tavolo con gli americani e i giordani. Da parte americana, se la visita di re Hussein alla Casa Bianca avesse avuto gli sviluppi che auspicavano, si pensava di tornare a promuovere l'iniziativa di un incontro di un rappresentante degli Stati Uniti con una delegazione giordano-palestinese.

Murphy è dotato di una grande sensibilità, ma ebbi la sensazione che non potesse svolgere tutta l'azione che personalmente avrebbe voluto. Glielo dissi e probabilmente lo riferì a George, che mi inviò il 31 maggio una lunga lettera per assicurarmi che non demordevano dal cercar soluzioni. «Ti prego di riflettere a tua volta su cosa può fare il tuo governo per assecondare un valido procedimento. È mia intenzione rimanere in stretto contatto con te per esaminare gli sviluppi e per scambiare idee su come possiamo tradurre le promesse del presente nella realtà del futuro».

Un viaggio lampo negli Stati Uniti lo feci per andare a ricevere a South Bend (Indiana) una laurea in diritto, nella Notre Dame University, il prestigioso «regno» del Magnifico Rettore padre Theodore Hesburgh. Compagni del beneficio onorifico nella circostanza furono Napoleón Duarte e il deputato del Kentucky Romano Mazzoli. È il solo ateneo americano, se non ero male informato, che ha una cattedra di *diritto europeo* e presi da questo lo spunto per il mio discorsetto ai pazienti studenti di questo bellissimo centro di studi.

Cittadini americani furono presi in ostaggio da gruppi armati sciiti, pare per reagire al trasferimento di prigionieri islamici catturati in Libano e trasferiti in Israele. Gli Stati Uniti non erano stati favorevoli all'iniziativa israeliana, ma non avevano potuto impedirla. Reagan incaricò Bush di coordinare l'azione contro il terrorismo, specie quello aereo. Il vicepresidente venne anche a Roma, offrendo e chiedendo ampia collaborazione. Gli americani, in una sorta di graduatoria di responsabilità in proposito, mettevano in primo luogo l'Iran e la Libia, con minor caratura la Siria e l'Unione Sovietica. Ma il problema — secondo noi — era anche politico. Le situazioni stagnavano.

Craxi disse a Bush di essere convinto che da tempo Arafat aveva scelto la opzione negoziale, ma che non aveva potuto sinora compiere tutti i gesti conseguenti per la mancanza di segnali chiari da parte di Israele.

Da parte mia, avendo Bush detto che Gorbaciov era impegnato a ridisegnare una mappa del potere nell'Unione Sovietica, convenni e suggerii l'opportunità che nel discorso che Shultz avrebbe fatto alla cerimonia del Decennale di Helsinki si tenesse conto che i sovietici miravano a spostare l'attenzione dai diritti individuali ai diritti sociali. A Ottawa questo tentativo era apparso chiaramente dalla insistenza dei sovietici a prefigurare una tutela degli uomini nei grandi obiettivi quali la pace, la salute, l'occupazione... Tutti gli stati sono preoccupati di salvaguardare e perseguire questi obiettivi, ma ciò non significava passare sotto silenzio quelli che per gli occidentali sono i diritti civili e politici dell'individuo. I sovietici tendevano poi ad accreditare l'altro concetto che gli Stati Uniti e in genere il mondo occidentale, costringendo l'Unione Sovietica al riarmo per la propria sicurezza, miravano di fatto a ostacolare il processo di sviluppo economico che Mosca aveva in programma di compiere. In tal senso i paesi occidentali venivano a essere rappresentati come nemici del progresso socio-economico in Unione Sovietica. Bush riconobbe la validità di queste argomentazioni e disse che ne avrebbe parlato a Shultz. Rientrato a Washington mi scrisse, al di fuori delle abitudini protocollari, una lettera personale per ringraziare anche me del lavoro svolto per rendere la sua visita « such a success ».

Il 3 luglio Shultz mi preavvertì che stava per essere comunicata a Mosca e Washington la data dell'incontro Reagan-Gorbaciov: 19 o 20 novembre a Ginevra. E disse che dovevamo lavorare insieme per prepararlo. Qualche giorno dopo mi scrisse per rallegrarsi del nostro semestre di presidenza della Cee e del contributo dato alla «realizzazione del nostro scopo comune di *close cooperation and broad partnership*».

Questo apprezzamento mi compensava per le amarezze degli squilli di contrasti per gli agrumi spagnoli e per le noccioline californiane, di cui credo che anche l'ambasciatore Maxwell Rabb non ne potesse più di sentir parlare.

Ci vedemmo durante l'Assemblea generale dell'Onu (io parlai il 25 settembre, dopo Mubarak; ripetei da quella tribuna che non si poteva non coinvolgere la Siria) e accennai a Shultz quanto mi aveva detto poco prima Ševardnadze: «Io sono per natura ottimista, ma in questo momento non ho elementi per esserlo. Ci prepariamo però con molta cura ai prossimi incontri e ci auguriamo che essi diano risultati».

Quando lo salutai, con un arrivederci presto, non potevo immaginare che stava per esplodere una terribile mina nei rapporti Italia-Usa.

21

L'«ACHILLE LAURO»

Al brillante comandante Achille Lauro la notorietà extrapartenopea che non ebbe in vita — perse l'occasione nel luglio del 1953, non salvando l'ultimo governo di De Gasperi — gli venne molti anni dopo per un fattaccio di terrorismo internazionale accaduto sulla nave passeggeri che porta il suo nome.

Curiosità della storia. Per giustificare la sua tiepidezza verso De Gasperi, disse che se un uomo a settanta anni suonati non era riuscito a divenire ricco ciò significava che valeva poco. Ma l'ingente patrimonio del defunto leader monarchico era andato presto in dissoluzione e la flotta in quell'autunno del 1985 era amministrata da un commissario governativo. Così sfumano le glorie materiali.

La sera del 7 ottobre 1985 stavo ricevendo l'ambasciatore di Spagna, latore degli strumenti di ratifica della loro entrata nella Comunità europea, e ascoltavo accenti di rinnovata gratitudine per il decisivo ruolo avuto dalla presidenza semestrale italiana, quando mi fu recapitato un dispaccio urgente dalla nostra ambasciata di Stoccolma. Un radioamatore aveva captato un messaggio della *Achille Lauro* che annunciava il dirottamento a opera di un commando palestinese.

Di per sé non c'era da allarmarsi, perché sono frequenti in proposito errori di captazione, espressioni a doppia lettura (il nemico è alle porte può significare anche che un marito è uscito di casa e la via è libera) e, non di rado, anche qualche scherzo di burloni. Ma il particolare dei palestinesi era inquietante. Eravamo appena usciti da un dibattito parlamentare nel quale avevamo dovuto commentare duramente un bombardamento israeliano che aveva provocato a Tunisi una vera strage nel quartiere centrale dell'Olp. Qualcuno aveva

177

ritenuto eccessiva la nostra condanna, ma forse si sarebbe ricreduto se avessi riferito la frase di un esponente di Tel Aviv a cui avevo fatto rilevare, oltre tutto, la sproporzione della rappresaglia: più di settanta civili assassinati per tre vittime israeliane in un attentato a Larnaca. Si erano spinti molto oltre l'occhio per occhio e dente per dente. «Non possiamo mica andarci tutti i giorni» mi aveva risposto.

L'ipotesi di una vendetta a spirale poteva quindi esser valida e cercai subito di aver chiarimenti. Con la nave non si riusciva a entrare in contatto. Cercammo Arafat in Tunisia e si dichiarò estraneo e ignaro.

Poco prima delle 22 venne la conferma dalla nostra rappresentanza in Egitto. Il piroscafo aveva lasciato Alessandria, dove la maggior parte dei viaggiatori era scesa per percorrere via terra il tratto verso Il Cairo, ed era stato catturato da un gruppo — sembrava fossero dodici — di abbordatori. Via radio chiedevano agli egiziani di render noto l'*avvenimento* e di domandare ad altri paesi arabi la facoltà di ormeggio; nel frattempo stavano separando i passeggeri per nazionalità, con l'intento di uccidere gli appartenenti alle nazioni meno amiche. In che punto esatto fosse la nave non lo si sapeva.

Telefonai al ministro egiziano di Stato Boutros Ghali ottenendo la certezza della massima collaborazione, che contemporaneamente il ministro della Difesa stava assicurando al nostro ambasciatore Giovanni Migliuolo. Attivammo anche Tunisi, Riyadh e Aden, informando intanto il Quirinale e Palazzo Chigi. A fronteggiare dirottamenti arabi eravamo più o meno preparati, anche se in un caso, al mio ordine di non far ripartire dalla Sicilia il pirata, si era risposto che già il prefetto aveva dato *motu proprio* il permesso. Una nave sequestrata però era una novità e nella nostra Pubblica Amministrazione quando manca un precedente siamo ai verbi difettivi. Ce ne eravamo accorti il 16 marzo del 1978 quando rapirono Aldo Moro. Tuttavia l'unità di crisi fu organizzata subito per i contatti esteri, per le notizie alle famiglie e (Spadolini) per approntare eventuali interventi militari.

In breve fummo in condizione di vedere un po' più chiaro, comparando i dati forniti a Roma dal commissario della azienda Lauro — figlio del compianto Willi De Luca della Rai-Tv — con quelli che ci trasmise Migliuolo a seguito di rilievi emersi in una riunione di governo al Cairo. Il personale di bordo ammontava a circa 370 unità, di cui solo 8 accompagnavano la comitiva dei pullman, composta, secondo gli egiziani, da 676 passeggeri. Sulla nave, che si *riteneva* fosse a quaranta miglia al largo di Port Said, i passeggeri dovevano essere pochi, forse soltanto 8. Poco dopo il rappresentante a Genova della Flotta Lauro informò invece che i passeggeri sequestrati sarebbero stati 60 — più tardi ci si disse 80 — di cui 20 americani. Nell'insieme i gitanti erano di molte nazionalità con una prevalenza di austriaci, francesi e svizzeri.

Non so in base a quali elementi potesse farlo, ma a mezzanotte il primo ministro egiziano disse a Migliuolo che dovevamo star tranquilli perché all'indomani tutto si sarebbe risolto. I pirati, che in un primo tempo avevano accennato a loro prigionieri in mani israeliane da liberare, in un ultimo messaggio sembrava avessero invece parlato di 50 palestinesi carcerati in Italia.

Craxi convocò in nottata una riunione di emergenza alla quale potei fornire i suddetti dati. Spadolini e i capi militari (generale Bartolucci, generale Giannattasio e ammiraglio Martini) ci illustrarono le iniziative operative che avrebbero potuto attuare nel caso di fallimento dei buoni uffici del Cairo e di quelli promessi da Arafat, il quale ribadiva l'estraneità dell'Olp come tale dal gesto criminoso. A ogni buon fine il rappresentante dell'Olp in Egitto si era messo a piena disposizione.

In noi era ferma la decisione di pretendere una resa senza condizioni. Due aerei da trasporto e quattro elicotteri si spostarono da Pisa a Gioia del Colle per essere pronti ad agire. Gli inglesi dettero subito il permesso di scalo nella loro base di Cipro. Anche i greci autorizzarono l'uso degli aeroporti di Rodi e di Atene.

Fino all'alba e oltre i telefoni del ministero impazzirono. Da Napoli (un buon numero dei marittimi era di Torre del Greco) giungevano quesiti angosciosi, ma anche da Vienna, da Berna, da Parigi e persino da Johannesburg gli interrogativi delle famiglie erano non meno allarmati. Confidando sull'autorità del governo egiziano, cercavamo di indurre alla calma e all'ottimismo, ma non eravamo certo convinti in assoluto.

Un po' più precisi potemmo essere alle 4 del mattino, attraverso i dati dei passeggeri risultanti in trasferimento verso Il Cairo via terra: 221 austriaci, 80 tedeschi, 72 americani, 71 svizzeri, 42 francesi, 20 inglesi, 15 danesi, 11 belgi, 10 sudafricani, 2 argentini, cileni, peruviani, un greco e un norvegese. I turisti italiani risultavano 83.

Ancora nella tarda mattina di martedì la nave non era stata localizzata, salvo un generico riferimento a «rotta nord»; e io non potevo non riflettere con sorpresa ai tanti briefing cui avevo assistito da ministro della Difesa e nei quali ci informavano come ogni metro di terra, di cielo e di mare fosse sotto controllo ventiquattro ore su ventiquattro con prodigiosi mezzi di rilevazione. Il Centro di Roma aveva captato un messaggio radio del comandante della *Lauro*, Gerardo De Rosa, che notificava la richiesta dei sequestratori di liberazione di 50 detenuti in Israele del gruppo del «famous man of Naharia». I nostri esperti, a parte l'uso della lingua inglese, che poteva essere stato imposto dai palestinesi per loro comprensione, erano molto scettici sulla autenticità del messaggio.

La linea che elaborammo con i miei collaboratori era semplice: constatato che Arafat si dissociava e collaborava, occorreva accertare se i palestinesi classificati pro-siriani fossero disposti ad assumere la stessa posizione. In questo caso l'isolamento politico del commando avrebbe costituito l'arma più forte per farlo arrendere.

Monsignor Capucci — il vescovo di Gerusalemme in domicilio obbligato a Roma dopo le note peripezie (grazia concessagli in Israele dopo la condanna per trasporto di armi), conoscitore *super partes* dell'universo palestinese — venne a mettersi a disposizione. Al commando intanto veniva data (fonte Olp) una paternità: i dissidenti Talat Yacoub e Abdel Fatah Lahem, che sarebbero usciti da Beirut. Arafat ripeté per la terza volta, in un comunicato stampa, che «l'Olp condanna vigorosamente l'operazione contro la *Achille Lauro* con la quale nulla ha a che fare». A spingerlo a questa presa di posizione pubblica era stato un nostro invito, sollecitato da Washington. Gli americani lo avevano richiesto all'ambasciatore Petrignani. Arafat ci avvertì anche di avere inviato al Cairo, per coadiuvare, due dirigenti qualificati: Hani al Hassan e Muhamad Abbas.

Poco dopo mezzogiorno Migliuolo ci avvertì che gli egiziani avevano individuato la posizione della nave a otto miglia al largo del porto siriano di Tartus. Cinque minuti dopo avemmo conferma dal ministero degli Esteri di Damasco: i dirottatori chiedevano di poter attraccare e domandavano un contatto entro poche ore con gli ambasciatori italiano e statunitense. La Siria non aveva aderito alla richiesta «anche per marcare la loro condanna dell'impresa delittuosa», ma erano disposti a farlo se i due governi interessati lo avessero richiesto per iniziare una trattativa.

L'estrema difficoltà di una operazione di abbordaggio di una nave in navigazione rendeva più che auspicabile averla ferma in un porto. Naturalmente senza alcuna propensione a baratti, salvo forse il simbolico rilascio del diciannovenne palestinese Kalas Muhamad Abnam Zay Nab, arrestato a Genova nel giugno precedente con la sola imputazione di doppio passaporto.

Ci trovammo tutti concordi in quésto e io mi collegai con il ministro degli Esteri siriano Shara, già ambasciatore a Roma, che era in visita a Praga. Al telefono venne lo stesso presidente Assad, che mi disse: 1. la Siria ha già condannato anche pubblicamente il dirottamento; 2. poteva garantire che nessun gruppo direttamente o indirettamente collegato con Damasco ne era l'artefice o comunque responsabile; 3. ignorando chi fossero gli autori, non era in grado di darci consigli; ma suggeriva di non opporsi a un contatto impostandolo su un piano umanitario; 4. era pronto a darci collaborazione e ci esprimeva piena solidarietà.

In queste condizioni sarebbe stato ancora più logico far attraccare l'*Achille Lauro*; e così avevamo comunicato alla nostra ambasciata. Ma purtroppo gli americani furono di diverso avviso — comunicandolo direttamente a Damasco — e Craxi dovette prenderne atto.

Comprendevo lo stato d'animo inquieto di Washington, dove ancora non era rimarginata la umiliante ferita dei sequestrati di Teheran ed era aperta quella dei rapiti nel Libano; ma confidare in una operazione navale, impedendo la ben più sicura, per noi, entrata in porto fu un errore. Del resto a Carter era costato caro il rifiuto al più che onorevole contatto, di cui ero venuto io a essere latore, con gli avvocati parigini di Khomeini. Rabb venne a dirci che era ormai sicuro che due americani erano già stati uccisi a bordo (mentre l'ambasciatore degli Stati Uniti a Damasco dubitava che fosse vero) e informò che il National Security Council aveva fissato per l'indomani il termine ultimo per un intervento *manu militari*, pronti a farlo anche da soli in caso di divergenza sulla sua necessità.

Può ritenersi — ma a che serve? — che se la nave fosse entrata nelle acque di Tartus si sarebbe evitato anche l'assassinio che fu consumato in quelle ore. Tra l'altro sarebbe stato possibile constatare che i pirati erano esattamente quattro, con facili conseguenze in proposito. Comunque la pretesa americana era inaccettabile e Craxi fu molto fermo. La nave era *italiana* e noi stessi non escludevamo davvero come *extrema ratio* l'abbordaggio, ma non prima di aver ricercato vie d'uscita incruente, tenuto anche conto dell'alto rischio di vite umane in una manovra del genere.

Alle 18.40 Petrignani ci confermava l'opposizione netta di Washington a ogni trattativa. Ma ottanta minuti dopo, il Dipartimento di Stato, tramite il sottosegretario Armacost, suggeriva di proporre in via tattica un contatto in acque internazionali, onde bloccare la destinazione Libano che avrebbe veramente messo allo sbaraglio passeggeri ed equipaggio. I siriani ci assicurarono che avrebbero fatto il possibile per impedire l'attracco libanese, ma precisarono che non era solo Talat Yacoub l'organizzatore del misfatto; il suo nome era stato messo in circolo per depistaggio. Questo gruppuscolo, tra l'altro, accusava gli egiziani di aver lasciato imbarcare ad Alessandria i terroristi armati che erano ora padroni della nave.

L'*Achille Lauro* si dirigeva invece di nuovo verso l'Egitto, avendo ottenuto dal Cairo il permesso di attracco a Port Said, nonostante il parere degli americani. Il ministro degli Esteri Meguid spiegava che a suo avviso la soluzione peggiore era lasciare la nave alla deriva. A cercare di persuadere i dirottatori era sul posto anche Abu Abbas, che viceversa i giordani davano per arrestato a Tunisi dall'Olp come traditore dell'organizzazione, contraria a ogni atto ostile all'Italia.

Parlai con Genscher che era in visita a Gerusalemme. Gli israeliani non gli avevano fatto alcun cenno dell'accaduto e si riservava di sentirli. Gli dissi con chiarezza che se i pirati avessero domandato atti di clemenza da parte israeliana noi non avremmo neppure trasmesso loro la richiesta. I tedeschi ci offrivano collaborazione diplomatica o «altrimenti persuasiva».

Le nostre istruzioni all'ambasciata del Cairo erano precise: «Qualora veramente la nave si avvicinasse a Port Said si poteva senz'altro prendere contatto con i dirottatori: non per negoziare, ma solo per sapere esattamente cosa volessero».

Di buon mattino avemmo da più fonti ufficiali la conferma che l'*Achille Lauro* era ancorata a dodici miglia da Port Said.

La notizia di un conflitto a fuoco tra la nave ed elicotteri sorvolanti fu prima data per sicura e poi smentita.

Circa i messaggi di provenienza dalla nave vi era una certa confusione: libertà per 500 prigionieri in Israele e (o) per 21 detenuti in Italia; presenza a Port Said degli ambasciatori americano e tedesco (più tardi anche di quello italiano); nessun mezzo aeronavale non egiziano doveva avvicinarsi.

In concerto con gli egiziani, gli emissari dell'Olp attivarono il contatto con la nave, mentre le cancellerie si consultavano febbrilmente. A Bonn era arrivata voce che i pirati chiedevano un salvacondotto multinazionale; e si era propensi a una dichiarazione dei ministri degli Esteri di fare *quanto in loro potere* per evitare azioni contro i sequestrati. Contrari a ogni approccio restavano gli americani; mentre l'ambasciatore tedesco era pronto ad andare con Migliuolo a Port Said. Craxi aveva detto agli egiziani che, per quanto riguardava l'Italia, potevano disporre di un margine di flessibilità per concedere ai dirottatori un salvacondotto a condizione che non fossero stati compiuti a bordo atti di violenza perseguibili sulla base della nostra legge penale.

Alle 4 del pomeriggio — dopo preannunci ufficiosi, anche di Arafat —, il ministro egiziano della Difesa rendeva noto che i terroristi si erano arresi e consegnati e che la nave stava entrando in porto.

Venti minuti dopo la segreteria generale degli Esteri riusciva ad allacciarsi con il comandante della nave in persona apprendendo: che i terroristi non erano più sulla nave; che *tutti* i passeggeri erano stati trattati bene dai dirottatori e stavano bene; che la nave era alla fonda a 15 chilometri dal porto in attesa di istruzioni; che ringraziavano il governo italiano.

Perché mai il comandante De Rosa avesse detto questo resta un mistero, né può esserci stato errore di ricezione essendo stata amplificata la telefonata e ascoltata quindi da più funzionari della Farnesina. Poco prima del concitato dialogo radio con il palestinese che da terra dava ordini di smobilitazione ai pirati, De Rosa aveva detto: «Tutti sono in buona salute». Alle 18.30 lo stesso comandante, parlando con Craxi, informava che un passeggero americano era disperso e presumibilmente ucciso; mentre alle 19.45 con il direttore generale Giulio Di Lorenzo precisava: «Non è stato trovato alcun cadavere, ma alle 15.10 di ieri i terroristi mi hanno consegnato il passaporto del cittadino americano Leon Klinghoffer dicendo di averlo ucciso. In effetti il Klinghoffer non si è presentato a ritirare il proprio passaporto, sua moglie è sconvolta; e sul ponte vi sono macchie di sangue parzialmente cancellate».

Alla stessa ora l'addetto navale americano al Cairo diceva al nostro ambasciatore che risultava che il Klinghoffer non si fosse mai imbarcato sull'*Achille Lauro*. A loro volta i quattro dirottatori, interrogati dagli egiziani, dichiaravano di non aver torto un capello a chicchessia.

Prima dello sbarco, nel colloquio radio con il «capo» che da terra ordinava la resa, avevano già detto: «Tutti i passeggeri stanno bene, non manca loro nulla, gli diamo da mangiare o il tè, possono andare al bagno, ritirarsi nelle loro cabine o giocare a carte». E il «capo» aveva risposto: «Chiedete scusa ai passeggeri, all'equipaggio e al comandante e dite loro che il nostro obiettivo non era il sequestro in mare, ma era proprio contro il terrorismo e contro i sequestri».

Nel dubbio e in attesa dell'espletamento della istruttoria a bordo dell'*Achille Lauro*, fu chiesto sia agli egiziani che all'Olp di tenere in stato di arresto i quattro palestinesi, *fermo restando* che valeva quanto concertato in precedenza: salvacondotto purché fosse vero che non avevano compiuto violenze personali. L'ombra di un assassinio annullava infatti la nostra soddisfazione per la fine dell'angoscia circa la sorte di centinaia di persone. Come poi avessero fatto quattro persone sole a tenere sotto scacco per tre giorni un intero equipaggio — che come tale conosceva bene la nave — è circostanza per me tuttora quasi inesplicabile.

Comunque quella notte pensavo di poter finalmente dormire, allietato da messaggi di congratulazioni che ci giungevano da quasi tutte le capitali, sollevate da un incubo penosissimo. Ma non fu così.

Gli americani avevano intercettato un Boeing 737 dell'Egypt Air, che erano quasi sicuri avesse a bordo i quattro dirottatori. Craxi, svegliato dalla Casa Bianca, consentì che sia il velivolo civile egiziano sia gli intercettatori potessero fare scalo nella base siciliana di Sigonella. In realtà non atterrarono gli intercettatori americani, ma due aerei da trasporto C-141 con cinquanta marines in pieno assetto di guerra, che si collocarono attorno all'aeroplano egiziano che, a sua volta, era stato circondato per sicurezza da altrettanti militari italiani. Un generale, che li comandava in diretto collegamento radio con Washington, disse di aver ricevuto l'ordine di «prelevare i terroristi».

Senza perdere la calma, il comandante della base richiamò gli ospiti al rispetto della legge, e anche delle buone maniere, e respinse ogni prevaricazione. La situazione fu per qualche attimo molto tesa e si fu a un pelo da un irreparabile conflitto a fuoco. Quando più tardi seppi che a manovrare l'avventura erano gli stessi pasticcioni dell'Irangate, non mi meravigliai più per l'accaduto, ma mi restò solo l'amarezza di vedere come un grande paese possa essere coinvolto in assurdità da piccoli uomini detentori di immeritate facoltà di movimento.

Reagan chiamò una seconda volta al telefono Craxi, mentre Shultz destava me e Weinberger Spadolini. La nostra risposta fu convergente. Al «desiderio» dell'Amministrazione di Washington di poter trasferire sul territorio americano i responsabili dell'assassinio di Leon Klinghoffer (ormai sembrava certo che fosse così) per sottoporli a regolare processo, obiettavamo la nostra posizione in diritto: e cioè che reati commessi in acque internazionali, su una nave italiana, dovevano essere configurati come atti criminosi perpetrati in territorio italiano. Il nostro governo non avrebbe potuto, con proprie decisioni, sottrarre alla competenza dei tribunali nazionali i responsabili del dirottamento dell'*Achille Lauro* e gli atti di violenza commessi a bordo.

Il presidente Reagan sembrò prendere atto di questa posizione, preannunciando a Craxi l'intenzione del governo degli Stati Uniti di chiedere l'estradizione dei quattro terroristi sulla base del trattato vigente in materia tra Stati Uniti e Italia.

Subito dopo Palazzo Chigi impartiva disposizioni perché i quattro dirottatori fossero presi in custodia, mentre i due dirigenti palestinesi che li accompagnavano avrebbero dovuto essere trattenuti solo come testimoni, per poter acquisire elementi utili ai fini del procedimento giudiziario sul dirottamento.

In relazione al particolare *status* dell'aeromobile egiziano, che era in missione speciale del governo egiziano e che pertanto godeva della extraterritorialità, furono avvertite le autorità egiziane a bordo dell'intendimento italiano di prendere in custodia a fini giudiziari i quattro dirottatori. Tale richiesta veniva accolta. Comunicavamo altresì che i due dirigenti palestinesi segnalati a bordo sarebbero stati fatti scendere dall'aereo e trattati dal governo italiano come ospiti a scopi testimoniali. Ci veniva replicato che i due dirigenti palestinesi, che si trovavano in Italia contro la loro volontà, rifiutavano di lasciare l'aereo e che in queste condizioni le autorità egiziane non ritenevano di poter accogliere la nostra richiesta. Ci veniva suggerito di concordare con loro una procedura al fine di rendere possibile il colloquio di un rappresentante del governo con le predette personalità palestinesi.

In particolare l'ambasciatore egiziano a Roma comunicava formalmente al riguardo che i due palestinesi a bordo dell'aereo dirottato sul territorio italiano dovevano essere considerati ospiti del governo egiziano che, a tale titolo, si riteneva responsabile della loro sicurezza.

La mattina del giorno dopo, venerdì 11, il governo apprese dell'esigenza manifestata dalla Procura della Repubblica di Siracusa di poter procedere all'esatta identificazione dei quattro dirottatori dell'*Achille Lauro*. Là richiesta veniva avanzata nello stesso momento in cui il governo egiziano compiva un passo ufficiale per il rilascio immediato dell'aereo con tutti i suoi passeggeri, a esclusione dei responsabili del dirottamento. Le competenti autorità diplomatiche egiziane, manifestando comprensione per questa legittima esigenza della magistratura italiana, acconsentivano a che l'aeromobile Boeing 737 venisse trattenuto per il tempo strettamente necessario al completamento delle procedure d'identificazione, nelle modalità ritenute appropriate dalla magistratura italiana; ma, con evidente connessione, la motonave *Achille Lauro* era ancora bloccata a Port Saïd dal governo egiziano.

Craxi inviò a Sigonella il suo consigliere diplomatico Antonio Badini per raccogliere da Abu Abbas una testimonianza precisa sui fatti.

Alle 20.15 del venerdì 11, terminata la procedura di identificazione dei dirottatori, il procuratore della Repubblica di Siracusa riteneva esaurite le esigenze della magistratura e dichiarava che l'aereo era libero di lasciare Sigonella. Da quel momento veniva a mancare la necessaria base legale per trattenere ulteriormente il velivolo dell'Egypt Air e i suoi passeggeri, a eccezione, naturalmente, dei terroristi già assicurati alla custodia italiana.

Tuttavia il governo italiano chiedeva all'ambasciatore egiziano lo spostamento del Boeing 737 dalla base di Sigonella all'aeroporto di Ciampino di Roma allo scopo di poter esplorare le possibilità di compiere ulteriori accertamenti. Costituiva, questo, un atteggiamento del governo rispondente all'impegno assunto da Craxi con Reagan di concedere il tempo necessario affinché potessimo disporre di elementi ed evidenze che dimostrassero, come si assumeva a Washington, il coinvolgimento di Abu Abbas e dell'altro dirigente palestinese nella vicenda del dirottamento.

Alle 22.01 del giorno 11 ottobre il Boeing dell'Egypt Air decollava da Sigonella per Ciampino. Quattro nostri caccia partivano contemporaneamente da Gioia del Colle per assicurare la protezione durante il volo.

Alle 22.04 un aereo militare americano lasciava Sigonella non autorizzato e seguiva il Boeing egiziano. Il pilota non rispondeva alle domande di identificazione avanzate dai nostri caccia e pretendeva anzi volgarmente che fossero i nostri a levarsi dagli... organi riproduttori che gli aerei non hanno. Dopo questa inutile bravata il velivolo scompariva dai radar, procedendo a quota bassissima.

Alle ore 23 circa il Boeing 737 atterrava a Ciampino e pochi istanti dopo un aereo militare statunitense T-39 atterrava a una decina di metri di distanza dopo aver dichiarato una situazione di emergenza. Immediata fu la protesta italiana a Washington.

Fino a quel momento, il 12 ottobre era stato per tutti noi il Colombus Day, ma dal 1985 lo ricordiamo per gli eventi convulsi di quella giornata.

Alle 5.30 del mattino l'ambasciatore Rabb presentò sia alla presidenza del Consiglio che al ministero della Giustizia (non alla Farnesina) la richiesta di arresto provvisorio di Abu Abbas ai fini estradizionali, invocando il relativo trattato Italia-Usa.

La parola era quindi alla magistratura, che fu solo sollecitata a esaminare il caso senza le consuete lungaggini. Eravamo infatti incalzati dal Cairo, che non lasciava ripartire l'*Achille Lauro* e minacciava di reagire con le armi se si fosse preteso illegalmente di far scendere dal loro aereo parcheggiato a Ciampino i due ospiti palestinesi (per i dirottatori invece l'assenso era stato immediato). Se i nostri magistrati avessero giudicato diversamente, anche in presenza di dieci soldati egiziani armati a bordo del loro aereo, avremmo dovuto tener ferma la situazione. Ma a fine mattina i giudici vennero a dirci a Palazzo Chigi (Craxi non stava bene e pregò me di sostituirlo) che la richiesta di arresto provvisorio non era accoglibile perché mancante di «elementi di merito e di sostanza adeguati ai criteri imposti dalla legislazione italiana in materia di acquisizione e presentazione delle prove».

Alle 15 il segretario generale della Farnesina, ambasciatore Ruggiero, notificò agli ambasciatori d'Egitto e degli Stati Uniti d'America che non esisteva fondamento legale per trattenere ulteriormente l'aereo e i suoi passeggeri. Ci eravamo cautelati anche sulla saggia clausola suggerita dal ministro Spadolini, che cioè, a ogni buon fine, i quattro terroristi fossero stati riconosciuti a verbale da qualche passeggero della nave fatto giungere appositamente in aereo.

Il rappresentante egiziano comunicava riservatamente che i due dirigenti palestinesi, per ragioni di sicurezza contro nuove intercettazioni, avrebbero lasciato il territorio italiano su un aereo di linea iugoslavo. Il trasbordo avvenne a Fiumicino, dopo di che l'Egypt Air riprese il volo e dall'Egitto l'*Achille Lauro* poté riprendere la rotta per l'Italia.

Nel congedarsi dall'Italia dopo otto anni di apprezzato e fervido lavoro diplomatico, l'ambasciatore Rabb ha dichiarato che salvo poche occasioni i rapporti con me sono stati eccellenti. Una delle poche occasioni fu proprio quel... Sigonella's Day.

Rabb, che nei giorni precedenti aveva avuto contatti con tutti, salvo che con la Farnesina, rimase sconcertato dalla comunicazione di Ruggiero, di cui, peraltro, non doveva aver compreso bene i termini. Si era infatti precipitato in aeroporto apprendendo solo lì che l'aereo egiziano era ormai in volo di ritorno. Come attenuante alla sua irritazione ritengo che vi fosse stato un equivoco interpretativo della seconda conversazione telefonica Reagan-Craxi. Quest'ultimo aveva detto che i due accompagnatori non sarebbero stati liberi fino all'espletamento degli accertamenti giudiziari e, forse per imprecisa traduzione, Reagan aveva ritenuto che ciò comportasse alcuni giorni.

Rabb si precipitò nel mio studio e iniziò una vera filippica che ascoltai senza interromperlo (e forse questo lo «irritò» ancora di più). Risposi che trattenere l'aereo quando la magistratura ne aveva escluso la legittimità sarebbe equivalso a un sequestro abusivo. Noi siamo uno Stato di diritto e ai diritti umani crediamo davvero, *erga omnes*. Per di più mi meravigliavo che gli americani non avessero valutato l'offesa arrecata al presidente egiziano, colpendolo nell'orgoglio di appartenente all'arma aeronautica: e proprio mentre tutti facevamo sforzi continui per aiutare l'Egitto a uscire dall'isolamento nel quale si era posto per accettare i suggerimenti americani di Camp David.

Rabb non volle sentire ragioni e si meravigliava che io affacciassi argomenti giuridici mentre il problema era per lui solo quello di aderire o meno a una richiesta del Presidente degli Stati Uniti. Gli argomenti politici sull'Egitto gli sembravano fuor di luogo perché era una nazione fraternamente aiutata dagli americani.

È chiaro che non potevo seguirlo in questa direzione e mi limitai a dire che eravamo noi a dover essere urtati per le prepotenze di qualche loro militare; ma che la gioia per la rapida conclusione del sequestro ci induceva alla più larga... amnistia. Sentivamo l'atrocità per la morte, ormai confermata, del povero Leon Klinghoffer, ma sicuramente i giudici italiani avrebbero punito a dovere i responsabili.

Ci lasciammo con insolita freddezza, mentre ci arrivavano dispacci incredibili sul chiasso che le televisioni americane facevano contro di noi, quasi che fossimo deboli verso i terroristi e che non avessimo fatto tutto ciò che era umanamente possibile per concludere in tempi brevi l'impresa criminale del commando.

L'ingiusta gazzarra durò alcuni giorni senza che il governo di Washington reagisse a nostro favore. Craxi nel far rapporto alla Camera sull'accaduto manifestò «la più viva e dispiaciuta sorpresa e anche un sentimento di amarezza per il disconoscimento da parte di un governo amico di tutto quello che il governo italiano ha fatto per superare con successo una situazione particolarmente critica e difficile: in meno di quarantott'ore si è avuta la resa dei dirottatori e il salvataggio senza colpo ferire dei passeggeri e dell'equipaggio; successo purtroppo rattristato dalla constatazione che durante l'impresa terroristica un cittadino americano aveva perso la vita». E il Presidente del Consiglio poté aggiungere con fierezza: «Nessun governo libero al mondo ha saputo conseguire risultati decisivi nella lotta al terrorismo senza distruggere i princìpi e le regole dello Stato di diritto, così come hanno saputo fare i governi della Repubblica italiana».

Per quanto riguardava i rapporti tra Roma e Washington, Craxi non poteva che augurarsi che i chiarimenti intercorsi, e quelli che sarebbero potuti intercorrere, fossero di natura tale da ristabilire definitivamente la piena armonia tra l'Italia e gli Stati Uniti. Sono paesi amici e alleati nella continuità e lo sviluppo di un rapporto di comuni responsabilità e di intensa collaborazione, fautori di un clima di attenta considerazione, di amicizia e di rispetto della dignità e della sovranità nazionale dei rispettivi paesi. Purtroppo l'atmosfera interna era appesantita, oltreché dalle incomprensioni americane, dalla dissociazione dal governo dei ministri repubblicani. La interpretai però non tanto legata ai fatti dell'*Achille Lauro*, quanto al dissenso per la ferma riprovazione di Craxi e mia del bombardamento israeliano di Tunisi. Ci sarebbero voluti ancora alcuni anni perché gli americani si convincessero che con l'Olp si deve dialogare e non cadere nella eventuale illusione delittuosa di annientarlo con le bombe.

A complicar le cose vi era anche la ristretta riunione indetta da Reagan a New York per consultare i principali alleati alla vigilia dell'incontro con Gorbaciov a Ginevra. Con il clima creatosi negli Usa, era impossibile al nostro governo di parteciparvi e questo — unito al rifiuto francese già annunciato — avrebbe certamente indebolito l'Occidente nel negoziato Est-Ovest. Per fortuna entro poche ore dovevo vedere a Bruxelles George Shultz al Consiglio atlantico indetto proprio per la preparazione di Ginevra, e speravo che avremmo trovato una via d'uscita.

Fu un incontro difficile, ma la stima e la cordialità reciproca salvaguardavano da incomprensioni di fondo e prevalsero su ogni durezza formale.

Esordii io dicendo che su noi due pesava la grave responsabilità di porre subito rimedio a una situazione che, per la prima volta, aveva incrinato le tradizionali relazioni di amicizia tra gli Stati Uniti e l'Italia.

Shultz era buio in volto. Il governo italiano aveva rilasciato un notorio terrorista coinvolto nell'assassinio di un cittadino americano: questo fatto era inconcepibile e inesplicabile. Non dissimulava la forte irritazione (*very upset*) del governo di Washington.

Replicai che nel nostro ordinamento decisioni del genere non sono prese dal potere esecutivo, ma dalla magistratura. Il dossier che gli americani ci avevano inviato non autorizzava a trattenere forzosamente Abbas, per non parlare delle complicazioni con l'Egitto e dei rischi di un conflitto a fuoco (il secondo — dissi — dopo quello miracolosamente evitato a Sigonella con i marines). Le prove addotte per ottenere l'estradizione erano estremamente generiche e per di più si basavano su registrazioni telefoniche di incerta fonte, alle quali comunque gli organi giudiziari italiani attribuiscono di regola scarso valore, data anche la facilità di contraffazione. Mi sembrava a ogni modo sproporzionato il mettere l'accento su questo, invece di lodarci per essere noi, con l'aiuto di Dio, riusciti a venire a capo subito dell'atto piratesco evitando ben più gravi delitti.

Shultz, che aveva istruzioni precise, continuava a ripetere che il rilascio era inspiegabile e che a Washington erano molto irritati.

Con pazienza illustrai ancora la distinzione delle competenze in Italia e insistetti sulla importanza politica degli appelli concitati di Mubarak che diceva veder distrutti, con l'episodio dell'aereo dirottato, anni di politica di amicizia dell'Egitto. Ma Shultz non ci sentiva e, anzi, riteneva assurdo che Il Cairo pretendesse delle scuse dagli americani dopo aver lasciato partire un assassino. Dovetti allora passare, per così dire, al contrattacco. Gli dissi che avevo assunto personalmente la responsabilità di non inoltrare una nota formale di protesta per quanto era accaduto a Sigonella.

Si trattava di una questione molto grave che investiva una base Nato in Italia. Quando era stata negata all'aereo egiziano l'autorizzazione all'atterraggio a Tunisi, gli egiziani avevano chiesto di lasciarlo atterrare in Italia: il governo aveva acconsentito in quanto ciò avrebbe permesso di arrestare i quattro terroristi. Non si sapeva che a bordo vi fossero altre persone. L'azione americana di obbligare l'aereo ad atterrare a Sigonella era stata in contrasto con gli accordi che intercorrono tra i due paesi; e altrettanto si doveva dire per lo sbarco di Forze Delta nello stesso aeroporto di Sigonella e per il loro atteggiamento verso le forze italiane, fortunatamente comandate con saggezza e sangue freddo. Conclusi dicendo che le polemiche su questi avvenimenti potevano rischiare di coinvolgere lo *status* delle basi Nato in Italia: mi chiedevo se il governo americano si era reso conto della gravità delle sue decisioni (posto che fossero veramente del governo) e di quanto era accaduto.

Shultz si mostrò più sereno e rispose che gli Stati Uniti non avevano mai dubitato che l'Italia avrebbe arrestato e processato i terroristi e convenne che fosse bene tenere l'accaduto fuori dalle pubbliche polemiche.

Aggiunsi allora che Abbas era andato al Cairo in quanto era stato chiesto ad Arafat di facilitare la resa senza condizioni dei terroristi e sottolineai che non avevamo mai chiesto a Israele di rilasciare prigionieri in cambio di ostaggi e che avevamo solo chiesto a tutti i paesi di esercitare opera di persuasione. Se per liberare i 400 ostaggi fosse stato necessario l'uso della forza, l'Italia lo avrebbe fatto, ma era di gran lunga preferibile fare di tutto per evitarlo. Abbas era andato in Egitto dietro nostra richiesta e aveva così facilitato la soluzione della questione. Dissi ancora che, se dalle indagini si fosse accertato il contrario, avremmo provveduto.

Shultz si affrettò a rispondere che non conveniva insistere su queste divergenze, pur non potendo nascondere il disappunto del governo americano e non ritenendo sufficienti le ragioni da me esposte. Gli Stati Uniti e l'Italia dovevano, però, continuare a lavorare insieme e questo valeva sopra tutto. Il fatto che vi fosse dissenso sul trattamento fatto ad Abu Abbas non significava che non si dovesse continuare a lavorare per salvaguardare e rafforzare i legami tra i due paesi. Concluse dicendo che la richiesta di estradizione americana restava valida: qualora l'Italia non avesse ritenuto di voler processare i terroristi, li poteva consegnare agli Stati Uniti dove sarebbero stati processati.

Questa insinuazione mi sembrava addirittura offensiva e lo dissi. L'Italia voleva processare i terroristi secondo le proprie leggi; anche Abbas, ove le prove addotte fossero risultate

193

sufficienti, sarebbe stato incriminato e, se giusto, processato al pari di qualsiasi cittadino italiano. L'Italia aveva condotto con i risultati che tutti conoscevano la lotta al terrorismo senza violare le proprie leggi. Non potevamo accettare — dissi — le affermazioni dell'ambasciatore Rabb che sembravano mettere in dubbio la nostra determinazione di combattere il terrorismo e altre insinuazioni simili da chiunque fossero pronunciate.

Il colloquio con Shultz si era svolto appena giunti ambedue alla sede della Nato e gli altri colleghi erano in attesa di iniziare la seduta. Dovemmo a questo punto interrompere e fu un bene. Quando, al termine del lavoro collegiale, ci ritrovammo, George era molto più disteso e mi confidò che quanto gli avevo detto circa la posizione di *negoziatore* avuta da Abbas in seguito a precisa richiesta del governo italiano e con l'assenso del governo egiziano lo aveva colpito. Era un fatto *politico* che almeno in parte poteva spiegare la condotta del nostro governo. Mi propose pertanto di attenerci nelle comunicazioni alla stampa a un linguaggio comune che si fondasse su questi punti: 1. la particolare qualità di negoziatore avuta da Abbas e la necessità del governo italiano di rispettare gli impegni; 2. l'assicurazione che l'episodio Abbas non costituiva un precedente nell'applicazione del trattato di estradizione fra i due paesi; 3. la determinazione di dare corso ad azioni giudiziarie anche nei confronti di Abbas qualora ci fossero stati nei suoi confronti sufficienti elementi di prova; 4. l'episodio era considerato superato e l'amicizia tra Italia e Usa non ne rimaneva toccata.

In linea di principio mi dichiarai subito d'accordo, ma dovevo ancora una volta fare presente come il rilascio di Abbas si fosse fondato su considerazioni di ordine giuridico. Sussistevano — è vero — anche delle circostanze politiche che agivano nella stessa direzione, ma che da sole non sarebbero state sufficienti a far sì che egli lasciasse il territorio italiano.

Shultz propose che un documento facente stato di quanto concordato venisse messo a punto tra il consulente legale del Dipartimento di Stato, dottor Sofaer, e gli esperti italiani. D'accordo, incaricai da parte italiana il direttore generale degli Affari politici, ambasciatore Biancheri, e il mio capo di

Gabinetto, ministro Cavalchini, di negoziare con la contro-
parte americana.

Ci lasciammo con George con la consueta (recuperata)
cordialità.

Purtroppo il partito dei duri a Washington non mollava.
Mentre George era ancora in volo di ritorno, il ragionevole
testo concordato dai nostri a Bruxelles con il dottor Sofaer e
inviato per telefax all'approvazione superiore non fu ritenuto
(non so da chi alla Casa Bianca) congruo.

In momenti del genere occorrono interventi straordinari.
Chiamai al telefono il mio vecchio amico Vernon Walters
che, come rappresentante all'Onu, faceva parte del Consiglio
dei ministri Usa, e gli dissi che senza una immediata rettifica
di tiro di Washington né Craxi né io saremmo andati alla
riunione di Reagan. Walters si rese conto che facevamo sul
serio e mi chiese qualche ora per consultare la Casa Bianca.
Pochissimo dopo mi telefonò chiedendo se Craxi era disposto
a ricevere il numero due del Dipartimento di Stato John
Whitehead, latore di una «adeguata» lettera di Reagan. Naturalmente assentii e l'autorevole inviato speciale partì subito
per Roma. L'America ci doveva delle scuse e le avemmo.

Il «vice» di Shultz era latore di una lettera di Reagan a
Craxi del tutto soddisfacente e la presentò — il 19 ottobre —
in termini riguardosi per la verità dei fatti, dicendo che se il
popolo americano avesse avuto le informazioni che egli aveva
ora ricevuto si sarebbe comportato in modo diverso. Il Presidente degli Stati Uniti desiderava far sapere che a New York
non solo non avremmo trovato animosità verso l'Italia, ma
che lo stesso Reagan avrebbe fatto «uno sforzo speciale per
mostrare che l'amicizia fra Italia e Usa e quella personale
tra i due presidenti è molto salda». Vi erano, secondo Whitehead, alcuni insegnamenti che dovevano essere tratti dagli
avvenimenti della settimana precedente.

1. In primo luogo era necessario coordinare meglio il nostro
impegno contro il terrorismo, non solo fra Italia e Stati Uniti, ma fra tutte le nazioni occidentali. Bisognava anticipare il
terrorismo ed evitare che esso creasse occasioni di contrasto
fra di noi. Si poteva pensare a un trattato o alla definizione

di un codice di condotta. L'Italia poteva fornire un grande aiuto in merito nella lotta al terrorismo.

2. In secondo luogo Whitehead riconosceva che la linea di condotta delle Forze Armate americane nelle basi italiane andava rivista dopo i fatti di Sigonella; e sarebbero state adottate misure perché tali fatti non avessero a ripetersi.

3. Infine Whitehead rilevò che dissensi del genere di quelli della settimana scorsa non giovavano né all'Italia né agli Stati Uniti. Bisognava perciò chiudere l'incidente al più presto.

Il più sollevato mi sembrò Maxwell Rabb, mentre, forse, furono sorpresi quanti ritenevano che la crisi ministeriale — che si era aperta sul caso — potesse veramente mandare a picco il Governo Craxi che ebbe, invece, una immediata reinvestitura.

Potemmo così andare all'appuntamento a New York del 24 ottobre. Io precedetti Craxi e in un significativo banchetto degli italo-americani potei constatare quanto fosse stata apprezzata la fermezza e la dignità del governo italiano.

I dirottatori, processati dalla Corte di Assise di Genova, il 10 luglio 1986 furono condannati (due all'ergastolo); e anche Abu Abbas, di cui erano emersi *in seguito* elementi di grave colpevolezza nella vicenda — di cui si ritenne che fosse stato insieme piromane e pompiere —, ebbe la massima punizione prevista dal nostro sistema penale. Mentre, però, i quattro sono in prigione, l'ispiratore è latitante, invano ricercato dal nostro mandato di cattura internazionale.

All'insaputa di Arafat, anzi per danneggiarlo (questo sembra accertato), aveva programmato un blitz per dimostrare che, almeno nei porti, Israele non era inviolabile.

Ma il tempo è un grande aggiustatore. Ho incontrato di recente l'onorevole Whitehead e mi ha detto, pieno di cordialità, che siamo lontani dal momento difficile dell'*Andrea Doria*. Aveva dimenticato anche il nome della nave! Del resto, il 13 aprile 1988 il portavoce ufficiale del governo americano ha dichiarato: «... In Italia Abu Abbas è stato processato in contumacia e condannato all'ergastolo. Noi plaudiamo al vigore con cui il governo italiano ha condotto l'azione giudiziaria contro Abu Abbas *dopo che vennero in chiaro* le responsabilità di quest'ultimo».

22

CARTA E CARTONCINO

La consultazione occidentale voluta da Reagan si svolse presso la loro rappresentanza all'Onu, con gli onori di casa fatti da un Vernon Walters particolarmente espansivo con noi.

Il Presidente pregò Shultz di fare una introduzione dettagliata sulla preparazione dell'incontro con Gorbaciov e subito dopo, suscitando una palese *suspense* tra i suoi collaboratori, disse che aveva passato la fine settimana tutto solo e aveva condensato le sue riflessioni in un fogliettino che ci lesse. Dinanzi alle nostre coscienze e dinanzi alla storia non solo non dovevamo contrastare, ma favorire gli sforzi del signor Gorbaciov, lasciando al «dopo» la verifica se egli voleva davvero (come Reagan sperava) fare sul serio.

Pensai a come Reagan sarebbe stato efficace se avesse più spesso agito e parlato senza il copione. Tra il cartoncino delle note schedine e questo minuscolo foglio originale c'era un abisso. L'adesione al Presidente Reagan fu unanime, non solo da noi europei ma dai giapponesi, dagli australiani e dai neozelandesi.

Il rapporto con Shultz, superata la tempesta dell'*Achille Lauro*, continuò a svilupparsi con intensità. A sostegno della posizione americana a Ginevra tenemmo a Roma anche una riunione ministeriale dell'Unione europea occidentale, riaffermando la indivisibilità della sicurezza degli alleati. Anche per l'Iniziativa di difesa strategica (Sdi), nonostante le mie personali perplessità e informazioni, demmo agli americani un incoraggiamento, impegnandoci a sostenerlo presso il Parlamento italiano e tenendoci a stretto contatto con i tedeschi per una opportuna posizione comune. Fui lieto, quali che potessero essere gli sviluppi futuri, di vedere introdotta nell'agenda ginevrina l'idea di un progetto di ricerca congiunta Est-Ovest sulla fusione nucleare. Della questione avevo parlato nell'agosto al convegno di Erice con il consulente scientifico del governo statunitense, profe sor Edward Teller, nel quadro del vasto movimento per la *scienza senza segreti e senza frontiere* di cui mi occupo insieme al professor Antonino Zichichi e che ha portato alla creazione del Laboratorio mondiale (World Lab), ottimo strumento di pace. Non a caso il World Lab lo istituimmo a Ginevra: l'antica sede della Società delle nazioni, la sede del grande centro di ricerca Cern e, nel 1985, sede dell'incontro di grande portata storica tra Reagan e Gorbaciov.

Accanto alle grandi questioni internazionali, i ministri degli Esteri devono occuparsi anche dell'ordinaria amministrazione. Se non era certo comparabile con la questione dell'*Achille Lauro*, qualche fastidio lo dava anche la ritorsione, per noi arbitraria, decisa dagli americani contro la politica commerciale della Comunità europea, di imporre una sovrattassa di importazione sulle paste alimentari che colpiva specialmente la nostra industria alimentare. Shultz fece venire a Roma il delegato personale di Reagan per le materie Gatt e affini, signor Clayton Yeutter. Non poté non constatare la bizzarria di scaricare sulle nostre esportazioni le reazioni per un presunto danneggiamento europeo del loro mercato agrumario, quando nel mercato esterno del settore noi siamo quasi scomparsi. Si parlò anche degli incomprensibili ritardi nel «riaprire» al prosciutto di Parma; prendemmo invece atto del proposito governativo americano di resistere a pressioni protezioniste che avrebbero danneggiato alcune merci per noi importanti come le scarpe e i tessili. Yeutter è un negoziatore molto abile e nell'attuale governo americano è ministro dell'Agricoltura.

A dicembre ero andato a Varsavia riportando la convinzione che le cose, pur gravissime (vi era grande emozione per l'assassinio di don Popieluzko), avrebbero avuto una evoluzione positiva. La posizione del generale Jaruzelski era più aperta di quel che apparisse correntemente e avevo potuto incontrare in ambasciata i dirigenti di Solidarność (tra cui l'attuale primo ministro) senza alcuna obiezione. Trasmisi questa mia convinzione a Shultz, il quale mi assicurò che se il programma di aiuti ai contadini tramite l'organizzazione della Chiesa fosse decollato, l'America vi avrebbe contribuito. Questo programma arrivò a un centimetro dall'attuazione, ma non poté mai compiere l'ultimo piccolo passo.

Ci fu però, proprio agli inizi del 1986, un altro momento difficile con Shultz (due in sei anni non è, in fondo, un bilancio negativo, tutt'altro). Gli Stati Uniti continuavano a concentrare sulla Libia le loro preoccupazioni per la pericolosità del terrorismo e avevano la sensazione che noi europei non fossimo abbastanza convinti e allertati. Decisero pertanto di inviare in un giro per le capitali il vicesegretario di Stato Whitehead allo scopo di presentare le prove del terrorismo di Gheddafi.

Craxi e io lo ricevemmo insieme e ci presentò una cartellina nella quale si affermava che il colonnello risultasse informato, prima che avvenisse, di un dirottamento aereo a Malta; e si parlava di altri simili collegamenti. Volle il caso che l'unica *prova* che avevamo modo di controllare risultasse inesistente. Si diceva che i terroristi arrestati per un blitz a Fiumicino fossero in possesso di passaporti *tunisini* rubati agli operai che, dalla Libia, erano stati di recente rimpatriati in Tunisia. Poiché seguivo le indagini, potei subito rettificare: i passaporti erano *marocchini*. E poiché uno degli assistenti del nostro ospite mi interruppe dicendo che io mettevo in dubbio la parola del Presidente degli Stati Uniti, risposi ironicamente che non mi sarei mai permesso, ma che rilevavo solo un errore della dattilografa del Dipartimento di Stato.

Ancora una volta chiarimmo che, prima ancora degli americani e di altri, i più interessati a che non si coltivino in Libia iniziative terroristiche siamo proprio noi, data la vicinanza. Avevamo da tempo decretato l'embargo delle forniture militari e ridotto drasticamente le presenze italiane in Libia, con grave danno per i nostri lavoratori e per le nostre imprese. Eravamo come e più degli altri pronti a fronteggiare qualunque attività eversiva che il colonnello volesse promuovere. L'unica cosa che non potevamo accettare era la firma in bianco sotto le informazioni dei servizi che risultassero a noi non veritiere (e ricordai il giallo delle mine del mar Rosso che nessuno aveva trovato, ma alle quali la Cia aveva dato una paternità italiana). Raccomandavamo anzi di filtrarle bene quelle informazioni, per evitare di avallare manovre o di cadere nella trappola della disinformazione.

Rabb mi aveva detto che John Whitehead non era ripartito da Roma molto contento, ma, a mia volta, parlando con uno dei primi ministri e con colleghi visitati nello stesso *tour* europeo, rilevai la meraviglia per la fragilità delle «prove» annunciate con tanta solennità. Shultz mi scrisse pochi giorni dopo (26 gennaio) manifestandomi, in vista di una riunione del Consiglio della Cee, la crescente percezione da parte dell'opinione pubblica di un serio disaccordo tra gli Stati Uniti e i suoi alleati circa la gravità della minaccia terroristica, il ruolo centrale che in essa giocava Gheddafi e la natura delle misure («misure pacifiche») che potevamo prendere individualmente e collettivamente per contrastarla. Non dovevamo consentire che la nostra comune opposizione al terrorismo aiutato dalla Libia fosse trasformata in una ragione di dibattito e di divisione all'interno dell'Alleanza.

> John [mi scriveva Shultz] ha messo l'accento sulla nostra preoccupazione che le dichiarazioni della Comunità in occasione dell'incontro dei ministri degli Esteri non indeboliscano i nostri sforzi comuni nell'affrontare questo problema, la cui gravità è sempre crescente. Sono francamente preoccupato che ciò avverrebbe se i ministri producessero soltanto una blanda risoluzione che denunciasse in generale il terrorismo internazionale, senza peraltro uno specifico riferimento al ruolo centrale di Gheddafi e della Libia nei recenti atti terroristici.
>
> Penso inoltre che sarebbe egualmente improduttivo limitarsi a un dibattito sull'efficacia delle sanzioni contro il terrorismo o non riuscire a definire le misure che sono state, possono e dovrebbero essere prese per forzare Gheddafi ad abbandonare la sua attuale politica di terrorismo di Stato.

I ministri della Comunità ribadirono l'impegno contro il terrorismo ma, in carenza di prove, non nominarono nel comunicato la Libia. A Shultz dispiacque, ma ringraziò per iscritto Craxi perché ne aveva parlato.

Delle *avances* di Gheddafi trasmesse da me a Reagan nell'agosto non avevo avuto, né attendevo, riscontro, essendo molti i canali di cui gli americani potevano servirsi. Il tono della lettera di George era però piuttosto esplicito: Gheddafi continuava a essere il «demonio di turno» essendo subentrato a Fidel Castro e non rimpiazzato da Ortega e dai suoi compagni sandinisti.

Ma era poi veramente «scomunicato» dagli americani Gheddafi? Qualche tempo prima l'ambasciatore americano presso la Santa Sede, Bob Wilson, mi aveva chiesto di trasmettere a Tripoli il suo desiderio di far visita al colonnello, il che era avvenuto; e poiché Bob Wilson (di cui avevo visto io stesso in California il grado di popolarità e l'intimità con il Presidente Reagan) non era andato certamente a visitare gli scavi di Sabratha, nel mio inguaribile ottimismo potevo anche pensare che qualcosa di buono si stesse muovendo. L'ambasciatore presso il Vaticano, già rappresentante *personale* del Presidente, poteva avere forse margini di movimento anche rispetto al suo ministero degli Esteri.

Intanto ero lietissimo che George avesse accettato di venire a Roma nei giorni della Pasqua per contatti politici e anche per soddisfare un vecchio desiderio di sua moglie, cattolica, di assistere alla grande Messa del Papa.

Nel frattempo, purtroppo, gli americani ebbero un grande dolore collettivo per la perdita dell'equipaggio dello shuttle spaziale *Challenger* esploso in volo. Si poté constatare nell'occasione l'enorme prestigio e anche la grande abilità di Ronald Reagan. Non solo l'Amministrazione non fu messa sotto scacco, ma il Presidente sollevò gli animi e suscitò entusiasmi andando alla televisione a esaltare il contributo che l'America, anche a costo di gravi sacrifici, da sempre dava alla causa della scienza e del progresso. Anche Shultz, nel rispondere al mio messaggio di solidarietà, mi scrisse: «Ricorderemo a lungo questi sette coraggiosi americani e trarremo ispirazione dal loro esempio nel proseguire un vigoroso programma, continuando a cooperare nella misura più ampia con altre nazioni nei nostri sforzi spaziali».

George e Obi Shultz passarono a Roma tre giorni e pur trattando nei colloqui al Quirinale, a Palazzo Chigi e a Villa Madama di altri temi, incombente era il problema libico, anche in relazione al dissenso sul transito nel golfo della Sirte che aveva già provocato uno scontro. Gli americani rivendicavano la libertà di navigazione in nome di un principio generale; i libici sostenevano — rievocando anche un diverso atteggiamento specifico statunitense nel periodo della monarchia — trattarsi di acque territoriali. Il rischio di una spiralizzazione degli scontri non era immaginario e sullo sfondo stava, con evidenza, la valutazione negativa sulla Libia ritenuta non rispettosa della legalità in generale.

Che fosse una questione di principio lo dimostrava anche la contemporanea pretesa degli americani di poter navigare senza autorizzazione o preavviso nel golfo di Taranto. Con noi la divergenza si risolse affidando il caso giuridico a un gruppo di studio (anche perché sostenemmo con forza che la loro tesi «libertaria» finiva con l'offrire la stessa possibilità ai sovietici, agli albanesi e a tutti; mentre sul piano pratico eravamo disponibili a dare, con reciprocità, esonero da preavvisi alle flotte alleate); tuttavia una nostra proposta di chiamare la Corte dell'Aia a interpretare lo *status* delle acque della Sirte fu vista male da Shultz.

Libia e prezzo del petrolio sembravano i soli argomenti che interessassero Shultz nei suoi incontri romani. Lo vedevo distratto su altri temi e in qualche momento persino nervoso, come al Quirinale, dove il Presidente Cossiga illustrava con energia la nostra indomita volontà di prevenire al massimo possibile le potenzialità criminali dei terroristi, quale che fosse la loro nazionalità e ispirazione. Non so come l'atmosfera non calda di questo colloquio finì sui giornali.

Con Craxi il discorso andò bene fino a che si trattò del rapporto Est-Ovest (Shultz riferì su un colloquio con il Presidente del Consiglio Ryžkov a Stoccolma) e della fine dei regimi dittatoriali nelle Filippine e ad Haiti. Però, quando Craxi, esaminando l'area mediterranea e pur censurando la pretesa di Gheddafi di contrastare con le armi l'ingresso di navi estere nella Sirte, disse che il metodo migliore per scoraggiare fattori di instabilità erano più intense iniziative politico-diplomatiche, il riscontro del nostro ospite fu gelido.

E la temperatura si abbassò ulteriormente allorché Craxi aggiunse che «contro l'illegalità del terrorismo deve soprattutto esser frapposta la forza del diritto e della morale, per isolare politicamente tutti coloro che proteggono, incoraggiano o più semplicemente tollerano le organizzazioni della violenza e dell'eversione». Viceversa a Palazzo Chigi si ebbero immediati affidamenti americani positivi sulla questione del Gruppo a cinque o Gruppo a sette sui problemi monetari, su cui qualche «amico» europeo cercava di declassare l'Italia, fingendo che fossero gli Usa a pretendere la formula ristretta.

Avevo notato che fuori delle conversazioni, di cui i rispettivi notisti verbalizzavano i contenuti, Shultz era più sereno, più discorsivo. Cercai pertanto di capire perché sulla Libia fosse *coram populo* tanto spigoloso. Lo compresi, almeno credo, mentre stava ripartendo da Roma.

Nel colloquio di Villa Madama avevo cercato di prendere le mosse in modo più accettabile. Assicurai che noi eravamo in guardia contro tutte le possibili azioni terroristiche internazionali. Non solo la Libia poteva volerci «punire» per la nostra amicizia con l'America e i buoni rapporti con Israele (il fatto che fossimo in sede Cee tra quelli che non condizionavano le concessioni economiche a quel governo a un mutamento della politica nei territori occupati, ci veniva apertamente rimproverato), ma anche altre nazioni si trovavano in contrasto con le nostre posizioni: l'Iran, ad esempio — anche se avevamo un dialogo aperto —, ci addebitava il sostegno occidentale all'Irak; gruppi di palestinesi tramavano per liberare i molti loro fratelli terroristi che erano nelle nostre prigioni e non sapevamo quanto Arafat, privo di un qualunque atteggiamento di ascolto internazionale, potesse continuare a impedirlo.

Che la Libia, anche facendo un taglio agli orizzonti pluricontinentali di certi propositi enunciati da Gheddafi, costituisse una minaccia alla stabilità del Ciad, del Sudan, dello stesso Egitto, forse dell'Indonesia, era esatto. Ma non dovevamo sopravvalutarne la potenza militare e andavano cercati altri mezzi per recuperarla a una politica rispettosa delle regole internazionali. Noi avevamo indicato un indirizzo, con la soppressione di vendite di armi e riducendo i rapporti economici. Altri paesi, che forse erano elogiati come antilibici onorari, facevano affari più di prima.

L'Italia, continuai, non aveva simpatia per alcun regime non democratico; ma verso i vicini aveva sempre cercato di svolgere una politica di dialogo e di rafforzamento di rapporti, quale che fosse il relativo sistema politico. Quando in Austria trovavano asilo i terroristi altoatesini, non interrompemmo mai lo sforzo di mutua comprensione; e quando erano molti i motivi psicologici di dissenso e i ricordi tragici con la Iugoslavia, egualmente facemmo sempre prevalere le ragioni della saggezza e della comprensione. Fermezza e pazienza: su questi due binari avevamo costruito e difeso la pace. E così continuavamo ad agire anche verso l'insieme dei paesi dell'altra sponda del Mediterraneo occidentale, mai indulgendo alla inumana eredità classica del *divide et impera*.

In questa cornice tornai a riproporre il deferimento all'Aia della controversia Sirte, che avrebbe anche avuto la finalità congiunta di spingere Gheddafi verso il rispetto del diritto. La Corte dell'Aia, dissi, vale, in questo, più della Sesta flotta. E ne citai l'utilità in alcune controversie: fra Libia e Tunisia, nel mare del Nord, e anche tra Usa e Canada per una baia nel Maine.

Shultz mi stette a sentire, ma liquidò quest'ultima proposta come insufficiente (*not appropriate*). Ed espresse con qualche ironia un auspicio: «Auguro buona fortuna al governo italiano nel suo tentativo di ridurre alla ragione Gheddafi con le buone maniere».

Ritenne invece *di grande acutezza politica* un mio accenno sulle conseguenze politiche della diminuzione del prezzo del petrolio (che certo al bilancio italiano portava sollievo). Pensavo in particolare ai rapporti Usa-Urss e al deterioramento della bilancia valutaria sovietica, dato che l'80 per cento del loro export verso l'Occidente era proprio costituito da gas e petrolio. La caduta del prezzo rischiava di produrre effetti negativi anche sull'Arabia Saudita, aggiungevo, compreso un taglio agli aiuti ai paesi poveri e di conseguenza una riduzione anche nei grandi lavori pubblici e in genere negli investimenti nel Terzo Mondo. Chiesi a Shultz cosa ne pensasse.

Mi disse che anche lui aveva cercato di ragionare su questo problema, ma non aveva trovato una risposta convincente. Quello che si poteva fare era di redigere una lista di vincitori e perdenti. Perdenti erano l'Urss, l'Arabia Saudita, la Libia, l'Indonesia, l'Ecuador e il Messico, forse, più di ogni altro. Vincitori l'Italia, la Germania, il Giappone, gli Stati Uniti, il Brasile, l'India, forse la Cina, l'Argentina. L'Arabia Saudita non ha grande popolazione e poteva tenere il colpo. Giordania, Egitto e Marocco soffrivano per le diminuite rimesse degli immigrati nei paesi petroliferi.

D'altra parte, la discesa del prezzo del petrolio teneva l'inflazione sotto controllo. Negli Stati Uniti aveva finalmente ridotto il costo del denaro in termini reali. Malgrado gli effetti negativi, tutto sommato era uno stimolo dell'economia e i suoi effetti potevano dirsi positivi. «Quello che non vogliamo» proseguì Shultz «è che si producano movimenti pendolari: ma come affrontare questo problema e dove si fermerà il prezzo è difficile dire. Forse a 15 dollari, come dicono gli esperti? È un argomento che forse dovrebbe essere approfondito in seno al vertice dei Sette industrializzati a Tokyo.»

Conclusi il lungo dialogo con un rilievo che mi pareva appropriato. L'Italia aveva verso gli Stati Uniti un rapporto ben più solido del passato, quando eravamo solo una parte a crederci e a coltivarlo in un contesto durissimo di opposizione. Ricordai lo stato d'assedio in Roma durante le visite del generale Ridgway e del Presidente Nixon. Shultz avrebbe potuto constatare in piazza San Pietro che *tutti* si rallegravano della sua presenza in Italia.

Shultz rispose: «L'Italia è una grande partner dell'America e sono pronto a dirlo in qualunque occasione. Il nostro dialogo è franco, ci vediamo spesso e abbiamo un buon modo di discutere».

Duecentomila persone in piazza San Pietro al mattino di Pasqua davano non solo un edificante esempio religioso, ma costituivano un ottimo elemento per i giornalisti americani al seguito di Shultz per rivedere certe cronache su un'Italia terrorizzata e impaurita. George, e ancor più Obi, erano in estasi. In quel momento l'ombra di Gheddafi era lontana.

Ma tornò subito dopo ed ebbi — almeno credo — la chiave interpretativa di una certa rigidità. Era previsto che a Messa finita e salutato il Pontefice (che la sera prima li aveva ricevuti in udienza privata), gli Shultz andassero per una breve colazione nella residenza dell'ambasciatore Wilson per ripartire dopo, alle 14, da Ciampino. Ne ero lieto perché questo consentiva anche a me di fare almeno atto di presenza in famiglia. Ma ero appena arrivato in casa che fui avvertito che George era già in automobile per l'aeroporto. Mi precipitai (non c'erano ancora i limiti imposti dal ministro Ferri) e riuscii a precederlo di attimi. Visi accigliati tra Bob Wilson e il segretario di Stato, forse non proprio con costernazione di Max Rabb, mi chiarirono la situazione. Un amico americano presente mi disse sottovoce: «Bob continua a far capo a MacFarlane e non al Dipartimento di Stato».

23

LA PASQUA DI GEORGE

A darmi conferma che il risultato del viaggio di Shultz fosse stato buono, fu un biglietto recapitatomi nella sera stessa di Pasqua:

> Caro Giulio, prima di lasciare Roma desidero ringraziarti per tutto ciò che hai fatto perché la mia visita fosse un successo. I nostri incontri sono stati utili e produttivi [...]. Ritengo che la partnership intrapresa dagli Stati Uniti e dall'Italia nel corso degli ultimi anni per controllare il crimine, il traffico di stupefacenti e il terrorismo serva come modello di cooperazione anche in altri campi... Con affettuosi saluti tuo
>
> *George*

E la signora Helena (Obi) Shultz aveva scritto a mia moglie in termini entusiasti lodando la mia nipotina (*a charming youngster*) che era stata accanto a lei alla Messa; e definendo incantevole la Roma nei giorni di Pasqua.

La stampa aveva esagerato nell'incentrare solo sulla Libia il contenuto dei colloqui. Avevamo tra l'altro parlato a lungo di un tema caro a Shultz e su cui si riprometteva di intrattenere in una specie di seminario informale i ministri dell'Alleanza: il rapporto tra sviluppo tecnologico e garanzie di libertà. Ma questi sono argomenti che nell'immediato non fanno cronaca.

Tuttavia la questione della Sirte continuava a essere inquietante. Gli americani preannunciavano altri passaggi dimostrativi e Gheddafi continuava a dichiarare che lo avrebbe impedito con ogni mezzo. Nella Cee eravamo tutti preoccupati e sentivamo che nell'aria vi era qualcosa di esplosivo.

La sera del 14 aprile fu inviato a Roma (a Londra e a Parigi) per comunicazioni urgenti l'ambasciatore Vernon Walters. La riunione formale la ebbe con Craxi perché io ero all'estero, ma mi affrettai a rientrare e parlammo in aeroporto, presente Rabb. Mi colpì che l'amico Vernon ripetesse per tre volte che egli era soltanto un inviato (*nuntius*).

Il governo americano ci notificava che, non avendo la Cee adottato sanzioni economiche, si verificava la seconda ipotesi preannunciata da Whitehead in gennaio, e cioè l'adozione da parte americana di «altri mezzi». Reagan avvertiva che era provata la responsabilità libica nell'attentato al night di Berlino di qualche tempo prima e che un altro attentato «libico», al consolato americano in Parigi, era stato sventato dalla polizia francese. Ben trentacinque obiettivi americani risultavano poi tenuti sotto osservazione libica. Era venuto pertanto il momento, secondo Washington, di attaccare le basi terroristiche in Libia, evitando con ogni cura di colpire vittime civili. Se gli Usa non avessero agito sarebbero stati considerati vigliacchi. Purtroppo — e non so con quale fondamento — ritenevano che mentre loro erano pronti a difendere la vita dei cittadini alleati, noi europei non avevamo la stessa attenzione per i cittadini americani; e l'opinione pubblica americana si trovava in grande agitazione. Non aspettavano aiuti per l'operazione in Libia, ma speravano solo che non si pronunciassero parole di condanna.

Craxi, illudendosi che fosse una consultazione e non una notifica, aveva risposto che reputava un grande errore una rappresaglia militare. (Walters disse che anche Chirac, ma non del tutto la Thatcher, la pensavano così.) Noi avevamo *sospetti* di matrici libiche in atti terroristici, ma prove no. Bisognava moltiplicare gli sforzi politici e diplomatici, ma non era giusto agire militarmente innescando una catena di reazioni imprevedibili. Vernon Walters gli aveva risposto che al Consiglio di sicurezza una mozione sovietica di condanna del loro agire nella Sirte aveva avuto il solo voto della Bulgaria e quindi non vi era certo l'isolamento americano che Craxi profilava. L'opinione pubblica statunitense non avrebbe accettato che il governo non difendesse la vita dei propri cittadini e che lasciasse la strada libera a Gheddafi per ucciderli.

«Se una vostra città fosse attaccata, cosa direste se il Congresso americano si limitasse ad approvare una risoluzione di condanna?» Parlò di un 67 per cento (mirabile capacità dei sondaggi) di americani favorevoli all'azione.

A Palazzo Chigi, e successivamente con me a Ciampino, Vernon, fermissimo, si era tuttavia impegnato a riferire all'indomani al Presidente Reagan la posizione italiana che aveva trovato simile a quella degli altri leader europei. Debbo ritenere che egli non sapesse che aerei americani erano già partiti dall'Inghilterra per andare a bombardare a Tripoli il quartier generale di Gheddafi, il quale sfuggì alla morte perché tempestivamente, non so da chi, avvertito. Ma vi furono molte vittime, anche donne e bambini.

Fu un momento triste, anche se il timore di un ben più vasto conflitto non venne, data la passività delle navi sovietiche che erano alla fonda nelle acque libiche, segno palese che Mosca non era stata colta di sorpresa dall'iniziativa bellica statunitense.

Poiché su questa vicenda si intrecciarono anche valutazioni interne italiane non convergenti, non è inutile che riporti una lettera inviata da me a Craxi nei primi giorni di aprile:

Caro Craxi, il ministero sta preparando un resoconto dettagliato sulla visita di Shultz, ma desidero anticipare un punto per la tua informazione (ne ho già accennato in via breve a Spadolini).

Se il punto della libertà di navigazione è veramente importante, una volta che gli Usa hanno *de facto* rivendicato la internazionalità delle acque della Sirte, bisognerebbe avere una pronuncia giuridica internazionale che eviti i rischi di una ulteriore manovra militare *ad hoc*. La sede è la Corte dell'Aia. So bene che i rapporti Washington-Corte dell'Aia sono tesi e che dinanzi al ricorso del Nicaragua sul minamento dei porti gli Usa abbiano già dichiarato trattarsi di un tema politico e non di diritto: non riconoscono pertanto la competenza della Corte.

Io non ho fatto certamente a Shultz proposte formali italiane, ma ho spiegato:

1. Nell'agosto 1984 Gheddafi aveva proposto una specie di

209

lodo con gli Usa con giuristi scelti da Reagan. La proposta non fu raccolta.

2. L'Aia è già intervenuta in materia marittima, anche su una controversia Usa-Canada sul golfo del Maine.

3. Adire all'Aia oggi toglierebbe agli Usa l'accusa di negligere i fori internazionali, attutendo l'impatto « Nicaragua ».

4. SE GHEDDAFI NON ACCETTA IL RICORSO all'Aia, è ovvio il vantaggio psicologio degli Usa.

Shultz ha detto subito che Gheddafi è un fuorilegge. Risposta che preoccupa. Gli ho risposto che con un Tito prima maniera (foibe, stalinismo ecc.) De Gasperi ci insegnò a lavorare con pazienza: e il risultato è stato ottimo.

Quale è, del resto, l'alternativa? E la palese acquiescenza sovietica in proposito non ha anche risvolti inquietanti, oltre a garanzie per complicazioni gravi e immediate?

Mi sono affrettato a scriverti perché so che ieri — ed è esatto — hai detto ai segretari di ignorare la « proposta », che non è poi tale. È normale che nel corso di un incontro si cerchino soluzioni possibili, senza la solennità di proposte negoziali.

Quel che ci danneggia con gli americani e con altri è la rilevante speculazione che possono fare su divisioni — tutte da dimostrarsi — tra forze politiche italiane. Non li aiutiamo, così, a una meditazione meno emotiva e affrettata.

Auguri e saluti tuo

Giulio Andreotti

Al vertice dei Sette paesi industrializzati a Tokyo, tenutosi poche settimane dopo (maggio 1986), l'Italia pose con forza la questione della composizione *a sette* e non a cinque delle riunioni dei ministri finanziari e l'ebbe vinta. Fu un incontro calmo: con riaffermate posizioni di lotta al terrorismo; di sollievo con il Piano Baker del debito pubblico dei paesi più poveri; di auspicio di maggior cooperazione, dopo Chernobyl, per la sicurezza degli impianti nucleari.

Il fatto che i sovietici non avessero esternato reazioni al bombardamento di Tripoli aveva evitato che l'argomento entrasse nell'agenda del vertice; ma ancora una volta sulla Libia ci trovammo purtroppo in una posizione delicata.

Nel consueto incontro bilaterale Usa-Italia, Craxi e io

andammo da Reagan, che era assistito da Shultz, Baker e dall'ammiraglio Poindexter, che aveva sostituito al National Security Council il povero MacFarlane naufragato nella questione «iraniana». Tutto si svolgeva *de plano* quando il Presidente lesse la consueta schedina di raccomandazioni sul comportamento verso la Libia.

Non potevamo non precisare; e io dissi al Presidente che, come lui ricordava, noi avevamo quasi azzerato la presenza italiana e ridotto di oltre la metà le nostre esportazioni, che non concernevano comunque armi. «Piuttosto era singolare che le ditte petrolifere americane fossero ancora lì, nonostante gli annunci in contrario.»

Reagan fu colpito e si voltò verso i suoi ministri che lo assicurarono che si stavano vedendo bene gli aspetti giuridici, ma l'indirizzo era preso. E qui sarebbe finito, se l'ammiraglio Poindexter non fosse intervenuto dicendo: «Noi stiamo discutendo di una cosa che forse è già superata. Da stamattina si spara per le strade di Tripoli e a quest'ora chi sa dove sarà finito il colonnello Gheddafi».

Trascrivo quanto dissi allora: «Se è davvero questione di stamattina, chiedo scusa. Ma già la settimana scorsa i vostri servizi ci comunicarono identica notizia e telefonando al nostro ambasciatore accertammo che era del tutto priva di fondamento. Non vorrei che qualche informatore — forse perché li pagate bene — vi trasmettesse notizie "piacevoli, ma false" e lei *senza volerlo* stesse traendo in inganno il Presidente degli Stati Uniti».

Sapevo bene che citando le compagnie petrolifere americane non mi attiravo le simpatie dei ministri; e che, contrastando l'ammiraglio della Sicurezza, facevo personalmente una operazione ancora meno... gratificante. Ma i silenzi interessati non mi sono mai piaciuti. Del resto la notizia di tumulti a Tripoli risultò completamente insussistente, come io avevo dovuto ipotizzare.

Quella sera nonostante Reagan mi dimostrasse simpatia (anche perché fui l'unico a tavola a sapere cosa fosse il salto Caprilli), dovevo trovare presto l'occasione per rimuovere ogni nube con il suo apparato. E la individuai accettando in giugno un invito a Filadelfia per parlare in quel World

Council on Foreign Affairs, seguito a Washington da un colloquio con Shultz (andai e tornai dal Canada, dove stavo accompagnando il Presidente Cossiga: fu una fatica, ma utilissima).

Impostai il discorso in Pennsylvania ricordando che il giusto dissenso di Eisenhower nel 1956 dagli alleati francesi e inglesi, che erano intervenuti militarmente a Suez, non aveva certo intaccato i rapporti nella Nato e in generale; così era sicuramente da valutarsi la non coincidenza di opinioni sull'azione americana nel Mediterraneo contro la Libia. Ben altro ci voleva per poter contrapporre in una prospettiva generale all'America «forte nei suoi princìpi, che noi tutti rispettiamo» una Europa «infida e machiavellica». Dovevamo, viceversa, vivere insieme in pace evitando una folle corsa agli armamenti e adeguandoci ai «doveri che ci sono prescritti dai trattati esistenti». Ancora una volta esaltai la «politica del contatto e della riduzione degli armamenti, politica nella quale crediamo fermamente».

Nell'incontro con Shultz la novità più rilevante fu la buona accoglienza alla mia proposta per un contatto stabile e organico degli Stati Uniti con la Comunità europea, sia a livello ministeriale che con la commissione. Dovevamo evitare che singoli problemi via via pendenti dessero l'idea di una schermaglia continua, laddove sulla grande politica avremmo certo avuto modo di mettere in luce le grandi e prevalenti convergenze. Già Shultz aveva dimostrato sensibilità al riguardo, andando a visitare la commissione quando si recava ogni dicembre a Bruxelles per il Consiglio Nato. Circa il Medio Oriente, mi fu fatto cenno a una possibile azione della Santa Sede (monsignor Silvestrini) nel Libano, che io reputavo di scarse prospettive, tenendo anche conto delle divisioni interne tra i cristiani; suggerivo a mia volta di premere tutti su Gemayel e sugli altri perché non ritenessero di poter trovare la pace interna tra cristiani e islamici (e all'interno delle rispettive collettività) dando addosso ai poveri palestinesi. Parlammo dell'Egitto e avanzai l'idea di scegliere Roma — ed eventualmente il professor Ago come arbitro — per dirimere la controversia tra Egitto e Israele su Taba, che era negativa anche come immagine di una non attuata pace veritiera tra i due paesi. George mi parlò anche del terribile incidente nucleare di Chernobyl: forse la Russia si sarebbe ora convinta che anche in questo campo occorre una cooperazione scientifico-tecnologica che sarebbe a tutto suo vantaggio. Ma c'era di più: l'impressione e il panico suscitati in tutto il mondo avrebbero aiutato il progredire dei negoziati per il disarmo nucleare.

A parte i contenuti specifici, pur significativi, quell'incontro di Washington fu tra i più felici e approfonditi che io abbia mai avuto. Shultz si sfogò con me anche per alcuni tagli al bilancio che il Congresso gli stava apportando: vi sono davvero — osservai — impressionanti identità di problemi nel nostro lavoro di ministri. E così ci congedammo.

Ai primi di settembre era venuto a trovarmi Vernon Walters che non vedevo dalla famosa sera del bombardamento tripolino del 14 aprile. Era in un nuovo *tour*, ordinatogli dal Presidente per propagandare la sensibilizzazione di tutti i governi verso i pericoli terroristici, che gli Usa vedevano annidati anche presso le agenzie di compagnie aeree. A Washington avevano la sensazione che in materia l'Urss fosse ora più cooperativa. Ripetei, ma Vernon lo sapeva bene, quale fosse il mio pensiero sulla Libia: se fossimo stati attaccati (Craxi lo aveva detto chiaramente) avremmo risposto, ma evitavamo da parte nostra l'aggravamento della crisi cercando di mantenere, beninteso non *a ogni costo*, un *modus vivendi* logico tra vicini. Gli Usa avevano posto l'embargo a ogni importazione che contenesse anche una traccia minima di petrolio libico: era un loro diritto, come era stato per il nichel di produzione cubana. Ma più avevo occasione di occuparmi di petrolio, meno vedevo chiaro nei suoi «filoni» e nei rapporti con la politica e la diplomazia. Non era forse bene, ora che la questione della Sirte si era un po' calmata, riconsiderare anche da parte americana lo studio di un rapporto diverso con la Libia? Erano infatti sicuri che, se fosse caduto Gheddafi, non avrebbe potuto sostituirlo un filosovietico attivo o un integralista islamico, aumentando così ancora di più i problemi di sicurezza nel Mediterraneo?

Parlando del Sudafrica, Walters disse che a suo giudizio l'embargo dei paesi Cee sul carbone sarebbe stato un errore (ci riunivamo in quei giorni a Brocket Hall per affrontare l'argomento) perché avremmo messo in disoccupazione cinquantamila lavoratori negri. Evidentemente anche negli Usa vi erano più scuole di pensiero su questo difficile argomento.

Domandai a Vernon come andasse la sua lobby nel Palazzo di Vetro. L'anno precedente era venuto a trovarmi a Merano dove ero in vacanza e mi aveva mostrato le impressionanti cifre delle difformità quasi abituali per tanti paesi dei loro voti all'Onu rispetto alle posizioni dell'Onu. Mi disse che qualche miglioramento c'era e mi promise di inviarmi il rapporto statistico che ogni anno la rappresentanza faceva per il Dipartimento di Stato. La mia domanda aveva un fine ben preciso: di mettere in rilievo come le *coincidenze* italiane fossero la norma, anche se non sempre l'opinione pubblica americana veniva indotta a considerarle tali.

So da molti ambasciatori che Vernon Walters nei rapporti personali è sempre stato molto bravo, recandosi a far visita a tutti i colleghi e avendo sempre grande disponibilità nelle relazioni. La convergenza nei voti all'Onu con l'atteggiamento degli Stati Uniti non è però migliorata (salvo qualche punto percentuale in più dei maltesi e degli angolani). Credo che Walters avrebbe potuto ottenere risultati ben maggiori se non vi fosse stata la coincidenza di un diffuso atteggiamento ostile all'Onu nel Congresso di Washington, tanto da far discutere addirittura sulla possibilità di un trasferimento fuori dagli Stati Uniti. Il paese più «convergente» con gli Stati Uniti è Israele, con l'89,90 per cento, mentre il Canada, nonostante la vicinanza e l'unione doganale, è al 72. Dei paesi dell'Est europeo capolista è la Romania (16,8).

Sempre in settembre incontrai Shultz a New York ed ebbi nuova conferma che la spedizione libica non aveva compromesso il contatto negoziale Usa-Urss. Già in agosto mi aveva scritto una lunga lettera per informarmi in dettaglio su una riunione a livello di esperti che si stava per svolgere a Mosca, illustrandomi le direttive con cui partiva Paul Nitze. Nel mese precedente altri incontri di «tecnici» Usa-Urss avevano affrontato singoli capitoli dell'agenda predisposta per la ripresa formale della trattativa prevista per il 18 settembre (Mbfr, armi chimiche, esercito per il disarmo nella Csce, ecc.). Lo stesso Nitze era venuto a Roma, mostrandoci una lettera molto costruttiva che Reagan aveva inviato a Gorbaciov. Sia a Nitze che a Shultz potei esprimere la *profonda soddisfazione* italiana per il corso degli eventi. E la ripetei a George stesso nel corso del colloquio che ebbi per l'appunto con lui a New York il 24 settembre.

A complicare la relazione Usa-Urss era sopravvenuto il caso di un giornalista americano arrestato in Unione Sovietica con l'accusa di spionaggio. Se non fosse stato liberato saltava l'incontro al vertice in quanto l'opinione pubblica americana (o gli avversari della distensione?) era di nuovo in agitazione. Mi parve però di capire che fosse in cottura uno scambio di veri o presunti spioni e che perciò non c'era da drammatizzare. Fugai le preoccupazioni di George per il previsto viaggio a Roma di Jaruzelski, dicendogli che avevamo chiesto e ottenuto cento misure di clemenza collegate proprio al viaggio, il quale, del resto, aveva come scopo non secondario una visita in Vaticano che doveva preludere a una andata a Varsavia del Papa. La rigidità americana verso la Polonia — forse suggerita dalle collettività polacche degli Stati Uniti — a me appariva mal posta. Gli confermai le impressioni delle mie giornate di Varsavia del dicembre: il generale agiva non solo in buona fede, ma come elemento costruttivo di una tacita evoluzione che si andava sviluppando. Il processo di Torun contro i poliziotti assassini non poteva essere sottovalutato.

Parlammo poi dell'Unesco. Anche se gli americani erano usciti, mi sembrava importante accertare se l'eventuale rinnovo del mandato a M'Bow volesse dire precludere un loro rientro che, dal mio punto di vista, ritenevo indispensabile. L'ambasciatrice Gerard era stata drastica a questo riguardo. Cosa pensava George di candidature tipo Enrique Iglesias, ministro degli Esteri uruguayano, o dell'egiziano Boutros Ghali o del premio Nobel Abdus Salam? Pur interessato al tema, Shultz mi disse che il Dipartimento non lo aveva preso in esame.

Accennando al terrorismo, gli dissi che noi avevamo proposto ai colleghi europei di far sottoporre le valigie diplomatiche al *metal detector* degli aeroporti, ma l'accoglienza era stata fredda. Gli inglesi, che per primi avevano denunciato tale mezzo come veicolo per trasporti persino di armi, invocavano le convenzioni di Ginevra e di Vienna e temevano altresì che la deroga desse modo ai paesi dell'Est di infrangere per le ambasciate occidentali la riservatezza delle informazioni. Purtroppo quando si passava dalle enunciazioni di lotta al terrorismo a misure operative concrete non venivano che raffinate obiezioni. A Shultz la misura, che noi avremmo comunque applicato, sembrò valida. Si rallegrò anche per il riacquisto delle azioni Fiat in possesso dei libici, che a Torino avevano deciso per allinearsi e non aver contraccolpi sul mercato americano; e, sul momento, non commentò il mio rilievo, un po' ironico, che se tutte le punizioni inflitte a Gheddafi erano di questo tipo, c'era da invidiarlo, perché il riacquisto significava un guadagno netto del 1000 per cento. Qualche giorno dopo qualcuno a Washington si ricredette, ma il passaggio era già stato perfezionato.

Shultz si rallegrò con me per la laurea giuridica *ad honorem* ricevuta due giorni prima alla St. John University su proposta del mio vecchio amico professor Edward Re.

Era stata una cerimonia molto toccante, sia per l'accoglienza del presidente, padre Joseph Cahill, sia per il contemporaneo conferimento (non onorario) dei gradi a 491 studentesse e studenti, alcuni arrivati alla St. John per il *doctor of Philosophy* avendo già il master di altre università. Mi colpì il gran numero di cognomi italiani tra questi neo-dottori, che significava un importante indice di crescita delle famiglie dei nostri emigrati. Molti hanno ormai il primo nome americano (Joseph Fonte, Richard Lo Russo, Marilyn Chiaromonte, Debby Romanello), ma altri — forse di nuclei arrivati in America da meno tempo — non suscitavano dubbi: Sandra Bertolotti, Laura Giovannini, Romana Mattia, Angelo Ciminera, Carmine Esposito, Salvatore Incardona e anche Laura Mussolini.

Festeggiammo in un nuovo ristorante italiano, intitolato Il Palio e decorato con i colori delle contrade senesi. Ma è opera dell'altoatesino Andreas, celebre ristoratore di Merano, che a New York, con tanti italo-americani, ha lasciato opportunamente cadere la sua *s* finale.

In ottobre si ebbe a Reykjavik l'incontro tra Reagan e Gorbaciov. Oltre le informazioni tramite Paul Nitze al Consiglio atlantico, Reagan aveva tenuto a informare per iscritto i governi alleati sui quattro punti che avrebbe discusso, sottolineando *innanzitutto* il suo continuo impegno a curare lo smussamento delle divergenze con l'Urss: diritti dell'uomo, riduzione degli armamenti, problemi «regionali», questioni bilaterali. E da Reykjavik George Shultz venne direttamente a Bruxelles per ragguagliare noi ministri sulla tormentata e movimentata riunione.

Le ultime notizie della notte avevano diffuso nei nostri paesi sensazioni pessimistiche e io ero partito da Roma in questo stato d'animo. Incrociai però George all'ingresso del quartiere Nato e mi fece il segno del tutto Ok. Ci riferì infatti che, non riuscendo a trovare vie d'uscita nei gruppi di lavoro, tutto stava per essere aggiornato senza una conclusione quando i due numero uno avevano deciso di incontrarsi con i soli interpreti per cercare di evitare l'insuccesso. E l'accordo era stato raggiunto. George espresse — e mi parve senza sottintesi irriguardosi — la sua ammirazione per Gorbaciov e Reagan, che avevano affrontato senza l'aiuto dei collaboratori anche problemi di cui non conoscevano bene i contenuti. Io pensai a De Gasperi che, quando doveva prendere una decisione, ascoltava gli esperti e tutti gli altri, ma alla fine era sempre lui che trovava le strade.

I sovietici avevano accettato anche un punto che nelle nostre valutazioni sembrava impossibile: le modifiche al loro Codice penale, chieste dagli americani per rimuovere l'equivoco di misure contro i diritti umani che nella forma erano secondo legge (le procedure per il ricovero coatto nei manicomi, ad esempio).

Quando Shultz tornò due mesi dopo in Belgio per la seduta ordinaria del Consiglio atlantico era di umore grigio scuro; e non per problemi internazionali. Era ripresa malamente la polemica sullo scandalo delle armi americane fornite segretamente all'Iran e George si trovava in particolare disagio perché aveva sempre avuto una posizione drastica nel fustigare gli alleati che si diceva violassero l'embargo e nel sostenere che con i terroristi non si tratta, neppure per liberare ostaggi. Con una sarabanda incrociata di smentite e di spiegazioni — una diversa dall'altra — la Casa Bianca si era messa in una posizione difficile; e, a complicare le cose, proprio quella mattina del Consiglio era venuta fuori la notizia che le armi consegnate erano state *temporaneamente* sottratte alle dotazioni Nato. A nessuno sfuggiva la delicatezza della questione anche sotto questo profilo, ma il punto più grave era il contrasto con il Congresso, poiché il ricavato della illecita vendita sarebbe stato destinato alla guerriglia antisandinista proprio per supplire ai fondi che lo stesso Congresso non aveva approvato. In più si diceva che il colonnello North (ritornava il nome dell'uomo di Sigonella) avesse sbagliato il numero del conto corrente svizzero, mandando in fumo sia questi fondi sia elargizioni generose di un sultano asiatico, anch'esso chiamato a sostituirsi ai contributi «nicaraguensi» negati dal Campidoglio di Washington.

La popolarità di Reagan era però tale, a mio avviso, che invano i giornalisti avevano chiamato «Irangate» la vicenda per richiamare il Watergate. Fortunatamente, perché se si fosse aperta una crisi in quel momento, il negoziato con l'Urss avrebbe segnato il passo e, forse, si sarebbe arenato per sempre. Questa preoccupazione la espressi apertamente — avendo anche il vantaggio di essere presidente di turno — e invitai a non lasciarsi prendere dall'atmosfera di uno scandalo che rischiava di sacrificare le questioni ben più importanti della pace mondiale e del disarmo.

A margine, avevamo combinato una prima colazione insieme allo Hyatt Regency, perché dovevo protestare per l'ennesima riunione che, sotto l'etichetta di comodo delle potenze occidentali interessate a Berlino (Usa-Inghilterra-Francia-Germania), si era tenuta a Londra e che riapriva la odiosa polemica sul «direttorio». Mi dispiaceva di dover parlare di questo quando la mente di Shultz era indirizzata a ben altri argomenti. E apparve infatti insofferente, tentando di dire che si era veramente parlato di Berlino (per due giorni!).

C'era anche un'altra lamentela nel mio carnet che riguardava le celebrazioni solenni attorno alla Statua della Libertà in cui erano stati premiati americani oriundi di tutte le origini e neppure un italiano. Per addolcire però il discorso

— almeno credevo così — mi rallegrai perché finalmente era stato nominato alla Corte suprema un «italiano» Antonin Scalia, attuandosi un proposito che i precedenti presidenti avevano manifestato e mai realizzato. Ma avevo messo il piede in fallo. Riporto dai miei appunti la imprevista piccola tempesta.

Shultz: Questo non posso accettarlo. Francamente non mi sembra che dobbiate dirci voi chi vada premiato e chi nominato alla Corte suprema. Nel nostro paese, ciò non avviene per considerazioni etniche, ma per una valutazione dei meriti. Considero questa una interferenza nei nostri affari interni.

Andreotti: È chiaro che da parte nostra non sussiste alcuna intenzione di interferire. Almeno tre presidenti americani, di loro iniziativa e senza alcuna mia sollecitazione, hanno avuto modo di indicarmi che un oriundo italiano sarebbe stato nominato alla Corte suprema. Il Presidente Reagan lo ha fatto. Mi sembra logico esserne lieto. Allo stesso modo sono lieto quando mi capita di vedere molti italiani alle *graduations* nelle università. Ciò significa infatti un salto di qualità della presenza italiana in America. Una testimonianza in questo senso è offerta anche dalla presenza sulla scena politica americana di uomini come Mario Cuomo e Alphonse D'Amato, e ciò indipendentemente dalle loro affiliazioni di partito. Anche Lee Iacocca, che ha presieduto per un certo tempo il Comitato per le celebrazioni della Statua della Libertà, è di origine italiana.

So bene che in America i meriti non sono valutati in base a considerazioni etniche, Kissinger era straniero al tempo della guerra ed è diventato segretario di Stato. Questo appartiene alla grande visione americana.

Ma per tornare al nostro tipo di politica voglio ricordare a mo' di esempio che su tutta la vicenda dell'Iran noi siamo stati più attenti di altri a mantenere un atteggiamento di riserbo. Non abbiamo fatto nessuna dichiarazione. Noi siamo un alleato serio.

Shultz: So che l'Italia è un alleato serio.

Il discorso continuò a lungo su altri temi e senza più scatti di nervosismo, anche se il mio interlocutore era logicamente tesissimo. Parlammo di politica agricola comunitaria, del Centroamerica, del Libano sempre più in difficoltà, del Sudafrica e dell'inefficacia delle sanzioni economiche parziali decise dalla Cee (non sulle esportazioni di carbone), del programma di re Hussein per la Cisgiordania che eravamo disposti ad aiutare ma su cui ero piuttosto scettico. Cercai di sottrarre George dai suoi crucci di quei giorni parlandogli di un colloquio avuto a Firenze con il viceministro sovietico Adamišin, con cui avevo concordato nella linea delle non pregiudiziali per far sì che i contatti Usa-Urss non si fermassero. Mi era sembrato di capire che lo scudo spaziale non costituiva un blocco e che forse si poteva trovare una soluzione anche nella disputa sui limiti delle ricerche; approfittai per spendere ancora una volta qualche parola sulla utilità di far incontrare scienziati (Shultz disse subito: «i laboratori aperti») sostenendo che, se si mettevano insieme Teller e Velichov, una formula l'avrebbero trovata, e meglio di noi politici.

Provavo per Shultz una sincera pena. Egli non voleva scoprire il Presidente, né sconfessare qualche suo collaboratore, ma se nessuno lo aveva a suo tempo informato aveva diritto a essere furioso per l'Irangate. Per questo non gliene volli per la reazione sugli italo-americani. Del resto, poco dopo, l'ambasciatore americano Abshire andò dal collega Fulci per dirgli che George, *a posteriori*, si era molto rammaricato del suo scatto.

Shultz mi informò che al posto di Bob Wilson (io lo chiamavo «dimissionario libico») inviavano a Roma, alla Santa Sede, l'ambasciatore a Lisbona Frank Shakespeare. Il Dipartimento di Stato aveva preso la sua rivincita.

Terminava un altro anno carico di eventi, di emozioni, di giorni lieti e di ore da dimenticare. In qualche momento era stato per me personalmente difficile tenere una posizione oggettivamente ferma, senza lasciarmi fuorviare da alcune correnti interne italiane di cui non discuto la buona fede, ma che errano nel ritenere che con gli americani non si può discutere. Purché lo si faccia con lealtà e non attraverso i giornali o le prese di posizione a effetto. Ero stato molto lieto a metà dell'anno di constatare che un'idea espressa da Craxi a Paul Nitze, per un metodo di valutazione congiunta e non a caldo della sicurezza del Mediterraneo, fosse stata raccolta da Reagan che inviò a Roma il sottosegretario Armacost per approfondirla. E venne con una lettera dello stesso Reagan, in cui si parlava dello *specifico dovere di lavorare insieme*; si affermava che la *storia e la geografia danno all'Italia una visione unica di tutta l'area*; e si riconosceva che l'Italia aveva *affrontato con successo la sfida terroristica.*

E Shultz mi aveva assicurato che avremmo passato insieme a Roma anche altre giornate pasquali.

24

DAGLI EBREI DI NEW YORK

I colleghi americani dell'Unione interparlamentare ci invitarono negli Stati Uniti nel gennaio del 1987 e io guidai una delegazione rappresentativa di sette partiti (Adolfo Battaglia, Gianfranco Conti Persini, Antonio Guarra, Antonio Rubbi, Egidio Sterpa e Saverio Zavattini).

Le preclusioni politiche precedenti erano ormai superate e non vi fu bisogno di doppi programmi. Avemmo incontri di grande importanza, con scambi di vedute aperti e, in qualche momento, vivaci. Dal vicepresidente Bush al segretario di Stato Shultz, dal giudice della Corte suprema Scalia al vecchio amico Edward Derwinski, divenuto sottosegretario per la Sicurezza, la Scienza e la Tecnologia; e con un numero rilevante di autorevolissimi senatori e «rappresentanti»: lo speaker Jim Wright, i leader della maggioranza e della minoranza al Senato, Robert Byrd e Bob Dole, i presidenti delle Commissioni esteri Dante Fascell e Claiborne Pell. Di scorta politica erano il senatore repubblicano Robert Stafford del Vermont (si è ora ritirato e mi ha inviato una bellissima lettera di congedo) e il deputato democratico Claude Pepper che ci ospitò poi in Florida. Tra i tanti colleghi incontrati, il senatore del Missouri, John Daufort, volle esaltare la collaborazione tra l'Aeritalia e la McDonnell-Douglas, i cui stabilimenti principali erano nella sua giurisdizione.

Ancora una volta rendemmo, tutti insieme, un buon servigio alla nostra nazione, mostrando compattezza sostanziale sui problemi, non disgiunta da logiche articolazioni a seconda dei rispettivi schieramenti.

In Florida ci recammo nella capitale, Tallahassee, accolti dal governatore Bob Martinez e da Jeb Bush (figlio di George), segretario al Commercio. Il *chief justice* Benjamin Overton ci offrì una colazione-colloquio e avemmo poi un grandissimo *relax* con la visita a Orlando del Magic Kingdom e dell'Epcot Center, le due realizzazioni di Disney sulla costa atlantica.

Le illustrazioni di quella che dovrebbe essere l'agricoltura degli anni Tremila sono affascinanti, ma confesso di essermi molto divertito agli scherzi dei sette nani che vengono ad allietare la colazione, tanto più che ci trovavamo nel ristorante bis del ben conosciuto locale romano Da Alfredo. Un giorno di « abbandono » non fa certo male.

Il mattino successivo potemmo invece visitare a Cape Canaveral lo Space Center, che ora è dedicato a John Kennedy. Sono sopralluoghi molto opportuni anche per prendere conoscenza dell'enorme lavoro sperimentale che gli americani fanno nella missilistica civile.

Dalla Florida a New York con un programma intelligentemente massacrante: grandi accoglienze alla Columbia University, dove il presidente Mike Sovern e la dinamica professoressa Maristella Lorch espressero il desiderio di una maggiore presenza linguistica e culturale italiana in questo prestigiosissimo centro di studi. Qui si svolse poi, su questo tema, un seminario per dibattere nuove idee e nuovi strumenti. *Maggiore presenza*, come sviluppo di un programma già molto serio e ampio. Lo si desumeva dall'intenso calendario degli incontri di quel periodo: lezioni dei professori Aldo Moretti, biologo di Napoli; Rosella Mamoli Zorzi, Daria Parocco, Renzo Bragantino e Giorgio Padoan, docenti di letteratura a Venezia; Sergio Zatti, dell'Università di Pisa; Enrico Malato dell'ateneo viterbese; spiccava poi la presenza di Alberto Moravia e delle scrittrici Maria Luisa Spaziani e Letizia Cravetto; e ancora: Vittore Branca, della Fondazione Cini, Alberto Conte, matematico, e Franco Ferrarotti, sociologo, dell'Università di Torino. Da Roma era atteso, sempre in primavera, lo storico Gilmo Arnaldi; da Siena gli scrittori Franco Fortini e Ginevra Bompiani; da Salerno la professoressa Joselita Raspi-Serra.

Fummo tutti molto colpiti da questa visita alla Columbia. Ci impegnammo a favorire il potenziamento della sua «Casa italiana» e in genere delle attività dell'Istituto italiano di cultura di New York. Di qui passammo al Council on Foreign Relations per uno scambio sulle prospettive della sicurezza e della pace dopo Reykjavik.

Lasciai poi qualche ora di libertà ai colleghi che non conoscevano (ma chi la conosce del tutto?) New York e ne approfittai per far colazione da Vernon Walters nel suo bell'appartamento di servizio alle torri del Waldorf Astoria. Prima di ripartire fummo ricevuti con straordinaria cordialità dal governatore Mario Cuomo. Ci disse persino — e qualcuno interpretò questa battuta semiseria come inizio della campagna elettorale — che gli dispiaceva che a Washington non avessimo parlato di politica, perché in quel momento di politica in America non se ne faceva. Mario invece rievocò con parole bellissime la sua origine italiana di cui andava molto fiero. Per fortuna non ci parlò dell'Irangate, che avrebbe messo in imbarazzo noi (anche se non l'onorevole Pepper e gli altri colleghi democratici).

Dell'Irangate invece parlò proprio in quei giorni George Shultz in una intervista a «Le Monde». Al giornalista che gli chiedeva come mai, a sua insaputa, gente del National Security Council avesse potuto agire come aveva agito, rispose: «Il Presidente aveva dichiarato pubblicamente che considerava importante far prendere contatti che potessero concorrere a un cambiamento della condotta dell'Iran, con evidente importanza strategica, e io sono in questo d'accordo con il Presidente, che ha, anche qui pubblicamente, reso noto *di aver preso la decisione* di dimostrare la nostra buona fede con il *segnale* di una piccola fornitura di armi».

Nei mesi seguenti la corrispondenza con Shultz si intensificò su alcuni argomenti specifici: la discussione a Ginevra sulle ritenute violazioni cubane ai diritti umani; l'avversione alla introduzione nella Cee di un dazio sulle materie grasse, e per evitarla sostenevo che l'America avrebbe dovuto dimostrare maggiore flessibilità nelle trattative commerciali in genere, e nonostante l'Amministrazione sostenesse di fare spesso molta fatica per frenare le spinte protezioniste del Congresso. E fu proprio il Congresso a dare una doccia fredda alle attese europee di avere interessanti commesse tecnologiche per il sistema Sdi.

Mentre il senatore Nunn si sforzava di portare a un grado più elevato la cooperazione alleata nella Difesa, il deputato Les Aucoin fece passare un emendamento che prevedeva profonde restrizioni nella partecipazione estera alle ricerche dell'Iniziativa di difesa strategica. Shultz mi scrisse subito (25 maggio) il suo rammarico e il proposito governativo di opporsi; purtroppo temeva che il senatore John Glenn, che si muoveva nello stesso senso di Aucoin, avrebbe riportato un analogo successo, facendo prevalere una linea totalmente in opposizione allo spirito e agli obiettivi dell'accordo per un equo concorso estero nel programma. In effetti la spuntò Glenn e non il governo.

Per me non era la fine del mondo, certo veniva meno uno degli argomenti più validi con cui il nostro governo aveva convinto il Parlamento. Tuttavia l'interesse principale in quel momento era concentrato sulla spinta verso la conclusione positiva del negoziato per smantellare i missili intermedi in Europa. Al riguardo l'Italia dette un apporto rilevante contribuendo a far superare la pesante leggenda della impossibilità di validi controlli.

A Mosca si continuava a ritenere che i controllori non fossero altro che spie; e a Washington la concessione di un *visto d'ingresso* a un sovietico era ancora mal vista dalla burocrazia. Invitammo a Roma scienziati dei fronti contrapposti, avendo cura di sceglierli non solo per indiscussa autorevolezza scientifica, ma anche per la possibilità personale di accesso diretto ai rispettivi capi di Stato; si arrivò così alla formulazione di un modello di contatto che, all'atto pratico, risultava semplicissimo e privo di inconvenienti.

Prima del Consiglio atlantico di Reykjavik avemmo a Venezia Reagan, Shultz e Baker per il vertice dei Sette paesi industrializzati. A capo del governo italiano era subentrato il senatore Amintore Fanfani dopo una disputa tra i partiti circa la costruzione di centrali elettronucleari e che aveva addirittura portato allo scioglimento delle Camere. Disputa inutile, perché non solo non si evitò l'ambiguo referendum popolare sul tema, ma lo si anticipò a subito dopo le elezioni, impedendo perfino al nuovo Parlamento di ricercare soluzioni intermedie. Talvolta è difficile spiegare agli stranieri i risvolti della politica italiana, specie quando argomentazioni ragionevoli non ci sono.

Il Vertice si svolse presso la Fondazione Cini nell'isola di San Giorgio, dove questa riunione era già stata ospitata nel 1979. Reagan fu sempre di ottimo umore; evidentemente aveva in cuor suo più che superato le polemiche sull'Irangate, anche perché l'opinione pubblica gli era talmente a favore che il Partito democratico non aveva mai pensato seriamente a un tentativo di coinvolgerlo in prima persona. Il cambiamento al vertice dei collaboratori della Casa Bianca (Howard Baker era andato al posto di Regan) sembrava avesse fatto mutare il vento e restituito popolarità indiscussa.

Negli intervalli il Presidente intratteneva volentieri gli altri partecipanti attingendo al suo repertorio di barzellette che negli ultimi tempi si era arricchito di una piacevole serie russa. Ne annotai quattro che, ci disse, aveva raccontato anche a Gorbaciov, a eccezione della seconda.

« Muore Brežnev e si presenta a san Pietro chiedendo l'ingresso in Paradiso. Con i suoi precedenti, l'istanza viene respinta e gli si offre solo l'alternativa fra l'inferno dei comunisti e quello dei capitalisti. "Scelgo senz'altro il primo", risponde il compagno Leonid "perché di sicuro il riscaldamento non funziona". »

« Periodo di coprifuoco a Mosca. La ronda ferma un uomo che viene ucciso sul colpo. Il compagno del milite che ha tirato deplora l'accaduto dicendogli: "Perché lo hai fatto? Manca ancora un quarto d'ora al coprifuoco". "È vero," risponde l'altro "ma so dove abita e non poteva fare in tempo ad arrivarci." »

« Brežnev e Carter parlano tra di loro di libertà e il Presidente americano, per dimostrare l'estrema liberalità del suo sistema, dice che qualunque cittadino può andare dinanzi alla Casa Bianca e mettersi a gridare ABBASSO CARTER senza che nessuno lo censuri. "Anche da noi" replica Brežnev "ogni cittadino può dire fino a che vuole e dovunque ABBASSO CAR-TER."»

«Un gruppo di amici discute quale sia la professione più antica. Il primo interlocutore dice che è quella del medico, perché Eva era venuta fuori da una operazione chirurgica su Adamo. Il secondo optò per gli ingegneri, perché il mondo era stato fatto secondo un progetto. Il terzo disse: "Prima di ogni cosa c'era il caos, e cioè molti avvocati".»

Reagan, a parte i piccoli doni ufficiali che si ricevono in queste occasioni, ebbe l'omaggio di una bella riproduzione della Statua della Libertà, opera dello scultore veneto Gianni Visentin. Chiarito che l'omaggio era a Ron Reagan e non al Presidente americano in quanto tale, ci assicurò che senza violare le loro severe leggi avrebbe tenuto con sé questo ricordo anche dopo il 1988.

Vista l'ammirazione suscitata, ne commissionai anche una riproduzione un po' più piccola per George Shultz e la sua incantevole consorte.

Le riunioni di Venezia si svolsero serenamente, più o meno sul cliché solito. E non venne modificata l'abitudine un po' bizantina di emettere lunghissime dichiarazioni comuni, che nessun giornale del mondo potrebbe pubblicare per intero. Furono approvati sei documenti, nei quali l'unica novità fu l'impegno alla cooperazione in materia di Aids, così come a Londra ci si era soffermati sul cancro e a Bonn sulla droga.

La signora Thatcher non eccepì all'introduzione nel comunicato dell'Est-Ovest di una menzione favorevole agli sforzi che gli Stati Uniti stavano compiendo per le riduzioni delle armi nucleari (del resto si ribadiva che la deterrenza perdurava, avendo la Nato deciso che per *tempi prevedibili* così era). Shultz però era molto preoccupato per le divergenze anglo-tedesche sul negoziato degli «intermedi» che erano emerse nella preparazione del Consiglio atlantico di Reykjavik, dove ci recavamo direttamente da Venezia.

Avemmo un colloquio alle 7 del mattino nella cornice dell'Albergo Cipriani, così poco adatta per parlare di missili. Lo rassicurai del massimo impegno italiano perché il Consiglio si concludesse in modo tale da far imboccare al negoziato la dirittura di arrivo. Avevo visto Genscher e ci eravamo trovati d'accordo. Il punto da evitare era la richiesta inglese di fissare una linea (*fire break*) al di sotto della quale non si dovessero più prospettare ulteriori riduzioni di armi nucleari. Shultz si augurò che l'Italia riuscisse ad avvicinare le posizioni tedesche e britanniche, che sembravano tuttora lontane.

Un secondo problema di difficile soluzione sembrava essere quello della stabilità convenzionale. Le divergenze tra gli Stati Uniti e la Francia, malgrado gli sforzi del Dipartimento di Stato, non si erano attenuate e Charles Thomas era inviato a Parigi per un ultimo tentativo di negoziato.

George mi pose poi una domanda precisa per quel che riguardava il Golfo Persico: «Ieri l'altro mi hai detto che l'Italia non avrebbe potuto associarsi ad alcuna iniziativa congiunta nel golfo non avendo l'attuale governo la fiducia del Parlamento e non essendo quindi nella pienezza dei suoi poteri. Da parte americana si è quindi mostrata una notevole flessibilità. Ma che prospettiva configuri circa la posizione del governo italiano dopo le elezioni?».

Risposi che in campagna elettorale qualsiasi movimento in un senso o nell'altro era impossibile. Per quel che riguardava il futuro, a mio giudizio occorreva comunque dare priorità all'iniziativa politica in seno alle Nazioni Unite. Una risoluzione doveva venire adottata, delle sanzioni dovevano essere comminate a chi non rispettava il cessate il fuoco. Ove tutto ciò non avesse portato ad alcun risultato, si sarebbe passati a esaminare altre iniziative connesse alla sicurezza del golfo. Ma l'azione politica doveva precedere tutto: essa a me sembrava, d'altronde, bene avviata.

Ricordai che come presidente della Commissione esteri mi ero dovuto impegnare a fondo per aiutare il ministro Colombo a far passare alla Camera l'invio di navi nel Libano. Vi è sempre stata una forte resistenza a impegnare soldati fuori della nostra area; e questo non per pacifismo, ma per una fedeltà al primato delle vie politiche che da noi è molto radicato. Nessuno poteva fraintendere questo spirito. Nel dislocare i Cruise a Comiso non vi era stata alcuna vera opposizione, proprio per questo riconosciuto equilibrio italiano.

Anche per l'Irak-Iran occorreva pazienza e tenacia; e saremmo riusciti.

Shultz prese nota di questa posizione prevedendo che l'Irak avrebbe accettato la risoluzione del Consiglio di sicurezza, ma non l'Iran. Io ero meno pessimista.

In effetti a Reykjavik non mancarono voci titubanti sull'accordo nucleare (Francia e Inghilterra erano e sono pensose quando si profilano opzioni riduttive o sostitutive), ma la spuntammo. George apprezzò molto il fermo sostegno italiano, unito alla spinta per far rimuovere anche i cento missili sovietici puntati verso l'Estremo Oriente. Era questa una solidarietà dovuta al Giappone e agli altri stati. Tornato in patria, George mi scrisse di aver riferito al Presidente del *nostro successo* e mi ringraziava per i *saggi consigli in materia.*

Ci trovavamo poi alle prese con due enormi questioni: la conclusione dell'accordo sui missili e la situazione del conflitto Iran-Irak, sempre sull'orlo di allargare l'area della belligeranza. Con molto impegno, e tenendo contatti leali e frequenti con le due parti contendenti, cercavamo di affiancare gli sforzi molto appassionati del segretario generale Pérez de Cuellar. E naturalmente avevamo contatti intensi con Washington e frequenti con Mosca.

Shultz stava appunto per andare a Mosca quando lo incontrai a pranzo a New York il 23 settembre, anche in vista della nostra presidenza al Consiglio di sicurezza in ottobre. Fu molto gentile nell'inviarmi la mattina dopo questo biglietto: «Grazie per la raffinata e graziosa ospitalità di ieri sera. Tu sai produrre una giusta combinazione di cibi, socialità e discussioni di sostanza. È la tecnica di Andreotti, sia a Venezia che a New York».

In quei giorni ebbi una singolare opportunità, dovuta a due miei amici israeliti, Leon Tamman, presidente dell'Unione degli ebrei di provenienza araba, e Raffaello Fellah, presidente degli ebrei profughi dalla Libia. Ricevetti un invito a colazione nel grande palazzo della Jewish Defense League che è proprio di fronte alla sede delle Nazioni Unite. Avevano convocato esponenti anche da fuori New York e mi invitarono a esporre il mio pensiero. Lo riassunsi così: «La difesa della sicurezza — non solo dell'esistenza — dello Stato d'Israele è per noi sacra, ma con lo stesso impegno di solidarietà ci poniamo verso i palestinesi al fine di ottenere loro la legittima normalizzazione politica. Occorre uscire dal circolo chiuso delle pre-condizioni e accettare la simultaneità di dichiarazioni e impegni soddisfacenti. Non si può certo improvvisare una conferenza, né imporla a Israele. Però occorre avviare un minimo di *preparazione alla preparazione*. Sono in grado di dire che Arafat, conscio della ferma ostilità di Shamir all'idea di una conferenza, mi ha espresso disponibilità a studiare altre formule».

Al termine della mia esposizione, e nelle domande e risposte che la seguirono, ricevetti solo rispetto. Ma nacque un rapporto con il dottor Abraham Foxman e con altri dirigenti che in seguito si sarebbe utilmente sviluppato.

Tornai negli Stati Uniti in ottobre per ritirare, nella cornice del loro banchetto annuale, un segno di distinzione della Niaf (National Italian-American Foundation) assegnatomi da Jeno Paolucci, Frank Stella e John Volpe per — bontà loro — il mio contributo all'armonia tra gli Stati Uniti e la nazione italiana. Non nascondo che questa decisione mi rallegrò, anche nei confronti di certi malignetti nostrani che continuavano a insinuare, di tanto in tanto, che oltreoceano vi fosse del freddo nei miei confronti (e si stizzivano quando io replicavo che l'amicizia con gli Stati Uniti deve essere vissuta in posizione di riposo e non di attenti). La gioia fu accresciuta dall'invito di George Shultz di fare questa volta la traversata di ritorno sul suo aereo, in modo da non perdere a Bruxelles la riunione Nato di valutazione del negoziato Usa-Urss, che stava andando bene, ma sul quale occorreva vigilare per evitare colpi di coda dei contrari. Nel viaggio ebbi modo di confermare a George tutto l'impegno che mettevamo nei contatti con l'Iran e con l'Irak perché si arrivasse al cessate il fuoco.

Nel golfo la situazione stava intanto diventando incandescente. Il 19 ottobre Reagan aveva avvertito Craxi che unità navali statunitensi stavano distruggendo una piattaforma oceanica militare iraniana a Rashdat, per ritorsione contro un missile che aveva colpito tre giorni prima in acque kuwaitiane la nave americana *Sea Isle City*. Se non vi fosse stata la prospettiva dell'accordo di vertice Usa-Urss, poteva essere l'innesco di gravi complicazioni.

Andai a dirlo all'indomani anche a Pérez de Cuellar, prima di riprendere il volo di ritorno di questo viaggio lampo. Ritenevamo micidiale il metodo delle rappresaglie e mantenevamo fiducia nel consenso: in qualche momento mi domandavo in cuor mio se non fossi un illuso, ma perseveravo.

Tre giorni dopo Shultz mi informò in anticipo della visita che Ševardnadze stava per fare a Washington latore di una lettera di Gorbaciov. «Nei preparativi di questo incontro mi gioverà, come per il passato, il saldo appoggio su cui ho sempre potuto contare tuo e degli altri alleati.»

Ormai il negoziato sui missili europei stava arrivando in porto. I sovietici avevano solo il timore di qualche intoppo finale e lo comunicai a George, richiamandogli una mia lettera del febbraio sui pericoli di una dichiarata accelerazione del programma Sdi che implicasse una interpretazione del trattato Abm (quante sigle!) diversa da quella fino allora accettata o, addirittura, una anticipata fase di spiegamento di sistemi di difesa antibalistica.

Ma tutto andò bene. I due ministri degli Esteri si incontrarono a Ginevra il 23 e 24 novembre e il 25 Shultz venne a Bruxelles ad annunciare che il 7 dicembre a Washington avrebbe avuto luogo l'incontro finale Reagan-Gorbaciov.

Nel mio intervento in quella seduta straordinaria del Consiglio atlantico espressi a George Shultz e ai suoi collaboratori la riconoscenza per «la tenacia di cui hanno dato prova in questo negoziato, con il sostegno da parte nostra di un pieno accordo e con una esemplare consultazione permanente tra alleati». E potei dire: «Non ho mai avuto dubbi su questa felice conclusione, anche quando dovevamo prendere atto di effettivi rischi di blocco». Ma Shultz mi guardò con gratitudine quando dissi che il nostro comunicato doveva essere non solo di adesione piena, ma di monito a tutti a ratificare subito l'accordo che sarebbe stato firmato. Conosceva infatti le ombre che ancora vagavano sul cielo del Senato americano. E sapeva che i contrari avrebbero fatto leva su presunti dubbi e ostilità di paesi europei. Potei dire che in Italia eravamo pronti — governo e opposizione — a firmare quel che ci riguardava (smantellamento e controllo) e a ratificare senza indugi.

Shultz ci comunicò che i sovietici stavano per annunciare la data del loro ritiro dall'Afghanistan. Era un altro segno dei tempi mutati.

Nel clima gioioso dell'accordo ormai sicuro dell'8 dicembre si inserì l'invito al governo italiano per una visita alla Casa Bianca del nuovo presidente del Consiglio Giovanni Goria. Fu fissata significativamente la data del 16 dicembre.

Ne fui lieto, perché il primo incontro di Goria con l'ambasciatore Rabb era stato burrascoso. Questi aveva praticamente condizionato il viaggio — che Goria desiderava — a un atteggiamento meno lento e dilatorio dell'Italia nel rispondere a una richiesta di sanzioni verso l'Iran.

Rabb vedeva nella nostra volontà di coinvolgere L'Aia, la Cee e l'Onu nelle soluzioni della crisi un atteggiamento di tiepidezza. E questo ci sconcertava perché non era certo un punto di vista personale dell'ambasciatore (ma neppure di Reagan e di Shultz). Occorreva invece molta pazienza e calma, tenendo conto che Larijani, il vice di Velajati, si era mostrato possibilista a New York e non bisognava proprio ora abbandonare la strada della saggezza. Goria si portò molto bene nel colloquio con Rabb.

Mi sembrò che la gentilissima responsabile al protocollo, ambasciatrice Roosevelt, sorridesse quando introdussi alla Casa Bianca il nuovo primo ministro italiano (e non sarebbe stato l'ultimo). Nei rapportini diplomatici era stato preconizzato per due volte il mio ritorno a Palazzo Chigi, ma — lo spiegai a qualche amico di laggiù — Craxi si era dimenticato, nella staffetta, di passarmi il testimone, mentre il segretario del mio partito mi teneva il broncio per un manifesto elettorale che pure mirava soltanto a far votare i giovani per la Dc sottraendoli alle sirene socialiste. L'amica mi disse che George Shultz aveva espresso a Reagan la sua soddisfazione per non avermi perduto come alleato nei consigli Nato. In questo viaggio vidi anche il nuovo capo del National Security Council, il generale Power, e ne ebbi una impressione molto buona, dopo l'infelice esperienza con l'ammiraglio Poindexter. L'ammiraglio ha sostenuto in un lungo articolo, ripreso anche dai giornali italiani, una versione patriottica dell'Irangate, sostenendo che gli Usa non dovevano lasciare l'Iran alla deriva, anche in vista di una ripresa di importanza del mercato petrolifero.

Reagan, che sprizzava gioia, ci illustrò i contenuti dei suoi recentissimi colloqui con Gorbaciov e giudicò con ottimismo anche il dimezzamento dei missili strategici. Insistette però sul programma Sdi, al quale le sue schedine continuavano a dare molta importanza. Goria disse che se fosse ulteriormente diminuita la minaccia avversaria, anche gli strumenti di difesa se ne sarebbero giovati.

Sul Golfo Persico intervenne il segretario alla Difesa Carlucci lodando il ruolo delle nostre navi. Si parlò poi del Centroamerica e mi parve un po' esagerata l'importanza che Reagan e Bush davano alla testimonianza di un sandinista, il maggiore Miranda, che aveva defezionato a Managua e non credeva a mutamenti sostanziali di quel governo, nonostante Gorbaciov avesse manifestato il proposito di non rifornirlo più di armi e di appoggiare il Piano Arias.

Goria illustrò il nostro accordo-quadro per aiuti all'Argentina e, per quel che riguardava il Centroamerica, espresse anche un sostegno al Piano Arias che era maturato nei rapporti tra i ministri della Cee e i colleghi del Centroamerica e di Contadora. Io approfittai per sottolineare l'importanza della stretta concentrazione euro-americana anche in seno alle conferenze del dopo Helsinki.

Goria espresse a questo punto la nostra preoccupazione per quanto stava accadendo in Israele e indicò nella Conferenza internazionale la sola via di uscita negoziale. Il Presidente Reagan rispose di aver tentato di convincere i potenziali interessati a dar vita a tale conferenza, ma senza successo a causa della preoccupazione di Israele di essere minorizzato e isolato dagli altri partecipanti. Gli americani non erano contrari a una Conferenza internazionale, purché ci fossero le condizioni per un suo successo.

Io, a mia volta, ribadii l'urgenza di trovare una soluzione. La imponeva l'aumento costante della popolazione araba nello stesso Israele per cui, tra qualche anno, ci si sarebbe trovati di fronte a una situazione intollerabile.

Carlucci sostenne la prospettiva di una immigrazione maggiore di ebrei sovietici in Israele, ma erano proprio coloro che uscivano dall'Urss a voler entrare invece negli Stati Uniti o in Canada.

Il vicepresidente Bush informò che re Hussein non riteneva di poter fare quanto fece a suo tempo Sadat, e guardava pertanto a una Conferenza internazionale come a un «ombrello» sotto il quale operare per riavvicinare le posizioni. Hussein andava invece incoraggiato a fare proprio quanto fece Sadat, date anche le divergenze esistenti tra arabi moderati.

Ricordai che se Sadat aveva potuto accettare Camp David, era stato perché aveva ottenuto in cambio il Sinai e poté presentarsi come un patriota che riusciva ad allargare il territorio nazionale e non già come svenditore degli interessi del paese. Sarebbe stato disastroso spingere Hussein senza la prospettiva di intravedere la soluzione del problema dei territori occupati. Ricordai che un anno prima avevo interrogato Shamir sulla possibilità che Israele si ritirasse dai territori occupati, ma questi mi rispose seccamente di no. Non avevo elementi che indicassero se la situazione fosse nel frattempo sostanzialmente mutata.

Il vicepresidente Bush insistette nel dire che la chiave della soluzione stava in incontri diretti tra re Hussein e Shamir, al fine di realizzare l'obiettivo di una confederazione dei palestinesi con la Giordania.

Il vicesegretario di Stato Whitehead richiamò la diffidenza degli israeliani per una conferenza, e il loro timore di trovarsi in minoranza; per questo avevano una netta preferenza per contatti e negoziati diretti. Ritenni di dover insistere che i contatti bilaterali diretti, in mancanza di prospettive per una soluzione, erano ritenuti a loro volta molto pericolosi dall'interlocutore arabo; d'altro canto, feci osservare, la conferenza non rappresentava di per se stessa una soluzione, ma solo una possibile forma per ricercare una soluzione.

Purtroppo sul Medio Oriente non vi erano spiragli per vedere almeno avviata la ricerca di una valida procedura di sblocco. E mi dispiaceva anche perché nei giorni seguenti avrei accompagnato il Presidente Cossiga a Gerusalemme e mi sarebbe piaciuto poter portare da Washington una parola di speranza.

Il quadro sarebbe cambiato tra non molto, ma al prezzo altissimo dell'Intifada; cioè la silenziosa rivolta dei disperati, che, contrastata in qualche momento con una durezza crudele dai soldati occupanti, ha provocato una ondata generale di riprovazione dopo che fu resa nota dalle televisioni americane.

Nelle visite al Congresso insistemmo molto sulla soddisfazione europea per l'accordo dell'8 dicembre e sulla necessità di ratificarlo rapidamente. I sovietici erano molto preoccupati su questo punto. Era passato del tempo, ma — e ce lo avevano detto — non riuscivano ancora a comprendere come mai Carter avesse firmato a Vienna l'accordo Salt 2 e fosse poi stato clamorosamente sconfessato dal suo Senato. Una eventuale ripetizione di questo scacco avrebbe significato cancellare per sempre ogni possibilità di accordo tra l'Est e l'Ovest.

Bob Dole e altri informarono Shultz di questa nostra insistenza ed egli venne in ambasciata per ringraziarci e per sottolineare l'*estrema utilità* della visita italiana a Washington in quel momento.

Dovendo accompagnare, come detto, il Presidente della Repubblica in Israele, non potei ulteriormente seguire Goria, che ricevette dalla Georgetown University una laurea *ad honorem* e andò poi a New York da Pérez de Cuellar.

A Gerusalemme trovammo disco rosso per ogni apertura. Noi non puntavamo il dito per far reprimende contro i soldati che reagivano alle sassate sparando; cercavamo ancora una volta di convincere i nostri interlocutori che non si poteva continuare così e che le soluzioni non ricercate tempestivamente, a un certo momento si impongono con irrazionalità e virulenza. Ma al di fuori della politica qualcosa si muoveva. Da un mio vecchio compagno di scuola che vive da quarant'anni in un kibbutz sentii espressioni sincere e accorate di auspicio alla convivenza con gli arabi. E ne feci tesoro.

Di tutt'altra natura, invece, una soddisfazione riportata in quel viaggio in Israele: molti rallegramenti per il Premio internazionale Fiuggi, di cui avevo presieduto la giuria e che era stato assegnato al professore americano Paul Lauterbur, scopritore dell'utilizzo della risonanza magnetica nucleare nella diagnostica per immagini.

Noi che viviamo nella politica attiva, qualche volta commettiamo l'errore di credere che siano solo i fatti politici a contare e ad avere... risonanza.

25

IL TRENINO NATO

Interpretai come un segno di augurale curiosità il ricevere dagli Stati Uniti, proprio la sera di fine d'anno del 1987, la grande scultura-premio che mi era stata assegnata in ottobre dalla Fondazione di Jeno Paolucci e che avevo spedito a Roma a velocità lenta per evitare che la gioia della distinzione fosse mitigata da una pesante tariffa aerea. Nelle manifestazioni premiali e in genere nei doni non si tiene conto che le abitazioni moderne dove vive la gran parte dei cristiani sono di dimensioni che, oltre quello delle persone e dei mobili essenziali, non hanno troppo spazio disponibile. Ma non è certo questa una critica per la Niaf, alla quale resto gratissimo.

Con il Presidente del Consiglio Giovanni Goria e un gruppo qualificato di operatori economici dedicammo la prima settimana dell'anno 1988 a un viaggio di trentamila chilometri in Estremo Oriente. Abbiamo toccato Kuala Lumpur, Singapore, Giacarta, Nuova Delhi, facendo uno scalo tecnico all'andata e al ritorno a Mascate, dove ero già stato per festeggiare i quindici anni di regno del Sultano dell'Oman, in un quadro fantasmagorico di milioni di lampade importate per l'occasione da Hollywood. Verificai con Goria l'efficacia della Asean, una alleanza molto diversa dalla Nato, ma tale da dare agli Stati Uniti una funzione indubbia di coagulo. L'interesse americano si sposterà decisamente dall'Atlantico al Pacifico? È un quesito che affiora in tanti discorsi, nella letteratura, nelle proiezioni di mercato. In India invece cominciammo a intravedere lo schema di politica dei non allineati in un mondo che non è più frontalmente contrapposto. Salutammo con piacere la consorte di Rajiv Gandhi, nativa di Orbassano in Piemonte. Così, da vicino, conserva la sua origine, mentre nella mesta cerimonia del rogo della suocera Indira avevo notato che la sua «indianità» era perfetta.

Negli ultimi mesi del 1987 avevo avuto la sensazione che il Dipartimento di Stato stesse pensando di intraprendere nuove iniziative per sbloccare la sempre più drammatica situazione del Medio Oriente, di cui ogni giorno ormai le televisioni americane mettevano in circolo le immagini inquietanti e talvolta crudeli. Mentre nel passato sarebbe stato rischioso per l'Amministrazione dimostrare un qualunque spiraglio perché fosse fatta giustizia anche per i palestinesi, questa volta, nell'anno elettorale, il partito avversario avrebbe potuto giocare con successo la carta della critica alla passività sul tema. Ma non era questo a muovere Shultz, il quale non poneva la propria candidatura né alla successione né alla sottosuccessione di Reagan e non faceva nemmeno mistero del proposito di tornarsene in California dopo le elezioni. Nella sua grande dirittura morale, George soffriva per la situazione dei territori occupati e si domandava se, forse, non si erano lasciate passare occasioni propizie per evitare quel che stava accadendo.

Al Medio Oriente la diplomazia di Washington dedicò l'intero mese di gennaio dell'88, incontrando molti leader arabi, tanto da suscitare a Gerusalemme qualche apprensione. In una lettera del 6 febbraio Shultz mi scrisse che lo *status quo* non costituiva una opzione né per Israele né per gli arabi; e che lo stallo del processo di pace e le frustrazioni generali della prolungata *occupazione* stavano creando una situazione che vedeva i responsabili «più aperti a nuove idee». Parlando delle difficoltà della «Conferenza internazionale», si soffermava in alternative su un calendario di negoziati bilaterali prelusivi alla conferenza stessa.

«*Il tuo appoggio ai nostri sforzi sarà essenziale nei prossimi giorni. Ho fiducia che nelle discussioni con re Hussein vorrai sottolineargli la necessità urgente di progredire nel processo di pace su una base realistica, e comunicargli il tuo appoggio per la pace nel Medio Oriente.*»

Ritenni di dover rispondere in modo approfondito all'invito di Shultz; e pur rischiando di appesantire il racconto, ripeto testualmente la mia lettera del 9 febbraio:

Caro George,
alla vigilia della partenza per Bonn — e nel concludersi di una settimana particolarmente dedicata al Medio Oriente con visite a Roma del re di Giordania, del Presidente Mubarak e dell'autorevole esponente dell'Olp, signor Kaddoumi — ho ricevuto la tua lettera. Condivido pienamente l'opinione che l'assenza di iniziative politiche aggraverebbe una situazione già tanto tesa e delicata; e che lo *status quo* non è sostenibile. Ed è anche esatto ritenere che prima ancora della forma e delle procedure di un negoziato occorra avere idee chiare sul contenuto possibile del negoziato stesso. Troppe delusioni hanno segnato i decenni passati; troppi schemi sono stati disegnati e non applicati; troppi disagi e rancori si sono fatti accumulare pur nella consapevolezza che il decorrere del tempo non risolveva, ma appesantiva i problemi.

Quanto sta accadendo dal dicembre nei Territori occupati richiede ormai coraggiose decisioni, senza indugiarsi più sulle occasioni perdute, a cominciare dalle improvvide difficoltà poste nel 1948 da alcuni stati arabi alla creazione di uno Stato palestinese, contestuale a quello di Israele, così come era configurato da parte dell'Onu.

Poiché mi chiedi il mio avviso cerco di riassumerlo:

— occorre dare senza ulteriori indugi a quelle popolazioni un chiaro segno che ci si avvia a una soluzione, bloccando così la spirale di una rivolta tanto più pericolosa quanto — come tutti riconoscono — emersa spontaneamente e quindi non governabile da alcuna organizzazione;
— l'idea della Conferenza internazionale non può essere abbandonata, tanto più che, a cominciare da Shimon Peres, anche all'interno di Israele ha non pochi sostenitori. Senza dire dei voti formulati alla Conferenza araba di Amman e prima ancora del Consiglio Cee;
— ogni altra iniziativa — diplomatica o psicologica — dovrebbe essere non vista alternativamente, ma mirata alla *preparazione* della conferenza, tenendo conto che sarebbe gravissimo se non si acquisissero due precisi impegni: *a*) l'accettazione da parte di tutti del diritto alla vita e alla sicurezza di tutti; *b*) la disponibilità a *restituire* i territori occupati;
— tre sono le possibili ipotesi per soddisfare la sofferta richiesta del popolo palestinese: Stato autonomo, confederazione con la Giordania, unione nella Giordania.

La conferenza dovrebbe scegliere l'opzione giusta ovvero rinviare alla consultazione diretta degli interessati;

— non si escludano rettifiche di frontiera per rendere gli stati più sicuri;

— se la piattaforma del negoziato poggerà sul Consiglio di sicurezza si pone la difficoltà del ripristino delle relazioni diplomatiche tra Urss e Israele: tale fatto (*strettamente legato alla conferenza*) dovrebbe accompagnarsi con una robusta liberalizzazione dell'esodo degli ebrei sovietici dell'Urss. Ne deriverebbe forse l'elemento chiave per rimuovere l'ostilità pregiudiziale di Shamir.

Guardando retrospettivamente le vicende intercorse si deve constatare che la mancanza di un negoziato globale è stato il punto fragile che ha fatto naufragare ogni modello di soluzione del conflitto arabo-israeliano. Gli accordi bilaterali non reggono. Camp David ha dato l'importante frutto positivo della restituzione del Sinai, ma non ha creato pace vera tra Egitto e Israele, mentre il mondo arabo ha avuto il sospetto di essere giocato con la tecnica degli Orazi e Curiazi. L'accordo libano-israeliano è stato denunciato prima ancora di entrare in applicazione. Occorre convincersi che gli accordi bilaterali non rappresentano la risposta percorribile.

Sono stato molto confortato nell'ascoltare da re Hussein le accorate espressioni con cui il Presidente Reagan gli ha manifestato la volontà di far sbloccare la situazione dedicandovi anche l'ultimo anno della sua presidenza. Il re di Giordania, che già ce ne aveva fatto parte a Roma, si è soffermato a lungo su questo nell'incontro con i dodici ministri Cee, che ne sono rimasti favorevolmente colpiti.

Nel nostro piccolo ci sforzeremo di far opera di persuasione anche su Shamir, che abbiamo invitato a Roma per il 15-16 febbraio, come pure, intensificando gli aiuti alla popolazione della Cisgiordania e di Gaza, utilizziamo il contatto per rasserenare gli animi. In tale linea mi muoverò anche entro un mese, portandomi a Damasco e a Riyadh.

L'essenziale è che si acquisti o non si perda da ogni parte la fiducia nelle vie del negoziato.

Sarò davvero lieto di ricevere notizie sugli sviluppi della vostra azione e sulla missione del signor Murphy.

Con vivi saluti e auguri per tutto il lavoro che state svolgendo in questo momento così complesso

aff.mo Giulio Andreotti

Murphy fece il giro delle capitali mediorientali e riscontrò anche in Siria e in Arabia Saudita interesse (lettera di Shultz del 20 febbraio) «per la rinnovata enfasi che stiamo mettendo nella ricerca della pace»: tanto che George decise di andarvi di persona, subito dopo una riunione a Mosca e la relazione che il 23 febbraio venne a farci a Bruxelles. In un lungo incontro a due potei compiacermi del metodo quasi scientifico con cui conduceva il negoziato con l'Est. Gli rinnovai — e accettò — l'invito di tornare per la Pasqua a Roma; e gli dissi, ma lo sapeva meglio di me, che i sovietici non volevano affatto segnare il passo in attesa del prossimo presidente. Avevano anzi il timore che, se non si realizzava presto qualche nuovo risultato si andasse verso almeno un semestre internazionalmente incostruttivo.

Rientrato a Roma, vidi il governatore della Florida Martinez che parlava dei programmi di sviluppo del suo già così progredito Stato. Sentendo elogiare le medie e piccole imprese e la loro capacità di creare sempre nuova e numerosa occupazione, avvertii una certa stizza per quella nostra scuola di parascienza economica che ci ha frastornato con le economie di scala e altre teorie del genere.

I programmi vollero che mi trovassi a Damasco il giorno prima dell'arrivo di Shultz; e potei lasciargli un appunto sui miei colloqui con Assad, Khaddam e Shara, premettendo di aver riscontrato soddisfazione per la sua andata in Siria nella prima fase della presenza nell'area. Era una consultazione molto indovinata e credo si giovasse di quanto io avevo potuto dire ai siriani circa l'ottimo svolgimento del dialogo Usa-Urss.

A evitare difficoltà in questo dialogo, l'Italia dette un apporto contribuendo a risolvere un delicato problema sorto tra gli americani e la Spagna. Nel negoziare per le basi statunitensi, il governo di Felipe González aveva bisogno di qualche riduzione di quelle esistenti, dato che — con grande senso di responsabilità — il Partito socialista aveva superato le posizioni ostili assunte prima delle elezioni e aveva rimesso la scelta a un referendum popolare, ma impegnandosi nella linea Nato (per finalità di schieramenti interni, i non socialisti assunsero la posizione contraria, mettendo sul capo di Felipe l'aureola di figlio primogenito degli Stati Uniti). Un certo numero di aerei Nato doveva lasciare il territorio spagnolo e le valutazioni tecniche dei militari erano preoccupate per lo sbilanciamento unilaterale. Di qui il nostro accoglimento dell'invito di Bruxelles a ospitarli in Calabria.

Intanto le trattative al vertice Usa-Urss procedevano. Reagan venne il 2 marzo a Bruxelles a parlarcene nel corso di una riunione congiunta con i capi di governo. Il filo teneva.

Il 12 marzo Murphy arrivò a Roma per riferire sul viaggio di Shultz. Murphy, che era stato attivissimo in quelle settimane e sembrava ottimista, mi richiamava la tessitura di Penelope. Lo schema infatti era perfetto: a partire dal maggio, trattative di Israele con *ciascuno* dei paesi vicini sulla base della accettazione delle famose risoluzioni 242 e 338. Il tutto preceduto da una solenne conferenza di impostazione che, però, non poteva imporre soluzioni o porre il veto ad accordi raggiunti. I palestinesi sarebbero andati alla trattativa insieme ai giordani.

Murphy era stato anche a Bonn e mi disse che aveva trovato molta simpatia. Per lui personalmente non era difficile averla, ma quali garanzie aveva che Israele accettasse il suo schema? Dai colloqui con Shamir non aveva avuto minimamente questa impressione. Mi parve che Murphy fosse convinto quanto me che bisognava far di più, ma lui non poteva e, come ho detto, riteneva che solo l'impegno personale di Shultz potesse ottenere risultati.

Parlamentari sovietici nostri ospiti in quei giorni sostenevano che forse anche *con* loro la soluzione sarebbe stata difficile, ma *senza* di loro a Gerusalemme e dintorni si girava a vuoto.

Interesse per i palestinesi e commozione per l'Intifada trovai anche a Pechino, dove feci una rapida corsa per inaugurare impianti medici offerti dalla nostra Cooperazione allo sviluppo; tra l'altro un centro di chirurgia di urgenza per i traumi da incidenti stradali, collegato elettronicamente a una rete perfetta di autoambulanze con apparecchiature di rianimazione.

Tornai a fare opera distensiva con i cinesi che continuavano a essere irritati verso gli americani perché li accusavano di avere venduto armi nel Golfo Persico. Smentivano recisamente, inquietandosi per le presunte prove fotografiche. Fervida è invece la collaborazione scientifica e universitaria con l'Italia, bilateralmente e nel World Lab. In occasione della crisi di piazza Tienanmen, il mantenimento di questo saldo legame intellettuale ci ha molto giovato per non precipitare indietro di decenni.

Sempre in marzo Shamir andò a Washington: qui ebbe tre giorni di colloqui, ma ripartì — me lo scrisse Shultz — dopo avere «espresso riserve su diversi aspetti dello schema americano»; sul quale anche la Conferenza islamica riunitasi ad Amman si espresse negativamente. Era un logorante ping-pong, mentre purtroppo l'Intifada proseguiva con le sue vittime quotidiane. La convinzione che solo una simultaneità di nuove posizioni potesse far uscire dal groviglio sempre più intricato si rafforzava in me; e vedevo con pena vanificarsi tutti gli sforzi di Shultz e dei suoi collaboratori.

Intanto ero andato a Ginevra insieme a Genscher per cercare di sollecitare i lavori del Comitato del disarmo riguardante il bando delle armi chimiche. In analogia con quanto avevamo fatto per le armi nucleari, pensavamo di riunire a Roma un seminario di scienziati di tutto il mondo per ricercare modelli di verifiche valide sugli accordi. George mi ringraziò del «prezioso contributo» e promise di far studiare le nostre idee. Il seminario ebbe luogo e con buoni risultati, anche se il tema è più complesso e ramificato di quello nucleare.

George e la moglie Obi tornarono volentieri a Roma per la Pasqua. Il tempo non buono fece sì che la Grande Messa fosse all'interno della basilica di San Pietro; poterono vedere così una edizione diversa delle suggestive liturgie vaticane, pur ammirando (dopo che il Papa ci aveva salutato con molta effusione) la gran folla che noncurante della pioggia si era assiepata sulla piazza per la benedizione e gli auguri del Pontefice rivolti in tutte o quasi tutte le lingue del mondo.

Ora che è rientrato alla vita privata spero che possa venire a trascorrere insieme con noi almeno un'altra Pasqua. George è un uomo che vale di per sé, non per le cariche che ricopre. E merita grande rispetto e amicizia.

Il colloquio con Cossiga questa volta fu cordialissimo e senza incomprensioni. Nella visita parlò prevalentemente dell'incontro con Ševardnadze dei giorni precedenti, assorbito in gran parte dal problema dell'Afghanistan. Tra i punti da risolvere c'era quello della sospensione da parte sovietica e americana degli aiuti agli schieramenti contrapposti. La proposta di una moratoria era stata respinta, ma eventuali soluzioni possibili continuavano a essere esplorate. I pakistani tenevano in modo particolare a essere garantiti dagli americani ed erano pronti a continuare a fornire loro le necessarie infrastrutture di supporto logistico. Da parte americana si poteva pensare a una dichiarazione unilaterale sul diritto di riprendere i rifornimenti alla resistenza afghana, ove continuassero le forniture da parte sovietica ai governativi. «Forse l'Unione Sovietica vorrà comunque procedere al ritiro dall'Afghanistan, anche senza accordo e garanzie particolari, ma certamente preferisce che il ritiro avvenga a seguito di un accordo che consenta una soluzione più ordinata e dignitosa.» Questa in sintesi la relazione di Shultz.

Nonostante la mancata intesa per questo e altri temi, era comunque un fatto positivo che si fosse discusso di problemi «regionali». Interessante l'impegno sovietico a non consentire azioni terroristiche dei nordcoreani che potessero compromettere i Giochi di Seul («Tra l'altro avremo lì i nostri ragazzi» aveva detto Ševardnadze). Di rilievo anche una apertura sull'Africa australe: gli americani erano pronti a premere su Savindi e dispiegare buoni uffici sulla Repubblica sudafricana, se i sovietici si impegnavano in una azione parallela con gli angolani e per il ritiro delle truppe cubane.

Sulla volontà sovietica di ritirarsi dall'Afghanistan, a parte le notizie dirette, avevo sentito la sera precedente nette affermazioni dal ministro degli Esteri iraniano Velajati, di passaggio per Roma, al quale avevo parlato anche dell'idea di Shultz per una tregua d'armi Iran-Irak di sessanta giorni e con l'impegno più ampio di non usare le armi chimiche e non bombardare i centri urbani.

Sul Medio Oriente incombeva il problema dell'Olp. Shultz riconobbe che né Shamir né Peres erano in grado di sedere allo stesso tavolo con esponenti della Organizzazione per la liberazione della Palestina senza rischiare di perdere le elezioni. Forse ciò era dovuto all'aver troppo demonizzato l'Organizzazione palestinese, ma era comunque un fatto innegabile (Shultz parlò delle reazioni israeliane al suo incontro con due americani di origine palestinese). Gli israeliani sbagliavano e avrebbero dovuto ricordare — per le *parziali* analogie — il precedente dei francesi che pretendevano neanche si parlasse con gli algerini, fino al giorno in cui cedettero su posizioni molto più radicali di quelle prima così rigidamente precluse.

Riferii il parere espresso dal Patriarca latino di Gerusalemme a nostri deputati in visita, secondo cui «senza parlare all'Olp non si risolve alcun problema»; e dell'analogo avviso ascoltato dal presidente dell'Unione mondiale degli ebrei arabi (Leon Tamman) che aveva detto la stessa cosa, precisando di aver personalmente sempre votato per il Likud, ma di essere ormai convinto che senza l'Olp non si arrivava a concludere niente.

Cosa si poteva fare nella fase transitoria, oltre all'azione benèmerita che il segretario di Stato opportunamente continuava a svolgere? A titolo del tutto personale avanzai un'ipotesi, di cui non avrei parlato in pubblico fino a quando non si ritenesse da parte americana opportuno farlo: si trattava di pensare a due dichiarazioni separate che consentissero di superare lo stato attuale di *impasse*, in cui gli israeliani contestano l'articolo dello Statuto dell'Olp che nega il loro stesso diritto alla esistenza e Arafat pretende un riconoscimento pregiudiziale a ogni soluzione territoriale. Si poteva studiare di consegnare «in mani neutrali» (forse lo stesso segretario di Stato) una dichiarazione dell'Olp che impegnasse l'organizzazione a considerare superato l'articolo dello stesso Statuto incriminato; e una parallela dichiarazione di Israele che si impegnava a discutere con l'Olp fino a quando non ci fosse un ente più rappresentativo.

Parlammo a lungo della questione palestinese e concludemmo che si dovesse lavorare ancora tanto e silenziosamente sia su Israele che sull'Olp. Mi rammento che gli dissi si trattava di un lavoro discreto che non portava gloria a nessuno, ma non c'era da fare altro se eravamo consapevoli che non si potevano *imporre* soluzioni, tanto meno da un giorno all'altro. « Si possono ottenere anche premi Nobel senza risolvere i problemi, ma è preferibile adoperarsi per ottenere risultati. »

Non volevo scoraggiarlo mentre si apprestava a tornare in Medio Oriente, ma era giusto rammentargli che le carte che poteva giocare non erano sufficienti. Infatti me lo confermò sia nel resoconto delle visite che mi inviò il 18 aprile, sia cinque giorni dopo vedendoci a Bruxelles. Dato che gli sembrava che Shamir e Peres non potessero fare concessioni per comprensibili timori preelettorali, gli dissi che in questo caso bisognava spingerli ad anticipare le elezioni.

Nello stesso giorno, 18 aprile, vi era stata una nuova complicazione nel golfo. Convinti che gli iraniani avessero deposto nelle acque del Bahrein mine — di propria fabbricazione —, gli americani attaccarono e colpirono obiettivi dell'Iran, invocando il diritto all'autodifesa sancito dall'articolo 51 della Carta delle Nazioni Unite.

Mi domandai ancora una volta cosa sarebbe accaduto se Usa e Urss non fossero stati in quel momento in una fase dialogante.

Ma la ratifica dell'accordo dell'8 dicembre tardava, anche se numerosi membri del Congresso di passaggio per l'Italia mi dicevano che era solo questione di procedura. I sovietici cominciavano a innervosirsi e quando per due volte Reagan fu sconfessato dal Senato nella scelta di un giudice della Corte suprema fecero arrivare, anche nostro tramite, interrogativi preoccupati. Ševardnadze lo aveva direttamente manifestato il 13 maggio a Ginevra a Shultz. Lo sapemmo da lui all'indomani a Bruxelles.

Approfittai allora della seduta in Parlamento per la ratifica del nostro accordo parallelo, sulle dismissioni dei missili a Comiso e accettazione delle verifiche, per spezzare una lancia in direzione del Congresso americano. Ricevetti subito i rallegramenti di Shultz («Mentre il trattato è in discussione dinanzi al Senato americano, colgo l'occasione per dirti quanto ho apprezzato tutto ciò che hai fatto per far'sì che il Trattato Inf diventasse una realtà »).

Finalmente la ratifica americana venne e in modo tale da confermare che i ritardi non erano per dissensi. Shultz mi inviò un messaggio lusinghiero:

Caro Giulio,
il voto, 93 contro 5, di autorizzazione alla ratifica del Trattato Inf indica il grande appoggio da parte del Senato e negli Stati Uniti in genere verso il trattato. Questo risultato positivo è la conseguenza di grossi sforzi portati avanti per molti anni e mostra cosa possiamo ottenere quando abbiamo forza di intenti e di coesione. Tu e molti altri esponenti del tuo governo avete contribuito a questo processo; ricordo, tra l'altro, la tua ferma dichiarazione di sostegno durante la discussione sul trattato al Senato. Desidero farti pervenire i sensi della mia più alta considerazione e stima per tutto ciò che hai fatto e i miei ringraziamenti per tutto l'aiuto e i buoni consigli che mi hai fornito.
Sinceramente tuo, *George*

Agli inizi di giugno, a ratifica finalmente avvenuta, Shultz si recò a Mosca. Chi si aspettava di più rimase deluso e mise l'accento sulla lamentela di Gorbaciov per l'importanza prioritaria data dagli americani ai diritti umani rispetto al disarmo. Dal rapporto di George alla Nato — come sempre collimante con quanto anche i sovietici comunicavano al nostro governo — era tuttavia certo che il nuovo corso procedeva. E io potei parlare di « piccoli passi di un processo ben definito ».

Proprio questa linea vincente inquadrava la nostra politica anche in tema di difesa. Il Parlamento italiano approvò l'accoglimento del 401° stormo Usa proveniente dalla Spagna e George, esagerando per quel che riguardava me, ma non per l'Italia, mi scrisse: « L'Italia ha dimostrato ancora una volta il suo profondo impegno nei confronti della sicurezza della Nato. Tutti i paesi dell'Alleanza dovrebbero apprezzare il tuo impegno e senso di responsabilità per il bene comune. La tua guida costituisce un esempio ammirevole per l'intera alleanza. Spero che il nostro ottimo dialogo sul controllo delle armi e sulle altre vicende continui nei prossimi mesi ».

In un giro di contatti per aiutare la preparazione del vertice degli Industrializzati a Toronto, De Mita si recò anche a Washington. E lo fece in una data felice, perché Reagan era appena tornato da Mosca e poté dargli ragguagli di prima mano sulla conferma dei «buoni propositi» di Gorbaciov. L'occasione servì anche per ribadire la pericolosità delle tendenze isolazioniste che con una certa frequenza affiorano negli Stati Uniti, in verità efficacemente contrastate dalla Casa Bianca. Gli anni elettorali di regola accentuano queste spinte; e tra primarie, rinnovi biennali, preparazione lunga delle presidenziali, ogni anno può essere definito, in America del Nord, elettorale. Da qualche tempo, per rendere efficace questo esorcismo, si devono aggiungere espressioni tranquillizzanti sulla natura *aperta* della Comunità europea, che — per colpire la fantasia — è costretta a ripetere spesso di non voler essere o divenire una «fortezza».

Caratterizzammo la nostra presenza al vertice nel Canada con proposte concrete su temi specifici: l'ambiente, la droga, un metodo differenziato per i debiti del Terzo Mondo in relazione al grado di solvibilità dei singoli paesi. In generale, più che un taglio in assoluto, a nostro avviso andavano elaborate scadenze tollerabili e abbattimenti ragionevoli degli interessi, con un periodo iniziale di cosiddetta *grazia*, cioè senza pagamento alcuno.

Reagan, e anche Shultz, seguirono i lavori di Toronto con la consueta attenzione, intervenendo in tutti i dibattiti e non facendo trasparire la minima emozione per il distacco ormai non lontano dalla vita pubblica. Il contorno delle sedute offrì a noi italiani la soddisfazione di vedere e di far vedere una presenza di «oriundi» arrivati — non pochi nello spazio di pochi anni — a posizioni di rilievo sociale e produttivo. Nello stesso consiglio municipale gli «italiani» sono numerosi e li salutammo con legittima fierezza.

Prima di lasciarsi, le sette delegazioni concretarono un calendario preciso per dare impulso alla lotta alla droga. Mi chiesi, sperandolo, se fosse la volta buona. Io ho temuto spesso nel passato che non si facesse abbastanza in questo campo; e che alcuni paesi fortemente indiziati fossero lasciati sostanzialmente in pace quando non suscitavano preoccupazioni di carattere militare. Eppure la connessione tra droga e terrorismo non è frutto di fantasia o della cultura del sospetto.

Al successivo vertice di Parigi saremmo stati in condizione di registrare qualche successo? Il giudice Giuseppe Di Gennaro, che coordina da Vienna l'attività antidroga dell'Onu, mi ha più volte detto nel passato (ora le cose vanno meglio) di non avere il supporto possibile da tutti i paesi. E mi ha esposto anche la contrapposizione di due metodi sperimentati in Bolivia. Gli uomini dell'Unfdac (Onu) *convincono* i contadini a divellere le produzioni da cui vengono le droghe, ne incoraggiano e finanziano le semine alternative, li sostengono perché resistano alle minacce dei narcotrafficanti. Altri, con i loro blitz, bruciano le piantagioni e disseccano i suoli, ma i contadini restano senza reddito e sono spinti all'esodo verso terre nuove per riprendere la malefica agricoltura.

Da tempo, prima che ponesse e poi fosse costretto a ritirare la sua candidatura presidenziale, aveva accettato di venire alle giornate riminesi del Centro Pio Manzù l'autorevole parlamentare Gary Hart. Scoppiata la tempesta, senza bisogno di dover *chercher la femme* perché questa donna Donna era ormai su tutti i giornali del mondo, gli organizzatori mi chiesero se dovevano mantenere l'invito. Naturalmente sì. E Hart venne, fece il suo intervento ed ebbe solo la noia di qualche paparazzo fotografico in più alle costole.

Prendemmo insieme un breakfast e lo trovai informato delle questioni internazionali molto più della media dei suoi colleghi che ho conosciuto. Anche sul Medio Oriente aveva idee realistiche e non dissimulava che bisognava informare ed educare l'opinione pubblica e non esserne pedissequamente prigioniero.

Non parlai della sua avventura, né lui vi fece cenno. Gli avrei altrimenti detto quello che con una *mezza* ironia mi aveva scritto un senatore repubblicano, contento che scomparisse questo antagonista del campo avverso: «Gary ha scontentato tutti; i morigerati per la infedeltà verso sua moglie, e i *disinvolti* perché la ragazza ha dichiarato di avere dormito nella casa, ma in camere separate. Meno male che lo hanno censurato solo per aver mentito, se no il povero amico rischiava anche di farsi una fama *innaturale*; e per lui sarebbe il colmo... ».

In America le polemiche personali prima delle elezioni o in vista di qualche nomina sono molto più feroci che da noi. George Bush da poco eletto ha dovuto incassare una brutta sconfitta dal Senato che non ha ratificato la nomina del senatore John Tower a segretario alla Difesa, dove forse Frank Carlucci sarebbe rimasto senza ostacoli e con soddisfazione di tutti.

Le motivazioni addotte per non cedere nel braccio di ferro con la Casa Bianca non hanno toccato le connessioni — in sé lecite — di Tower con industrie belliche; anzi questo ne accentuava la competenza professionale. Gli addebitavano controindicazioni, non so se anche per Tabacco, ma certamente per Venere e Bacco.

Per essere a capo anche di una Marina che conserva sulle navi il proibizionismo più rigoroso, in effetti era una brutta carta di non credito. Né il ministro può permettersi quel che fece Winston Churchill in visita a una portaerei americana: si presentò con il certificato medico che gli prescriveva gli alcolici come medicinali. Vidi io stesso questo cimelio storico che il comandante aveva conservato e fatto incorniciare.

Il 26 settembre assistetti all'Onu al discorso del Presidente Reagan. Aveva il sapore di un commiato e anche di un messaggio rivolto agli americani: si rallegrava per le tappe raggiunte, ma ricordava che la storia ci insegna di essere prudenti e che le possibilità di uno scacco sono sempre elevate. Le generazioni future sarebbero però esplose in una giusta collera verso di noi se avessimo fallito.

La prima volta che avevo sentito parlare Reagan al Palazzo di Vetro ero rimasto colpito dalla precisione del linguaggio e dal fatto che, senza leggere, non aveva un attimo di esitazione né faceva errori. Invece leggeva. Prima del suo *speech*, una squadra di operai monta un piccolo pulpito con un gioco di specchi che gli consente di scorgere i fogli da più parti. L'illusione ottica è perfetta.

Un aereo iraniano civile, a pieno carico di passeggeri, fu abbattuto dalla Marina americana nel golfo per uno sciagurato errore dovuto alle supertecniche. Creò qualche disagio la confusione informativa in proposito perché nello spazio di un pomeriggio si ebbero da Washington tre versioni: 1. non è vero; 2. si tratta di un velivolo militare; 3. rettifica: un aereo civile sul corridoio riservato ai militari.

Il timore di rappresaglie e il ritorno in alto mare delle difficilissime intese per il cessate il fuoco con l'Irak indussero a prendere iniziative pacifiche. Velajati mi inviò a Roma il suo intelligente vice, Larijani, e potei comunicare a Washington che vi erano possibilità di bloccare l'involuzione. Secondo Larijani, gli Stati Uniti dovevano evitare in Consiglio di sicurezza ogni tentazione di voler bloccare un dibattito equo e una risoluzione ragionevole che illustrasse obiettivamente i fatti e facesse esplicito riferimento alla necessità di prevenire la ripetizione di simili incidenti, oltre a prevedere adeguati indennizzi.

Quanto alla procedura, Larijani vedeva di preferenza l'iniziativa di paesi non troppo coinvolti nel conflitto e aveva espresso l'auspicio che da uno sforzo congiunto della Germania federale, del Giappone e dell'Italia potessero nascere proposte aperte e suscettibili di raccogliere ampi consensi.

Sul golfo, Larijani aveva ribadito la disponibilità iraniana a concorrere a un piano che portasse al cessate il fuoco globale e che poteva scaturire da un incontro degli stati rivieraschi. La presenza delle flotte poteva essere *gradualmente* diminuita e la sicurezza della navigazione garantita con mezzi politici.

Prima di incontrare Larijani, avevo ricevuto dal Dipartimento di Stato un messaggio di Armacost, con il quale ci si pregava di perorare l'istituzione di un canale diretto Iran-Usa. Larijani mi disse che al governo iraniano era giunta una proposta giapponese volta a favorire la ripresa del dialogo tra gli Stati Uniti e l'Iran e mi fece presente che, almeno in una prima fase, era preferibile aprire un canale indiretto. Chiedeva a tal fine la disponibilità italiana, suggerendo anche le modalità.

Questi buoni uffici ispirati a prudenza si trovarono in contrasto con uno stato d'animo americano più esaltato dal colpo inferto all'Iran che non amareggiato per l'eccidio — certo non volutamente — provocato. Così la richiesta di Armacost, nonostante l'accoglimento di massima, fu lasciata cadere dagli stessi americani. Raccolta questa impressione, la sera prima del voto al Palazzo di Vetro inviai un telex a Shultz:

> Se si chiedesse di ritirare la flotta dal golfo o altre analoghe misure non vi sarebbe davvero spazio per un testo ragionevole domani al Consiglio di sicurezza. Ma se si tratta di ripetere quello che avete già dichiarato e cioè l'errore che è stato alla base del grave incidente, aggiungendo il proposito di indennizzare — anche a titolo umanitario — le famiglie delle vittime, mi sembra che si possa camminare sulla strada giusta. Del resto della preoccupazione di non mettere fuori gioco i governanti iraniani moderati ricordo che fu lo stesso Presidente Reagan a farne saggia menzione nel quadro delle vicende delle armi fornite a Teheran che tanta amarezza provocarono a te e al Dipartimento di Stato.
>
> In quanto al «canale ufficioso» tra voi e gli iraniani io ne sollecitai la creazione perché specificatamente da voi richiesto. Larijani mi disse che intendeva, proponendo l'Italia, dar risposta alla proposta vostra ricevuta anche tramite i giapponesi. Se voi preferite il Giappone o altro paese e lo concorderete con Teheran non saremo davvero dispiaciuti perché si tratta di un «servizio» che accetteremmo solo se utile e non senza tutti i rischi politici che ne derivano.

Nelle riunioni di Toronto era tornato sul tavolo il problema della sicurezza degli atleti alle Olimpiadi di Seul. Dato che dovevo vedere il presidente Samaranch (suo figlio celebrava in Roma il matrimonio), promisi a George di tenerlo informato. E potei rassicurarlo. Samaranch era appena reduce da un incontro con il Presidente della Repubblica democratica tedesca Honecker (che era stato uno dei suoi tramiti con la Corea del Nord). Nonostante fosse stata lasciata la porta aperta a Pyongyang, pur essendo scaduto il termine per le iscrizioni, si aveva la sensazione che i nordcoreani non abbandonassero l'atteggiamento negativo, escludendo peraltro boicottaggi violenti. La annunciata massiccia partecipazione di quasi tutto il mondo (quattro sole eccezioni: Albania, Cuba, Etiopia e Nicaragua) li aveva delusi, ma non era facile che sfidassero la reazione della Cina, dell'Unione Sovietica e di tutti disturbando atleti e spettatori. In ogni caso si riteneva che se qualche eventuale disturbo fosse stato tentato, sarebbe avvenuto prima e non durante le Olimpiadi.

Sui Giochi di Seul, avevo ricevuto a Roma anche un rappresentante personale della Corea del Sud, venuto in Europa per invitare e rassicurare: l'ex ministro degli Esteri Kim Yong Shik, in atto sindaco del Villaggio olimpico. Non solo mi aveva confermato l'anzidetta adesione quasi generale, ma aveva aggiunto che la delegazione sovietica sarebbe stata di seicento persone; e più o meno identiche erano le presenze dei cinesi. Questo segnale doveva fugare i dubbi di qualche pessimista.

Il 27 settembre, dopo aver parlato all'Assemblea generale delle Nazioni Unite, incontrai Shultz che era reduce insieme alla moglie da un attentato, fortunatamente andato a vuoto, durante una visita in Bolivia. Alle mie felicitazioni per lo scampato pericolo aveva risposto: «Quelli che hanno provocato tale attentato sanno che stiamo vincendo e a loro non piace». Lo trovai ancora più deciso nella lotta alla droga e al terrorismo; a quest'ultimo proposito, sottolineò la pericolosità di produzioni chimiche belliche alle quali gli risultava che si stesse preparando la Libia. Sorvolò invece quando gli accennai alle ottime aspettative suscitate da Whitehead in Bulgaria (ero stato a Sofia la settimana prima e ne ero rimasto colpito).

L'accenno alla guerra chimica mi spinse a sollecitare una fervida azione per arrivare alla totale messa al bando. Fino a che paesi occidentali, a titolo di difesa, continuano a produrne, l'azione dissuasiva verso altri paesi è molto meno efficace. Mi pareva importante che la conferenza proposta da Reagan e da Mitterrand per i primi dell'anno nuovo a Parigi non fosse solo una raccolta di bei discorsi, ma di impegni concreti. A Ginevra si stava segnando il passo. Era importante che anche la Libia vi partecipasse, perché era molto più facile far accogliere misure di smantellamento o... voti di castità chimica su modelli internazionali che non criminalizzare un singolo paese.

Di questa fabbrica libica in costruzione, che il governo di Tripoli definisce di produzioni medicinali e altri sospetta o dichiara trattarsi di produzione di gas tossici, una saggia soluzione è stata avanzata dall'Algeria: ampliare a ditte di più nazioni la proprietà, onde garantire l'esclusiva finalità sanitaria. Ma occorre davvero mettere al bando da parte di *tutti* gli stati questo tipo di arsenali.

Accanto ai contatti politici e diplomatici utilizzai la settimana newyorkese per altri impegni. Fui ospite della Columbia University e potei visitare al Metropolitan Museum, sotto la guida del gentilissimo direttore francese Philippe de Montebello, la grandiosa mostra dedicata a Umberto Boccioni. Da uno specialista presente appresi una curiosa notizia. Tutta la produzione artistica dei futuristi italiani era stata boicottata per reazione alle leggi razziali dalle importanti correnti mercantili ebraiche, le quali vedevano in Marinetti e negli altri compagni di «scuola» una espressione di fascismo, nonostante si trattasse di un movimento nato in precedenza. Non lo escludo, ma forse la spinta alla recente valutazione commerciale è venuta dal grande successo della mostra dei futuristi allestita a Venezia a Palazzo Grassi. Lo specialista mi mostrò con tristezza il più grande quadro di Boccioni, acquistato pochi anni prima da una collezionista privata per mille dollari; lo avevano offerto anche a lui, ma lo aveva respinto.

Ignoravo che Boccioni, morto giovanissimo, fosse partito dal figurativo e poi vi fosse tornato. Gli ultimi due quadri della mostra di New York lo ricordavano con fedeltà. A Londra, invece, nella mostra della Royal Academy, mentre ammiravo una grande pittura movimentista di Balla, seppi dal proprietario (Gianni Agnelli) che era presente che sul retro il pittore aveva illustrato la Marcia su Roma. Opportunamente l'opera non veniva esposta a doppia faccia, perché avrebbe rappresentato l'epicentro della esposizione; ma, ripensandoci, i mercanti ebrei non avevano poi tutti i torti nella loro attribuzione di forti matrici politiche.

Passai anche una piacevole serata nel fantasmagorico centro di Atlantic City, a mezz'ora di elicottero da New York, dove gioco, spettacoli e movimento richiamano da vicino la frenesia di Las Vegas. Solo che manca l'impressione della miriade di luci in pieno deserto come è nel Nevada. Né mancai, sulla via dell'aeroporto, all'appuntamento ippico di Belmont Park. Allo stesso tavolo del ristorante — immagino che fosse una frequentatrice abituale — ho trovato per tanti anni la vedova del generale MacArthur. E dimenticando per un momento i cavalli, sono indotto a pensare a quanto debba il Giappone contemporaneo alla rude intelligenza di questo generale americano.

George Bush, sostenuto robustamente da Reagan, ha vinto con largo margine sul candidato democratico, il governatore Michael Dukakis. In verità la politica estera non fu, come al solito, molto presente nei discorsi elettorali. Il favore o la contrarietà per la pena di morte ebbero molto più spazio della crisi mediorientale e della guerra Irak-Iran (anzi di questo ultimo argomento vi fu una specie di patriottica convenzione *ad excludendum*). Dukakis, forse per accattivarsi i voti degli ebrei, annunciò che se avesse vinto avrebbe trasferito l'ambasciata americana da Tel Aviv a Gerusalemme: il che nemmeno Shamir in quel momento richiedeva. Ma l'uscita non ebbe un gran rilievo.

La vittoria di Bush è stata sancita con uno scarto enorme; in ogni Stato vige il sistema maggioritario, per cui anche con un solo voto in più si conquistano tutti i mandati (in teoria con una differenza di cinquanta voti si potrebbe realizzare la totalità dei grandi elettori cui spetta — praticamente *pro forma* — di nominare il Presidente). Soltanto in due stati e nel distretto della capitale i suffragi furono favorevoli a Dukakis; per il resto il candidato repubblicano fece, come usa dirsi, cappotto. Ma vi erano anche elementi in controluce. Ascoltai nella notte stessa interessanti commenti e altri ne annotai·nei giorni seguenti:

— per la seconda volta dal 1920, anno di estensione del voto alle donne (l'altra fu durante la seconda guerra mondiale, con milioni di americani all'estero), la partecipazione al voto è scesa anche in numero assoluto rispetto alle precedenti elezioni, nonostante l'aumento di otto milioni di aventi diritto ad andare alle urne;
— il 27 per cento degli aventi diritto al voto che ha scelto Bush è la percentuale più bassa nella storia degli Stati Uniti;
— la partecipazione, al di fuori del Sud, è stata la più bassa dal 1824;
— il declino è in atto ininterrottamente, dopo il punto massimo del 62,8 per cento del 1960. Da allora, infatti, solo nel 1984 c'è stata una risalita di mezzo punto. Dal 1960 il calo dei votanti è stato del 20 per cento;
— anche la registrazione al voto, cioè l'atto preliminare, non esistendo registri elettorali stabili, ha segnato, dal 1960, un parallelo declino: è scesa al 70,5 per cento dall'83,4 per cento;
— il declino nella partecipazione al voto si è avuto anche negli stati, come il Dakota, che non richiedono la registrazione, ma qui è stato più contenuto rispetto alla media nazionale;
— la partecipazione nel Wisconsin e nel Minnesota, stati che consentono la registrazione contestualmente al voto, è oggi al di sotto del livello del 1984, data nella quale fu introdotta questa innovazione intesa a facilitare l'afflusso elettorale;
— la partecipazione al voto è diminuita nettamente in 46 stati e nel distretto di Columbia, leggermente nel Colorado e nel Nebraska; è aumentata solo nel Nevada (1,9) e nel New Hampshire (0,7). Nella capitale ha votato solo il 36,57 degli aventi diritto;
— l'interesse per i candidati presidenziali era così modesto che in 12 stati la partecipazione per il Senato ha superato quella per il Presidente;
— rispetto al 1984 la partecipazione è scesa nettamente tra i repubblicani, il 5 per cento nella media nazionale. La partecipazione democratica è salita invece leggermente (0,9).

In novembre, alla vigilia del Consiglio nazionale dell'Olp (convocato ad Algeri, saggiamente *dopo* le elezioni americane e quelle di Israele), moltiplicammo gli interventi sui massimi responsabili perché avvertissero il momento favorevole e compissero gesti di intelligenza e di coraggio. I sacrifici dei protagonisti dell'Intifada avevano ormai suscitato nel mondo ondate di simpatia, sulle quali si poteva finalmente costruire uno sbocco politico. Arafat aveva sempre sostenuto di non poter *dare tutto* senza ricevere niente o quasi; ma qui stava appunto la novità da utilizzare: togliere cioè agli avversari e ai dubbiosi ogni elemento di diffidenza. Seguito attentamente dal Presidente algerino, il Consiglio, non senza fatica e con la precisa affermazione che anche la minoranza contraria avrebbe rispettato le decisioni, approvò un documento riguardante i tre famosi punti: 1. rifiuto della violenza; 2. rispetto della sicurezza di Israele; 3. accettazione delle risoluzioni dell'Onu.

Per inquadrare in modo accettabile questo loro superamento di posizioni, i palestinesi emanarono una dichiarazione di indipendenza (non formando, però, un governo in esilio come alcuni volevano) e su questo punto si basarono quanti resistevano ancora nella contrarietà all'Olp. Shultz me lo scrisse il 28 novembre, riconoscendo i progressi, ma valutandoli come insufficienti. Purtroppo il fatto che Abu Abbas (*Achille Lauro*) figurasse tra i componenti del Consiglio nazionale disturbava molto anche noi. Cercai (1º novembre 1988) di indurre il Dipartimento di Stato a più aperta considerazione del voto di Algeri, così come avevamo fatto nel Consiglio Cee, mettendo in rilievo che: *a*) non avevano formato il temuto governo in esilio; *b*) avevano citato la risoluzione del 1947 per riconoscere così anche la nascita di Israele; *c*) avevano parlato di frontiere da negoziarsi e quindi senza rigidità. E domandava se vi fosse uno spiraglio, magari tenue, per vedere Israele disponibile a un negoziato, oppure se il Governo Shamir pensava di non restituire i territori occupati quali che fossero gli interlocutori palestinesi.

Lo stesso Shamir me lo aveva detto molto francamente pochi giorni prima a Gerusalemme. Qualunque cosa Arafat scrivesse o dicesse egli non poteva credergli. Invano avevo ci-

tato la Bibbia con il « NON VOGLIO LA MORTE DEL PECCATORE MA
CHE SI CONVERTA E VIVA ».

Arafat aveva chiesto di andare a spiegare all'Onu le conclusioni di Algeri, ma il governo americano — violando le
prerogative delle Nazioni Unite — gli negò il visto di ingresso suscitando una vera reazione internazionale. Posta ai voti,
la decisione di tenere la seduta a Ginevra, mantenendo l'invito ad Arafat, fu approvata con 151 voti favorevoli, 2 contrari
(Usa e Israele) e un astenuto (l'Inghilterra, nonostante in sede Cee avesse approvato Algeri).

Scrissi con amarezza a George: « Sono dispiaciuto che
proprio tu che hai fatto tanto per risolvere i problemi del
Medio Oriente debba apparire come il responsabile dell'im-
pedimento. Io mi auguro che tu dedichi al problema mediorientale le settimane che separano dalla *inauguration*; credo
che vi siano possibilità concrete per avviare una piattaforma
di processo di pace ». E richiamavo la sua attenzione su un
fatto importante che mi era stato illustrato di persona dal
Presidente algerino Chadli. Dopo il Consiglio dell'Olp, Egitto e Algeria avevano ripreso le relazioni diplomatiche in una
linea di rasserenamento del mondo arabo che — scrissi — si
doveva continuare a incoraggiare.

Gorbaciov parlò all'Onu agli inizi di dicembre e si incontrò in una colazione di lavoro con Reagan e Bush. La continuità politica dell'Amministrazione americana non era affatto dispiaciuta a Mosca (De Mita raccontò che Gorbaciov
glielo aveva confidato qualche giorno prima delle elezioni) e
l'incontro di New York consentì di tracciare un programma
di ininterrotto sviluppo del grande negoziato.

George venne a Bruxelles a riferirci e ci fece un consuntivo veramente entusiasmante della sua politica. Non solo
nella via del disarmo si era compiuto un buon percorso, ma
dei 600 prigionieri politici in Urss rimanevano solo poche
unità in via di smobilitazione.

Eravamo tutti commossi quando ci congedammo da lui:
era la sua ultima presenza nei consigli Nato. Gli offrimmo
un trenino in miniatura, subito battezzato: THE NATO TRAIN.

Ma ben diverso fu il motivo della emozione di quella sera. Shultz mi aveva risposto a voce riguardo alla mia lettera, dicendo che sarei stato presto soddisfatto. E invero, utilizzando una conferenza stampa di Arafat a Ginevra (che in effetti nulla di più disse rispetto ad Algeri), fece annunciare che gli Stati Uniti avevano deciso di prendere contatto con l'Olp e che il primo incontro si sarebbe avuto presto a Tunisi, dove l'Olp ha il suo quartier generale.

Se per gli altri ministri europei il congedo da Shultz era stato a Bruxelles, per me vi fu ancora un'occasione d'incontro perché accompagnai il 15 dicembre a Washington il Presidente Ciriaco De Mita che era subentrato a Giovanni Goria.

La decisione del contatto con l'Olp, « essendo state soddisfatte le *tre condizioni*», fu al centro dell'esposizione che Reagan ci fece, sottolineando la sua soddisfazione per avere potuto far progredire l'obiettivo di una pace globale tra le parti interessate. Lo stesso Presidente presentò a De Mita il risultato del suo incontro con Gorbaciov, che io già conoscevo dalla riunione del Consiglio atlantico. Lo schema di Reagan — concordato con i sovietici — per il disarmo convenzionale era ineccepibile: 1. censimento delle forze; 2. riduzione a una parità di posizioni; 3. ulteriori riduzioni bilanciate.

Parlammo anche di Namibia e di Centroamerica, ma fui colpito dalla insistenza con cui tutti gli interlocutori del nostro Presidente del Consiglio gli parlavano della scelta del partner dell'Italtel nei programmi di elettronica delle comunicazioni, elogiando la superiorità della opzione americana.

Da parte mia consigliai Shultz di dedicare le sue ultime cinque settimane al Libano, sulla cui sorte ero piuttosto pessimista.

Durante una colazione del Presidente neoeletto, approfondimmo i temi della lotta alla droga, lieti di vedere con quanta passione Bush vi si dedicasse. Era anche questo un segno di continuità, perché la signora Nancy Reagan era venuta apposta a Roma nel maggio 1985 per rendere presso il centro di don Mario Picchi, al quale dava una esemplare collaborazione la moglie dell'ambasciatore Rabb, una testimonianza solenne dell'importanza della guerra al narcotraffico.

Sui temi militari Bush disse con chiarezza che la sua linea era quella di Reagan, però aveva bisogno di un tempo di riflessione prima di riprendere i negoziati. Alla colazione erano presenti Shultz e la signora Ridgway, ma mi sembrò fossero tenuti un po' in disparte. Mi rammentai quanto aveva detto anni prima un vecchio senatore a Washington sul ruolo marginale dei vicepresidenti che irritava non tanto loro quanto i loro collaboratori. Poteva darsi che, promosso il vice di Reagan, i collaboratori prendessero le loro rivincite. Non mi sentirei di escluderlo.

Con Brady, parlammo del suo piano per alleviare i debiti dei paesi più poveri che aveva elaborato succedendo a Jimmy Baker, quando questi era passato a dirigere dalla Casa Bianca l'orchestra elettorale repubblicana. Baker era ormai il sicuro nuovo segretario di Stato.

Non sapevo se avrei accompagnato alla Casa Bianca un quarto Presidente del Consiglio. Ormai ero praticissimo del cerimoniale in ogni dettaglio e non avrei comunque fatto fatica.

Bush promise a De Mita di venire presto in Italia.

26

PRO PERESTROJKA

Il Papa attuale, recandosi a cantare il *Te Deum* di fine d'anno nella chiesa romana del Gesù, ha ripreso una tradizione cara a Pio IX fino alla breccia di Porta Pìa. Quando sono in città vi partecipo volentieri perché mi incantano queste parentesi di sapore antico ed è inoltre occasione — accanto alla meditazione collettiva — per un consuntivo personale delle luci e delle ombre dei dodici mesi passati. Al cadere del 1987 io ero sotto la felice impressione dell'accordo Reagan-Gorbaciov dell'8 dicembre e pregavo Iddio che, sull'onda di questo fondamentale avvenimento internazionale, anche l'anno nuovo segnasse successi nella stessa direzione. Reagan, se non lo avesse bloccato per ragioni elettorali la maggioranza «democratica», avrebbe certamente voluto chiudere in bellezza il suo doppio quadriennio. Da parte sua Gorbaciov aveva tutto l'interesse ad accelerare i tempi del nuovo corso, benché non fosse solo l'àmbito diplomatico esterno a occupare le giornate del leader sovietico, affaticate dai problemi delle nazionalità e ancor più da quelli delle carenze economico-produttive. E in fondo, anche senza tappe clamorose, il processo di distensione aveva proceduto. Te Deum laudamus.

Non andava, invece, in attuazione la risoluzione 598 del Consiglio di sicurezza dell'Onu adottata il 20 luglio dopo tante fatiche. Da parte nostra continuavamo — con la gratitudine del segretario generale Pérez de Cuellar — a tenere contatti con l'Iran e con l'Irak perché, obbedendo al cessate il fuoco, affrontassero il negoziato di pace. Il punto di frizione che bloccava tutto (compresa la restituzione dei territori e dei prigionieri) era la *precedenza* o la *simultaneità* della formazione di un organismo imparziale cui spettasse di dichiarare dove fossero le responsabilità iniziali del conflitto. Scherzando, avevo detto in Consiglio che bastava acquistare una vecchia copia del «New York Times» con le dichiarazioni di Saddam Hussein, ma gli irakeni sostenevano che la decisione dell'attacco era stata preceduta non solo da provocazioni in genere, ma da reiterate azioni militari.

A Ginevra si è installato da tempo il negoziato a due e mezzo (i due stati e l'Onu), ma finora i buoni uffici di Pérez de Cuellar e dei suoi rappresentanti non hanno rimosso lo stallo. Comunque non si spara, ma l'orizzonte del golfo non è limpido.

Sugli altri punti caldi del mondo: l'Intifada si protrae, dato che nessun sostanziale passo avanti ha fatto la questione palestinese; in Cambogia sembra si avvicini una schiarita che il principe Sihanouk promuove, ma con forti difficoltà; meno tese le posizioni nel Centroamerica, con un disimpegno certo dell'Unione Sovietica e una propensione effettiva nel Nicaragua per elezioni autentiche; qualche segno distensivo nell'Africa australe, dove i bianchi moderati hanno guadagnato qualche posizione. Tutto sommato il bilancio del 1988 non era cattivo.

Mi parve simbolico anche il tono della lettera di auguri di George Shultz:

> Il «trenino Nato» ha grande successo qui. Mi diverte molto e così tutti i miei colleghi al Dipartimento di Stato e in città. L'altra sera ero alla Casa Bianca e ho visto un trenino elettrico che girava attorno all'albero di Natale del Presidente. Indagando, ho scoperto che il Presidente ha anch'egli un certo interesse per i trenini. Così l'altro giorno ho portato con me, per il consueto incontro privato con il Presidente, il «trenino Nato». Ne è rimasto affascinato e abbiamo finito per passare una sproporzionata quantità di tempo giocandoci. Ti divertirà la foto che ti accludo. Con i miei ringraziamenti per la tua amicizia e il tuo sostegno.
>
> *George P. Shultz*

Se a Washington si gioca con i trenini vuol dire che il barometro indica buon tempo.

Il rasserenamento mondiale ha avuto una enorme ripercussione nel rapporto dei paesi africani con gli Stati Uniti d'America. Nel viaggio fatto con il Presidente Cossiga in Kenya, Zambia, Mozambico, Zimbabwe e Somalia ho constatato la presenza di un linguaggio nuovo in proposito, anche se su alcuni temi — la politica verso il Sudafrica, ad esempio — le posizioni sono ancora distanti. Ricorderò questo viaggio anche per motivi extrapolitici. Tra abitudini diverse e orari impossibili la mia emicrania si accentuò talmente che fui costretto a una ingestione massiccia di analgesici. Dopo di che ebbi una crisi labirintica che mi fece letteralmente crollare all'aeroporto di Madrid dove ero andato, subito dopo, per il Consiglio dei ministri della Cee.

La Democrazia cristiana italiana aveva organizzato negli Stati Uniti le manifestazioni celebrative del quarantesimo anniversario del Piano Marshall e io avevo avuto l'incarico di tenere il discorso celebrativo a New York cancellato poi, come ho già scritto, per l'indisponibilità di Nixon. Nel comitato promotore vi erano i massimi dirigenti dei due partiti statunitensi e devo a questo (anche se la manifestazione fu poi annullata) la conoscenza del signor Farenkhof, presidente dei repubblicani, il quale — reduce dal successo delle elezioni di novembre e a conclusione del suo incarico — mi spiegò i meccanismi di selezione della vita rappresentativa americana, indugiando sulla complessa integrazione dei cittadini neri che, secondo lui, avrebbe allontanato a lungo il ritorno dei democratici alla Casa Bianca. Nel novembre di quest'anno, a New York, i democratici hanno dovuto constatare quanto questa previsione fosse fondata.

Una delegazione di ebrei americani è venuta a Roma per assistere al Convegno mondiale degli israeliti profughi della Libia, che in gran parte oggi vivono in Israele, ma che anche in Italia — dove risiede il loro presidente Raffaello Fellah — sono in buon numero. I discorsi sono stati responsabili e costruttivi, mentre sorprese, nella documentazione fotografica esposta nel foyer dell'Albergo Hilton, la rievocazione quasi nostalgica di Italo Balbo e dello stesso Mussolini che, pur dichiarandosi *la spada dell'Islam*, si vede che in Tripolitania e in Cirenaica usava riguardi per gli ebrei (persino dopo le leggi razziali), non so se in base al principio del *divide et impera*.

Nel mio intervento ho ripetuto la tesi della solidarietà ai palestinesi con lo stesso impegno con cui fummo a fianco degli ebrei perseguitati. E ho ricevuto l'assenso, anche scritto, dei delegati americani. I tempi — pur a passo lentissimo — forse evolvono. Ma dal Libano e dall'Irak-Iran i messaggi non erano confortanti: in uno stesso giorno vidi a Roma Jumblatt e Aziz avendone dolorosa conferma.

Con il segretario generale del ministero degli Esteri, ambasciatore Bruno Bottai, ci recammo a far visita al re dell'Afghanistan, esule in Roma, per porgergli gli auguri di Capodanno. Sembra una sorte dei sovrani di Kabul di venire in Italia quando sono deposti. Ero ragazzo e un augusto predecessore dell'attuale re afghano era già in esilio nella nostra capitale: lo ricordo perché abitava nel quartiere Prati, di fronte alla palestra che io frequentavo; qualche volta venivamo redarguiti se facevamo un po' troppo chiasso disturbando Sua Maestà.

L'attuale re Zahir ha scelto invece una villetta all'estrema periferia flaminia e qui vive dignitosamente «non presentando alcuna rivendicazione, ma pronto a tornare in patria se il popolo lo vorrà». Per la cattiva abitudine di dare a ognuno una etichetta, questo re (o ex re che sia) è collocato internazionalmente a sinistra solo perché, a suo tempo, non ottenendo armi difensive dall'Occidente, era ricorso all'Est. In questa e in altre udienze l'ho trovato di grande equilibrio. E sono stato lieto di apprendere parecchi mesi dopo che andava a consultarlo non solo il negoziatore sovietico della pace di Kabul (cui mentre scrivo non si è ancora pervenuti), ma anche l'ambasciatore americano.

Nei primi mesi dell'anno in corso, accanto alla legittima curiosità circa le nomine e gli orientamenti della nuova Amministrazione americana, si sviluppò (sia pure allo stato latente) una pericolosa polemica tra la Germania federale e gli Stati Uniti sul dibattito strategico in seno alla Nato. Anche i non esperti nella tecnica relativa avvertivano il fondo del problema: il paese europeo più esposto vedeva diminuita o no la propria sicurezza?

Forse — e non è certo mio merito — per l'antica consuetudine con la vita dell'Alleanza io non ero affatto preoccupato. Valutavo come errata la pretesa di volere far decidere nella sessione primaverile sul delicato tema dei missili a breve raggio, i cui effetti pratici sarebbero scattati solo alcuni anni dopo. Perché tanta fretta? A non facilitare l'insieme del contesto contribuivano anche i commentatori supersofisticati che andavano dicendo che occorreva decidere subito perché, se nelle elezioni dell'anno prossimo fosse dovuta cambiare maggioranza a Bonn, ai nuovi governanti sarebbe forse stato possibile accettare impegni già presi, ma non certo accettarne di nuovi. Viceversa la preoccupazione di Genscher e di Kohl nasceva dai termini obiettivi di una dottrina che vedeva come destinatari potenziali dei nuovi missili non l'Unione Sovietica, ma altri paesi del Patto di Varsavia, in primis la Germania dell'Est. Vi era poi — per tutti — la difficoltà a far comprendere alle opinioni pubbliche l'onere di una forte spesa (per le generazioni di missili da allestire) mentre l'atmosfera è ispirata a riduzioni di rischi di confrontazione.

Della nostra preoccupazione che il quarantennale dell'Alleanza atlantica potesse essere malamente minimizzato da queste polemiche, mettemmo a parte James Baker che visitò Roma in febbraio. Si sarebbe perduta una occasione per esaltare il ruolo decisivo del trattato anche come premessa logica di tutto il successivo disgelo nell'Est e con l'Est.

Baker ne convenne, ma l'argomento non scompariva dalla stampa internazionale, anzi diveniva sempre più vivacemente presentato, oscurando tutto il resto. Tornai a insistere su questo punto con Baker quando mi invitò a colazione mentre eravamo a Vienna per l'inizio dei negoziati sulle armi convenzionali. Ma nell'imminenza della riunione di Bruxelles, fummo lieti di poter ricevere a Roma congiuntamente Bush e Baker. Avemmo agio, con molta pacatezza, di far leva sulla infondatezza dei sospetti per una tenuta ferma dei tedeschi nella comune difesa. Non che il governo americano ne dubitasse, ma si era venuta creando questa atmosfera nella stampa, di cui lo stesso Presidente Bush riconobbe l'influsso determinante. Apprezzai molto in questi incontri la concisa saggezza del nuovo responsabile del National Security Council, generale Brent Scowcroft (che era stato uno dei tre saggi che avevano indagato sull'Irangate). In quanto a Baker, si avvertiva la sua formazione prevalente nel campo economico-finanziario, ma, per fortuna, nella sua veste di segretario al Tesoro aveva avuto frequenti occasioni di occuparsi dell'Alleanza.

Del tutto obiettivamente attribuisco ai colloqui romani un'importanza non marginale per il successo del Consiglio atlantico. E ce ne dettero atto ambedue le parti.

La riaffermazione dell'impegno a mettere al bando le armi chimiche fu presente nei colloqui con gli americani e nei documenti del vertice di Bruxelles, che fecero un timido riferimento alla Conferenza di Parigi voluta in gennaio da Mitterrand — su una idea espressa da Ronald Reagan — e riuscita molto bene. Forse bastava dare un po' di più impulso ai lavori di Ginevra; ma per richiamare solennemente le pubbliche opinioni non poteva essere inutile una sessione *ad hoc*, nella quale avevo preso io stesso la parola, tornandovi quattro giorni dopo per sottolineare l'importanza che l'Italia attribuisce a questo negoziato. Purtroppo tarda ancora a concludersi e può darsi — da quel che si è visto con le ultime proposte di Bush all'Onu — che Usa e Urss preferiscano sigillarlo con una partita a due, *aperta* tuttavia — e sarebbe impossibile diversamente — a tutti gli altri. Ma il non concludere significa legittimazione a continuare a produrre e, almeno nel Medio Oriente, si stanno accumulando pericolosissimi stoccaggi. Lo dissi con un certo accoramento a George Shultz, quando mi comunicò la nomina di Eagleburger al posto di Armacost e la destinazione a Bonn di Vernon Walters. Scherzando, mi pregò di adoperarmi, «con i tuoi metodi un po' misteriosi ma efficaci», affinché la Grecia e la Turchia aderiscano alle conclusioni di Vienna, superando le preoccupazioni bilaterali.

La seconda presenza a Parigi, tuttavia, non fu un sacrificio, dato che ero in volo verso Londra, dove alla Royal Academy si inaugurava una notevole mostra dell'arte italiana del XX secolo.

A Vienna il 19 gennaio si svolse la solenne tornata conclusiva della Conferenza per la sicurezza e la cooperazione europea. E fu occasione per rinnovare a George Shultz, questa volta da una platea più vasta, simpatia e apprezzamento.

Andai e tornai dall'Austria in poche ore perché non volevo mancare a un meeting per la pace promosso in Campidoglio dall'Azione cattolica italiana. Chi come me viene da quelle file, sente l'orgoglio di aver potuto dare in seguito il suo piccolo apporto perché la pace, ai cui valori dominanti figure straordinarie di Papi ci formarono, fosse prima salvaguardata e poi progressivamente irrobustita e resa, spero, definitiva.

Potei così fare a caldo un commento su Vienna, dicendo che si era ormai costruito un rapporto molto buono sia tra paesi Est e Ovest, sia con i neutrali e non allineati che avevano avuto un ruolo effettivo di intermediazione. L'accordo raggiunto verteva su cinque punti che così riassumo:

1. Il dovere di ogni Stato di assicurare al rispetto dei diritti umani un'adeguata garanzia giuridica interna; tale garanzia dovrà esplicitamente coprire, tra l'altro, la pubblicazione e l'accessibilità delle disposizioni legali relative ai diritti delle persone, la disponibilità di procedure di ricorso contro eventuali abusi dell'autorità, l'adibilità a organi giudiziari e amministrativi di seconda istanza, la pubblicità dei processi, nonché la comunicazione tempestiva e formale delle decisioni degli organi d'appello.
2. Una messa a fuoco della libertà di movimento, definita come facoltà di spostarsi e fissare residenza nel proprio paese e liberamente farvi ritorno.

3. Una precisa definizione dei contenuti della libertà religiosa: in merito è dovere di ogni Stato promuovere un clima di tolleranza religiosa, di eliminare ogni forma di discriminazione contro i credenti, di non negare alle differenti comunità di credenti lo *status* per esse previsto dai rispettivi ordinamenti costituzionali; inoltre garantire la possibilità di mantenere luoghi di culto, di organizzare le proprie gerarchie e di scegliersi il proprio «personale»; rispettare il diritto di ognuno di impartire e ricevere, individualmente o collettivamente, una istruzione religiosa e di gestire seminari.
4. Una specifica attenzione ai diritti delle minoranze nazionali, tesa a chiarire il dovere degli stati di assumere le misure necessarie per proteggere e promuovere l'identità etnica, linguistica e culturale.
5. Un esplicito riconoscimento del ruolo che, per promuovere l'attuazione degli impegni Csce, può essere svolto da individui, istituzioni e organizzazioni private, derivandone l'impegno dei governi a rimuovere gli ostacoli alla loro attività.

Il testo sui princìpi era completato da alcuni riferimenti:

— alla necessità di continuare gli sforzi per la ricerca di efficaci meccanismi di soluzione pacifica delle controversie internazionali (in proposito, un incontro specializzato si svolgerà a Malta nel 1991);
— al costante impegno per la lotta al terrorismo, sia mediante misure nazionali che grazie a un'accresciuta cooperazione internazionale;
— a un certo riconoscimento, anche da parte degli stati che ancora applicano la pena di morte, dell'opportunità che la sua abolizione venga comunque non esclusa.

Un importantissimo e assolutamente nuovo elemento è poi costituito dalla istituzione di un meccanismo diplomatico che assicuri efficacia alle questioni umanitarie — e alla effettiva attuazione degli impegni Csce assunti in proposito. Ciascuno degli stati ha il diritto:

— di sollecitarsi reciprocamente e di ottenere informazioni su singoli casi umanitari;

— di svolgere incontri bilaterali per esaminare e risolvere detti casi;
— di discutere in riunioni Csce plenarie i casi e gli esiti degli incontri bilaterali.

Ho già parlato del Consiglio atlantico del maggio a Bruxelles nel corso del quale il pacchetto di proposte di Bush fu approvato, con un forte impegno americano a stimolare noi europei sul disarmo universale, nel quadro del quale a un 20 per cento di riduzioni americane corrispondeva una riduzione sovietica dieci volte superiore.

Dovetti aumentare in quei giorni il ritmo del mio lavoro perché avevo accettato la candidatura alle elezioni europee in una circoscrizione diversa da quella mia abituale, molto grande e politicamente eterogenea: dall'Emilia e Romagna, a maggioranza rossa, al Veneto, dove prevale la Democrazia cristiana. Mi piacque di far rilevare proprio nel Veneto — e in particolare nella provincia di Vicenza — che la forte presenza di unità militari della Nato non solo non ha compresso lo sviluppo industriale, ma che si tratta invece di un'area dove non esiste disoccupazione e in cui è sorta una rete molto efficiente di medie e piccole imprese.

Il mandato di parlamentare europeo è incompatibile con l'appartenenza al governo. Concorrevo solo per una solidarietà di partito, dimettendomi a elezione avvenuta, come avevo fatto nel 1984, o avevo intenzione di andare a Bruxelles dedicandomi a tempo pieno alla vita parlamentare? Non nascondo che tra le ipotesi che nel mio intimo facevo c'era anche quest'ultima. Si rimprovera spesso agli uomini politici di non sapersi ritirare in tempo, proprio quando le cose vanno loro bene. E io attraversavo una fase felice, con la soddisfazione di vedere rettificare giudizi negativi o dubbiosi sui miei punti fermi (distensione generale, pace in Medio Oriente) da parte di critici; e alcuni lo riconoscevano lealmente anche in pubblico.

Quando andai a Parigi con De Mita per il bicentenario della Rivoluzione e il vertice degli Industrializzati, il quesito mi venne posto da parecchi, tanto più che eravamo nell'ennesima crisi ministeriale e i giornali facevano anche il mio nome per la successione. Rispondevo di non essere in grado di dire cosa avrei deciso, ma nessuno ci credeva.

Bush, Baker e Brady (B.B.B.) presero parte a tutte le discussioni e cerimonie, confermando definitivamente la continuità con l'Amministrazione Reagan. A dare supporto a questo contribuì anche un lungo e impegnativo messaggio di Gorbaciov a François Mitterrand come presidente di turno. Premesso che la perestrojka è «inseparabile da una politica tendente alla partecipazione piena e intera all'economia mondiale» e che «il resto del mondo non può che aver benefici dall'avvio in direzione dell'economia mondiale di un mercato qual è quello dell'Urss», Gorbaciov si dichiarava disponibile per un dialogo costruttivo e per lavorare insieme, vedendo punti di convergenza e di complementarietà negli approcci ai problemi globali e particolarmente a quello dei debiti del Terzo Mondo.

I Sette ripresero su nostra iniziativa l'esame del pericolo del narcotraffico e concordarono nuove linee di collaborazione. Bush non nascondeva il suo disagio per le vicende di Panama e anche per il lungo periodo di chiusura di occhi delle amministrazioni precedenti sul traffico di droga in certi paesi. Noriega stava sfidando il prestigio degli Stati Uniti, contrastato tuttavia dall'Organizzazione degli stati americani quasi all'unanimità. Anche la Comunità europea aveva espresso solidarietà nella condanna, ma Noriega era ancora al suo posto.

L'attenzione del nuovo Presidente americano era però prevalentemente portata sugli avvenimenti all'interno dei paesi del Patto di Varsavia, specie la Polonia e l'Ungheria, dove si sarebbe recato subito dopo. Io ero in condizione di dire qualcosa di valido in proposito, poiché seguivo da tempo l'evoluzione dell'area. Rammentai che quando mi ero recato a Varsavia nel 1984 avevo intuito la necessità di incoraggiamenti concreti non solo a Solidarność, ma anche al generale Jaruzelski; ma erano occorsi a Washington più di due anni per rimuovere le sanzioni. Ero grato al Presidente Reagan perché fuori protocollo aveva scritto a me direttamente per comunicarmelo, con l'augurio che si realizzasse effettivamente in Polonia la vera riconciliazione nazionale di cui io avevo parlato. La visita nel maggio di quest'anno, accompagnando il Presidente della Repubblica Cossiga e presiedendo a Varsavia il *Colloquium* del Centro studi ciceroniani, mi aveva offerto la gioia di vedere in atto cambiamenti reali e un clima di impegno democratico autentico. Avevamo ora tutti l'obbligo urgente e massiccio di aiutare anche materialmente Polonia e Ungheria (oltre l'Urss, beninteso) nei modi ritenuti più efficaci. Ne approfittai per comunicare a Bush che il prossimo *Colloquium* del Centro studi ciceroniani lo terremo — credo nel 1991 — alla Columbia University di New York.

Il Presidente, negli intervalli, riprese l'argomento dei «cieli aperti» di cui aveva parlato alla Nato. È una vecchia idea che Eisenhower, Presidente dal 1952 al 1960, aveva proposto nella Conferenza di Ginevra — 18 luglio 1955 — dei quattro capi di governo: Usa, Urss, Francia e Gran Bretagna. Consisteva in un dettagliato scambio di informazioni sulle rispettive dotazioni militari, con il ricorso a un controllo fotografico aereo da effettuarsi utilizzando velivoli messi a disposizione dalla parte ispezionata. Per bocca di Bulganin i sovietici avevano immediatamente respinto lo schema. Bush intende coltivarla di nuovo, contando sul mutato clima internazionale. Il nostro Stato Maggiore della Difesa aveva già valutato che non vi erano controindicazioni e potemmo dirlo a Baker e a Bush.

Di tutt'altra natura invece un discorso a tavola, suscitato da un interrogativo posto non ricordo da chi. Era vero che Reagan o suoi amici avevano pensato a una terza elezione: e questo sarebbe stato costituzionalmente ammissibile?

Appresi così che per andare oltre una rielezione ci vorrebbe oggi un emendamento alla Costituzione, mentre Roosevelt poté governare fino alla morte, anche oltre il terzo quadriennio. Dal 1951 vige un emendamento, approvato nel 1947, ma ratificato dopo quattro anni dagli stati, secondo cui è consentita una sola rielezione. Prima di Roosevelt il limite dei due mandati era affidato solo alla prassi, poiché la Costituzione non vi fa cenno, sembra per il desiderio di George Washington di poter «regnare» più a lungo.

Le circostanze hanno voluto che fossi davvero io a presiedere la ricomposizione governativa dei cinque partiti, lasciando dopo sei anni il ministero degli Esteri. Non manca certamente lavoro al mio successore, l'onorevole Gianni De Michelis; ma la grande politica internazionale di dialogo distensivo è ormai consolidata e i rapporti con gli Stati Uniti sono il pilastro su cui ruota il nostro sistema di alleanze, per nulla in contrasto con la forte vocazione europea dell'Italia.

Il negoziato a Vienna sulle riduzioni di armi classiche non ha avuto quel ritmo celere che avremmo voluto, date le difficoltà incontrate dai sedici paesi occidentali nell'accordarsi sulla piattaforma da presentare. Il 20 settembre l'intesa è stata raggiunta e, sulla carta, si possono prevedere tempi non defatiganti. Mi sembra vada sottolineato che il presidente di turno a illustrare agli stati dell'Est il documento è stato il canadese Peel. È il grande valore della formula di Helsinki: Canada e Stati Uniti d'America *sono* Europa.

Ševardnadze ha avuto negli stessi giorni lunghi colloqui nel Wyoming con Baker, il quale, sulla valutazione dei fatti interni dell'Urss ha dichiarato: « Il Presidente Bush ha reso del tutto chiaro che noi abbiamo un profondo interesse a quanto avviene in Unione Sovietica. Ha ribadito il nostro *impegno* e il nostro *desiderio* di vedere il successo della perestrojka. Ha indicato di ritenere che l'Urss si sia mossa in modo molto responsabile e molto misurato nei confronti delle trasformazioni che si stanno verificando, e non soltanto in Unione Sovietica, ma anche in Europa orientale; e ha espresso la nostra speranza di poter vedere la continuazione di questo tipo di atteggiamento. Per quanto concerne l'ipotesi di un aiuto americano alla perestrojka, un ambiente internazionale stabile è una cosa, l'assistenza per i loro problemi economici un'altra, tanto più che anche dall'incontro odierno è stato confermato che i sovietici non cercano un pacchetto di aiuti, ma consigli di tipo tecnico su cosa fare con la loro economia ».

Sul tema spinoso del bando delle armi chimiche, oltre il ricordato annuncio di possibili riduzioni concordate tra Usa e Urss, una novità è data dalla conferenza « governi-industrie » svoltasi in settembre a Canberra e articolata in tre gruppi di lavoro. Gli arabi hanno riproposto la connessione tra armi chimiche e disarmo nucleare; e gli americani hanno insistito per avere a Ginevra accanto ai negoziatori un piccolo *team* di esperti. Se si fosse seguita, come noi avevamo iniziato, la procedura di un seminario di scienziati per arrivare a un modello di controllo efficace, così come facemmo per le verifiche nucleari, avremmo potuto progredire di più. Ma sono convinto che non sono le formule che mancano, ma una vera volontà politica generalizzata per concludere. E questo mi preoccupa.

Max Rabb ha lasciato Roma dopo due quadrienni di guida di un'ambasciata non facile, nella quale si era posto come obiettivo quotidiano quello di far progredire le già eccellenti quotazioni politiche dell'Italia negli Stati Uniti. Qualche suo scarto polemico — peraltro raro — derivava proprio dalla stizza che provava di fronte al rischio di veder rimettere in discussione quella *priorità* italiana che diceva con fierezza di aver fatto conquistare.

Sul piano umano non mi erano sfuggiti due suoi atti di riguardo nei miei confronti: nell'aprile 1983, volendo i miei amici celebrare — senza inviti — i miei quaranta anni di vita pubblica, Max venne al teatro Adriano e ne fui lieto. Sei anni dopo, arrivato al mio settantennio anagrafico, ricevetti da lui — in un giorno in cui la mia vanità era messa a dura prova, tra un messaggio di Gorbaciov e una telefonata del Papa Giovanni Paolo II — un lungo messaggio manoscritto pieno di contenuti amichevoli: concetti che ripeté nella lettera con cui prese definitivo commiato dall'Italia.

La scelta del successore è passata per una trafila polemica, che qualcuno ha spiegato anche con la volontà dei molti amici che Rabb ha in Congresso (fu chiamato una volta a Washington perché convincesse alcuni riottosi per la vendita degli Awacs all'Arabia Saudita e ci riuscì) di far sì che egli lasciasse Roma dopo e non prima della visita di Bush.

Il meccanismo della convalida senatoriale delle nomine è piuttosto spietato. Non solo il candidato è sottoposto a interrogatori stringenti e talvolta anche con trabocchetti, ma vi si crea attorno una cornice di stampa dai toni spesso crudi e scandalistici.

La scelta del cinquantenne industriale Peter Secchia, di famiglia originaria piemontese, si deve certo al suo ruolo determinante in tutti i sensi nella vittoria di Bush nel Michigan, ma una volta che la prassi prevalente è di non scegliere ambasciatori di carriera, non vedo perché si sottovalutasse la sua laurea in economia e la capacità di aver portato la principale delle sue società a un fatturato di 400 milioni di dollari l'anno. In verità, sull'onda della sconfitta di Bush nella designazione di Tower a ministro della Difesa, alcuni senatori — anche senza mirare a una seconda sconfitta — vollero tenere Peter sulla graticola, dando elementi alla stampa sensazionalista per discettare sulle sue diete in cibi e bevande; sul linguaggio non sempre vittoriano; sull'approccio con le ragazze. Ci fu anche qualcuno che ci criticò per aver dato il gradimento in un batter d'occhi e voleva persino che lo ritirassimo. Il risultato fu solo qualche isolato articolo ostile di giornale. Io sapevo che Peter Secchia era assai apprezzato dal Presidente Gerald Ford (a un ricevimento del quale lo avevo incontrato) e non ho mai dato peso al chiasso del Campidoglio di Washington finito, come era giusto, nel nulla e con la ratifica della nomina.

L'ho ricevuto la prima volta il 4 luglio, al mattino del suo primo Independence Day di Roma, e abbiamo avuto uno scambio di idee concreto e interessante. Nel pomeriggio andai al ricevimento all'ambasciata e conobbi la sua splendida famiglia. Vedo che lavora intelligentemente in buona armonia con l'apparato burocratico di Palazzo Margherita, a cominciare dal ministro consigliere John Holmes, buon conoscitore dell'Italia e stimato da tutti. Durante l'estate ha curato particolarmente il viaggio in Usa del nostro Presidente della Repubblica.

Una piccola tempesta stava per scatenarsi nei primi giorni di Peter Secchia a Roma, a causa di una sua dichiarazione contraria all'eventuale ingresso dei comunisti italiani nel governo. Era una abitudine che gli ambasciatori americani avevano da tempo cessato di estrinsecare, e ci fu una prima reazione polemica del partito in questione. Ma, con intelligenza, Achille Occhetto capì che si rischiava di annullare l'effetto del suo recentissimo viaggio in America; da parte sua Secchia, con un'interpretazione autentica, riconobbe che questa è materia di competenza esclusivamente nazionale. Così, con soddisfazione di tutti, dopo i tuoni iniziali la pioggia non venne.

Sul viaggio del segretario comunista negli Stati Uniti, doverosamente assistito dalla nostra ambasciata, non è mancata qualche voce critica, ma del tutto fuori di posto. Forse gli uomini della mia generazione — che soffrirono le conseguenze della bravata togliattiana (made in Moscow?) con l'accusa agli americani di cretinismo mentre De Gasperi era laggiù a chiedere gli aiuti per la sopravvivenza e la ricostruzione dell'Italia — avvertono più degli altri l'importanza positiva di un atteggiamento tanto diverso, anche in virtù dei grandi mutamenti internazionali.

Io non temo davvero la «concorrenza» interna dei comunisti su questo terreno. Quel che mi preoccupa è proprio il contrario, e cioè che in una linea di neoradicalismo borghese — mi si perdoni — vengano rimesse in discussione le acquisizioni dell'anno 1977 quando i partiti sottoscrissero e votarono, tutti (o quasi) insieme, la solenne dichiarazione a favore del Patto Atlantico e della Comunità europea.

Quel giorno, così parlamentariamente significativo, pensai alla gioia che De Gasperi avrebbe provato (dico *avrebbe* perché non so se lassù ci si interessi di queste cose terrene). Lo stesso pensiero mi è venuto alla mente nel leggere le cronache del viaggio a Washington e a New York di Achille Occhetto e Giorgio Napolitano. Nel grande libro della storia i conti tornano sempre. Magari a lentissimi ritmi.

INDICE DEI NOMI

Marcus, Stanley 71
Mardesteig, Giovanni 79
Marinetti, Filippo Tommaso 254
Marinotti, Franco 102
Martin, Graham 72 105 107 108
Martinez, Bob 223 241
Martini, Fulvio 179
Martino, Gaetano 38
Matsuoka, Yosuka 17
Mattei, Enrico 43-45
Matthias, Charles 110
Mattia, Romana 216
Mazzei, Filippo 150
Mazzoli, Romano L. 98 117 174
M'Bow, Amadou-Mahtar 153 215
Meany, George 88 112
Medici, Giuseppe 86-88 90
Meese, Edwin 172
Meguid, Esmat Abdel 183
Merchant, Livingstone 30 68
Messmer, Pierre 74
Metzel, Jeffrey jr. 60
Michelangelo Buonarroti 98 129 130
Migliuolo, Giovanni 178 179 181 183
Minish, Joseph J. 117 134
Minnelli, Liza 92
Miranda, Roger 233
Mitterrand, François 140 253 266 270
Mobutu, Joseph Désiré 40
Mojsov, Lazar 142
Molinari, Howard 92
Mondale, Walter 110 113
Montanelli, Indro 49
Montebello, Philippe de 254
Montini, Giovanni Battista, vedi Paolo VI
Moore, John 116
Moravia, Alberto 223
Moretti, Aldo 223
Moro, Aldo 16 48 51 72-74 86 87 104-106 118 119 178
Mossadeq (Muhammad Hidayat, detto) 44
Moynihan, Daniel P. 117
Mubarak, Muhammad Hosni 165 168 176 192 239
Muni, Paul 80
Murphy, Franklin D. 160
Murphy, Richard 173 174 240-42
Mussolini, Benito 9 17-19 117 264
Mussolini, Laura 216

Napolitano, Giorgio 275
Nasser, Gamal Abd el 40
Nelson, Bill 137
Nenni, Pietro 8 21 28 63 64
Neves de Fontoura, Jan 19
Nitze, Paul H. 50 214 215 217 221
Nixon, Richard 9 51 52 62 82 87-99 151 205 263
North, Oliver 218
Novarese, Vittorio Nino 80 125
Nunn, Sam 225

Occhetto, Achille 274 275
Oliva, Giuliano 44
O'Neill, Thomas 117
Onesti, Giulio 58
Orione, Luigi 126
Orlando, Ruggero 49
Orlando, Tony 110
Orlando, Vittorio Emanuele 20
Ortega, Daniel 201
Ortona, Egidio 36 87 89
Ossola, Rinaldo 88 106
Overton, Benjamin 223

Padoan, Giorgio 223
Pandolfi, Filippo Maria 119
Panetta, Leon E. 117 134
Paolo VI (Giovanni Battista Montini), papa 40 60 67
Paolucci, Jeno 110 230 237
Parocco, Daria 223
Pastore, John 51 67 74 110
Pearson, Drew 56
Pease, Donald 137
Peck, Gregory 159
Peel, Quentin 272
Pell, Claiborne de Borda 110 117 126 138 222
Pella, Giuseppe 28 29 40
Pepper, Claude 98 136 222 224
Percy, Charles 110
Peres, Shimon 239 245 246
Pérez, Manuel 109
Pérez de Cuellar, Javier 54 229 231 235 261 262
Pergolesi, Giovanni Battista 116
Pernicone, Joseph 30 67
Pertini, Sandro 119 122 135 144 152 154 163
Pesenti, Carlo 77
Petrignani, Rinaldo 159 181 182

INDICE GENERALE

Finito di stampare nel mese di ottobre 1989
dalla RCS Rizzoli Libri S.p.A. - Via A. Scarsellini, 17 - 20161 Milano

Printed in Italy